Chère lectrice,

Ce mois-ci, la famille e̲s̲t̲ ̲à̲... Blanche !

Cela peut être le d̲é̲... Julia, qui porte *Le bébé d̲e̲*... a toujours aimé sans os̲... ...0), ou pour Maeve, folle am̲... , dont elle n'a pas eu de nouvelles depui̲... ...nique nuit de passion… une nuit à la conséquence merveilleuse, comme en atteste son ventre rebondi lors de leurs *Emouvantes retrouvailles* (Blanche n° 1211) neuf mois plus tard !

Et, parfois, c'est une seconde chance que la vie offre à nos héroïnes : Jenny tombe sous le charme du séduisant Dr Cameron Roberts et de ses turbulents jumeaux (*Des jumeaux pour Jenny*, Blanche n° 1212) et Lizzie, elle, retrouve *Le goût du bonheur* (Blanche n° 1213) en partageant le quotidien du Dr James Bartlett et de ses deux jeunes enfants…

Bonne lecture, et rendez-vous le mois prochain !

La responsable de collection

Des jumeaux pour Jenny

*

Une inexplicable attirance

*

Un médecin trop séduisant

SUE MacKAY

Des jumeaux pour Jenny

COLLECTION *Blanche*

HARLEQUIN

Collection : Blanche

*Cet ouvrage a été publié en langue anglaise
sous le titre :*
A FAMILY THIS CHRISTMAS

Traduction française de
MICHEL LECŒUR

HARLEQUIN®
est une marque déposée par le Groupe Harlequin

Blanche® est une marque déposée par Harlequin

HARLEQUIN

83-85, boulevard Vincent-Auriol, 75646 PARIS CEDEX 13.
Service Lectrices — Tél. : 01 45 82 47 47

www.harlequin.fr

ISBN 978-2-2803-2866-1 — ISSN 0223-5056

1.

— Attention !

L'avertissement fut suivi d'un cri étranglé qui fit se dresser les cheveux sur la nuque de Cameron Roberts.

Puis il y eut un fracas ressemblant à s'y méprendre au bruit que faisait le skate-board d'un des jumeaux quand il heurtait malencontreusement le trottoir.

Son cœur se serra. Qu'avaient-ils encore fait ? Ses fils allaient-ils un jour cesser de s'attirer des ennuis ? Ils avaient beau n'avoir que huit ans, ils déclenchaient à eux deux plus de catastrophes qu'une équipe de joueurs de rugby lâchés en ville après un match très disputé.

Cam s'élança vers le devant de la maison.

— Marcus ? Andrew ? Est-ce que ça va ?

— Papa, dépêche-toi ! Elle a besoin d'un médecin. Je l'ai pas fait exprès, je t'assure… Je suis désolé.

Marcus apparut au bout de leur allée, son petit visage inquiet ruisselant de larmes.

Cette fois, la gorge de Cam se noua. Qu'est-ce que Marcus avait fait, cette fois ? Et où était Andrew ? Lui était-il arrivé quelque chose ? Cela expliquerait la réaction de son frère. Excepté qu'il avait dit qu'*elle* avait besoin d'un médecin.

— Que s'est-il passé ? demanda-t-il, tout en priant mentalement les dieux des parents de lui accorder une pause, juste une fois.

Mais à en juger par le spectacle qui s'offrait à lui, les dieux en question devaient être en vacances.

— Un jour, rien qu'un seul jour sans le moindre désastre,

c'est tout ce que je demande, marmonna-t-il entre ses dents avant de s'agenouiller près de la femme aux cheveux roux qui gisait sur le trottoir.

Elle tourna les yeux vers lui, le visage grimaçant de douleur. Sa poitrine se soulevait et s'abaissait trop vite, et du sang coulait de son coude gauche le long de son bras.

Debout à côté d'elle, Andrew se balançait d'un pied sur l'autre, son skate-board oscillant dans la main. Il regardait fixement la femme, comme s'il n'arrivait pas à comprendre pourquoi elle se trouvait là. Un autre skate-board était abandonné par terre : celui de Marcus.

— Que s'est-il passé ? répéta Cam.

A la maison, il était interdit de jurer, et cela valait aussi sur le trottoir. Mais à cette minute, Cam eut une furieuse envie d'enfreindre la règle.

— Papa, la dame est blessée, mais…

— On l'a pas fait exprès. C'est vrai, ajouta Andrew d'une voix tremblante.

La femme poussa un grognement.

— J'ai la cheville cassée.

Cam remarqua qu'un pied enflait déjà, ainsi que la cheville. Fracture ou entorse ?

— On n'est pas encore sûrs, dit-il.

— Moi, je le suis.

Elle semblait catégorique. Et en colère. Il ne pouvait pas lui en vouloir.

— Je suis médecin. Est-ce que je peux vous examiner ? demanda-t-il.

Ses yeux se posèrent sur lui. D'un magnifique vert émeraude, ils lui rappelaient les lointains étés qu'il avait passés à se promener dans les collines boisées.

— Le rebord de la planche de ce garçon a tapé dans mon talus. La douleur a été instantanée et atroce. Il est cassé.

Elle avait dit « talus », et non pas « os de la cheville ». Apparemment, elle avait quelques notions de médecine. Il se pencha sur le pied, l'estomac noué. Pour ce qui était de la fracture, elle avait sans doute raison. Ou alors, elle s'était tordu la cheville en tombant.

— Je suis désolé, dit-il. Mes fils ont tendance à être excessifs en tout.

Il était encore bien en dessous de la vérité. Mais il n'allait tout de même pas raconter à cette femme qu'il ne se passait pratiquement pas de jour sans qu'ils fassent de nouvelles bêtises.

« Bon sang, qu'elle est belle. »

Malgré la douleur qui déformait ses traits, elle était d'une beauté renversante.

« Fais ce que tu as à faire et envoie-la à l'hôpital. Ne pense à rien d'autre. Elle est peut-être canon, mais c'est avant tout une femme, et donc une source potentielle d'ennuis. »

— Ils allaient à toute allure, reprit-elle en essayant de déplacer son bassin, ce qui lui arracha un cri.

Sa mâchoire se crispa quelques secondes, sans doute le temps que la douleur s'estompe. Il avait semblé à Cam qu'elle avait un petit accent.

— Vous avez des ancêtres écossais ?

Pourquoi lui avoir posé cette question ? Cela ne le regardait pas et n'avait de toute façon rien à voir avec la situation présente.

— Pas un seul, répondit-elle. Mais quand on grandit dans l'extrême-sud du pays, on ne parle pas comme les autres Néo-Zélandais.

Le léger roulement de ses « r » le titilla agréablement. Il avait toujours adoré les femmes avec un accent.

« Oui, et regarde où cela t'a mené… »

Il se concentra sur la cheville qui avait déjà enflé.

— Je vais appeler l'ambulance. Ils pourront vous administrer du protoxyde d'azote quand ils retireront votre chaussure.

Elle hocha la tête, sachant manifestement ce qu'était ce gaz à l'effet à la fois relaxant et hilarant.

— Andrew, va chercher mon téléphone. Tout de suite.

— Oui, papa.

— Marcus, apporte les coussins du canapé pour la dame.

— Oui, papa. Mais on…

— Fais ce que je te dis.

Sa voix calme contrastait avec l'inquiétude qu'il éprouvait pour cette femme et son irritation envers les jumeaux. Pour une fois, ils auraient pu s'abstenir de discuter ses ordres.

— Très obéissants, marmonna la femme quand les garçons eurent disparu dans la maison.

— Vous trouvez ? C'est juste parce qu'ils savent qu'ils ne sont pas au bout de leurs ennuis avec moi.

Avec précaution, il lui étendit la jambe en veillant à ne pas brusquer la cheville.

— Au fait, je m'appelle Cameron Roberts et je suis médecin généraliste au centre médical local. D'ailleurs, je suis le seul.

— Jenny Bostock.

Ses lèvres pleines se pincèrent. Le vert de ses yeux s'assombrit et elle regarda par-dessus son épaule, comme si elle essayait de se concentrer sur autre chose que sa cheville. S'étant libérée d'un ruban élastique qui pendait maintenant dans son dos, une cascade de cheveux roux ondulés retombait sur ses épaules, quelques mèches cachant partiellement un côté de son visage.

Cam eut du mal à résister à l'envie de les écarter.

— Etes-vous venue visiter Havelock pour la journée ou bien faisiez-vous juste une halte ? demanda-t-il.

« Ce n'est pas de l'indiscrétion, j'essaie juste de la distraire de la douleur. »

— J'ai traversé ce matin avec le ferry, et j'ai choisi de prendre Queen Charlotte Drive au lieu d'aller directement à Blenheim. A Havelock, j'ai eu envie de me promener à pied dans la rue principale avant d'aller déjeuner au café qui se trouve près de la marina.

— Et mes fils vous ont empêchée de mener à bien votre projet… J'en suis vraiment désolé. Ils ont tendance à s'emballer un peu trop, parfois.

Pour le coup, la prochaine destination de cette jeune femme serait l'hôpital, et rien d'autre.

— Cela vous fait deux fois plus de soucis, j'imagine ? dit-elle.

Ses lèvres esquissaient un vague sourire, ce qui le surprit et le soulagea à la fois. Sa colère semblait s'être calmée. Pourtant, elle devait souffrir.

— Celui qui a lancé une idée pareille n'a jamais eu de jumeaux, répliqua-t-il. Dites plutôt que les ennuis sont multipliés par dix. Mais je reçois aussi dix fois plus d'amour, ajouta-t-il avec un sourire contraint.

— Ne soyez pas trop sévère avec eux. Ils ont surgi de nulle part, mais c'était aussi ma faute. J'étais en train de suivre des yeux un bateau qui sortait de la marina, sans regarder où j'allais.

— C'est gentil à vous de dire ça. Je leur répète tout le temps qu'ils doivent faire très attention aux piétons, même s'il n'y en a pas beaucoup dans cette partie de la ville.

— Mais ce sont des garçons, et ils ne vous écoutent pas.

— Je crois que je ferais bien de mettre ces skate-boards sous clé jusqu'à ce qu'ils aient appris à contrôler un peu leurs actes. Avez-vous des engourdissements ? ajouta-t-il en lui tapotant le pied.

Elle se contenta d'acquiescer.

— Vous voulez bien essayer de le bouger ?

— Pas vraiment.

Pourtant, elle prit un air déterminé et son visage se contracta sous l'effort, juste avant qu'elle grimace de douleur.

— Stop ! Vous avez sans doute raison : il ne s'agit pas d'une simple entorse.

Andrew apparut, tout essoufflé.

— Voilà le téléphone !

— Et moi, j'ai les coussins !

Marcus les rejoignait, les bras chargés.

— Place-les derrière la dame, un à la fois, ordonna Cam. Doucement. Ne la cogne pas.

Il avait envie de gronder les garçons, de les sermonner

pour ne pas avoir fait assez attention, mais il se demanda s'il n'avait pas déjà été trop sévère ces derniers temps. Peut-être tireraient-ils eux-mêmes la leçon de cet accident. Ils s'amusaient tellement avec leurs skate-boards que les leur confisquer lui brisait le cœur.

Jenny dirigea l'installation des coussins en parlant calmement aux garçons, comme si elle vivait ce genre de situation tous les jours. Ils s'exécutèrent avec empressement tout en jetant des coups d'œil du côté de leur père. Cherchaient-ils à lui faire comprendre qu'il aurait dû en prendre de la graine ?

Cam se releva et appela le chef ambulancier bénévole.

— Hello, Braden, il faudrait que vous veniez devant chez moi. Une femme avec probablement une cheville cassée a besoin d'antalgiques et doit être transportée à Wairau, ajouta-t-il avant de couper la communication.

— Wairau ?

— L'hôpital de Blenheim. Il vous faut une radio et vous serez suivie par un chirurgien orthopédique.

— Adieu les podiums.

Etait-elle en train de plaisanter ? Mais à bien y réfléchir, ces longues jambes minces pouvaient très bien appartenir à un mannequin, habitué des défilés de mode. Le reste de son corps était à l'avenant, sans parler de sa magnifique chevelure et de ce visage qui aurait pu tenter un eunuque.

S'il lui en laissait l'occasion, Jenny Bostock était sûrement capable de lui faire perdre sa résolution d'éviter la population féminine tout entière.

« Alors, ne la laisse pas faire. »

Il recula d'un pas, mettant ainsi davantage d'espace entre eux. D'abord, se montrer pratique.

— Je suppose que vous avez une voiture garée quelque part, non loin d'ici. Elle peut rester dans mon garage jusqu'à ce que vous soyez capable de la conduire de nouveau.

C'était le moins qu'il pouvait faire, étant donné que sa progéniture était responsable de l'immobilisation de Jenny.

Elle glissa les doigts dans la poche de son short ajusté.

— C'est une voiture de sport rouge, numéro d'immatriculation HGH 345, et elle est garée non loin des sculpteurs sur bois.

Il eut du mal à détacher les yeux de ses hanches rondes.

— Vous faites facilement confiance, commenta-t-il.

C'était sans doute un vieux tacot, bientôt bon pour la casse.

— Dr Cameron Roberts, généraliste à Havelock… Ça ne doit pas être très difficile à retrouver, répliqua-t-elle. D'autant plus que je suis allongée devant votre portail d'entrée, au 5C, Rose Street.

Bien observé. A cet instant, il entendit la sirène de l'ambulance.

— J'avoue que j'apprécierai énormément l'effet sédatif du gaz, car la douleur devient obsédante.

Elle ne souriait plus et arborait en permanence une expression douloureuse.

— A propos… J'aurais dû vous le demander plus tôt, dit-il. Y a-t-il quelqu'un à prévenir qui pourrait vous retrouver à l'hôpital ?

Instantanément, ses yeux perdirent toute expression et elle parut se refermer d'un seul coup.

— Non, merci.

— Il faudra que quelqu'un passe vous prendre une fois que l'équipe médicale vous aura remise sur pied.

— Je me débrouillerai.

Son regard se fit lointain, mais il crut y déceler une lueur de détresse.

— Bonjour, dit-elle d'un ton jovial aux auxiliaires médicaux qui arrivaient. Vous venez me chercher ? J'espère que vous avez apporté de quoi diminuer la douleur.

Braden et son assistant, Lyn, se dirigèrent vers elle avec un brancard, une planche, leur trousse médicale et le masque dont Jenny rêvait.

— Salut, les gars, dit Cam. Voici Jenny Bostock.

La culpabilité l'assaillit de nouveau. Ses fils étaient-ils responsables de la détresse qu'il avait lue dans ses yeux ?

— Papa, on peut aller dans les magasins ?

— On a vu maman sortir d'une voiture au bout de la rue.

Il sentit son cœur se serrer. Ses fils avaient pourtant à peu près autant de chances d'apercevoir leur mère que de voir des cochons voler.

Quand cela allait-il finir ? Outre le fait qu'ils avaient brisé la cheville de Jenny, ils étaient persuadés que leur mère se trouvait dans les parages. Quand accepteraient-ils que cette femme égoïste n'avait aucunement l'intention de revenir un jour ? Elle ne tenait sans doute pas à ce que deux garçons de huit ans interfèrent avec ses plans de carrière.

— On n'a pas le temps. Je vous rappelle que vous devez vous trouver à la fête de Noël des joueurs de softball dans une heure. Or, vous devez encore vous laver la figure et enfiler des vêtements décents.

La déception visible sur les deux visages presque identiques lui fut aussi douloureuse que devait l'être sa cheville cassée pour Jenny. Mais mieux valait se montrer ferme à ce sujet plutôt que de les laisser arpenter la rue principale en regardant dans chaque boutique et chaque café, à la recherche de quelqu'un qui se trouvait à des centaines de kilomètres de là, dans l'île du Nord.

Cependant, Cam détestait avoir à endosser le rôle du méchant ogre briseur de cœurs, alors que leur mère était la cause de leur angoisse.

Son regard croisa celui de Jenny alors qu'elle inhalait de grandes bouffées de gaz. Cette fois, il ne put déchiffrer l'expression de ses yeux verts. D'ailleurs il n'essaya même pas puisqu'il ne la reverrait plus. Ce qu'elle pensait importait peu.

— Le temps d'installer l'attelle et de transporter Jenny dans l'ambulance et nous repartons, dit Braden. Est-ce que vous allez à l'apéritif de ce soir, Cam ?

Il s'agissait d'une collecte de fonds pour l'entretien de la piscine.

— Tout dépend de l'heure à laquelle le Noël des garçons finira, répondit-il.

Ses fils et lui étaient devenus experts en vie sociale : ils étaient invités à toutes les fêtes qui se tenaient à Havelock : de l'anniversaire d'un chat jusqu'à la dernière d'une série de représentations théâtrales. Tout était prétexte à s'amuser. Ce qui était très bien, tant qu'il ne fallait pas courir à Blenheim, à une demi-heure d'ici, et qu'il n'y avait pas plusieurs événements à honorer en même temps.

Braden et Lyn transportèrent leur patiente jusqu'à l'ambulance et Cam les suivit, incapable de s'en aller.

— J'espère que tout se passera bien pour vous à Wairau, Jenny. Et encore une fois, désolé pour mes garçons.

Elle retira le masque de son visage et esquissa un sourire.

— Un accident est vite arrivé. J'aurais dû faire attention où j'allais.

Cette femme était prompte à pardonner. Peu de gens auraient réagi ainsi. Avait-elle naturellement bon cœur ? Ou bien le gaz avait peut-être sur elle un effet hilarant et adoucissait le désespoir qu'il avait deviné dans ses yeux…

Tout en regardant l'ambulance, il éprouva une envie qu'il n'avait pas ressentie depuis des années. C'était quelque chose dans l'attitude courageuse de Jenny qui l'avait déclenchée. L'envie de suivre le véhicule et d'aller aux urgences avec elle.

Pour lui tenir la main ? Mais bien sûr… Réconforter une femme superbe ne faisait pas partie de ses projets immédiats. Pourtant, il ne pouvait pas s'empêcher de se sentir responsable d'elle.

S'il y avait eu quelqu'un avec elle, ou pour l'attendre à l'hôpital, il n'aurait sans doute pas réagi ainsi. Mais elle avait l'air d'être seule. Quand elle sortirait de l'hôpital, où irait-elle ? Et comment s'y rendrait-elle ? Au moment de l'accident, elle n'avait pas de sac avec elle, ni de veste avec des poches pouvant contenir de l'argent, une carte de crédit ou un téléphone. Elle n'avait que les clés qu'elle lui avait tendues pour qu'il aille chercher sa voiture. C'était probablement là que son sac se trouvait.

Il supervisa les garçons pendant qu'ils rapportaient les coussins à la maison avec des regards inquiets sous leur frange un peu trop longue. Au moins, ils avaient saisi la gravité de la situation, songea Cam en soupirant.

A présent, il était temps de se rendre à la fête.

« N.B. : Ne pas oublier de prendre rendez-vous pour deux coupes de cheveux, lundi soir après l'école. »

2.

Jenny jeta un coup d'œil circulaire dans la salle des urgences et frissonna.

Elle avait envie de partir d'ici. Tout de suite.

Mais ce n'était pas près d'arriver. Le spécialiste lui avait confirmé ce dont elle se doutait déjà. Il attendait que le chirurgien orthopédique vienne regarder ses radios, mais, apparemment, celui-ci était allé pêcher à Queen Charlotte Sound.

Prendre son mal en patience n'était plus son fort, particulièrement aux urgences. A une époque, elle avait adoré être d'astreinte dans ce genre de service, se demandant avec excitation quel serait le prochain cas à traiter, et elle avait été heureuse d'aider des patients à se rétablir quand une catastrophe s'était abattue sur eux.

« Et pour finir, tu n'as servi à rien », se dit-elle.

Les urgences étaient pleines à craquer. Le rideau du box voisin n'était pas complètement tiré et elle aperçut un amour de petite fille aux yeux bleus et aux cheveux bouclés qui la regardait sans ciller. Un homme était allongé sur le lit, souffrant visiblement.

Elle avait entendu dire qu'il était tombé de son tracteur sous lequel il était resté coincé pendant une heure avant que sa femme le trouve. Cependant, sa vie ne devait pas être en danger, sinon il aurait déjà été au bloc.

— Debout, lui dit la petite fille d'un ton impérieux.

— Non, Emma. Laisse la dame tranquille.

La mère de l'enfant, la mine harassée, la prit par la main et la fit asseoir sur une chaise près du lit de l'homme.

— Ce n'est rien, dit Jenny avec un bref sourire.

— Est-ce que ça va ? lui demanda une infirmière stagiaire d'un ton enjoué, de l'autre côté du lit. Vous n'avez besoin de rien ?

C'était de l'humour, sans doute. Ne devait-on pas d'abord leur apprendre à ne pas taquiner leurs patients ?

— Je ferais n'importe quoi pour avoir un café bien fort.

— Vous ne devez rien boire pour l'instant, désolée. Pas avant que M. McNamara vous ait vue, et ensuite, seulement si on ne vous opère pas.

— Je comprends tout à fait.

Cela commençait à faire beaucoup de gens désolés pour aujourd'hui. Il y avait eu Cameron Roberts et sa masse de cheveux blonds frisés, visiblement navré de ce qui lui était arrivé, et qui l'avait regardée avec ses yeux couleur café pleins de stress et de lassitude.

« Problèmes » et « jumeaux » étaient en fait deux termes synonymes. Elle était bien placée pour le savoir.

— Si vous avez besoin de quoi que ce soit, appelez-moi, ajouta l'infirmière. Je peux vous trouver des magazines, mais ils sont loin d'être récents.

— Tout va bien, mentit-elle.

— Super…

La jeune femme la gratifia d'un large sourire avant d'aller charmer un autre patient, la laissant dresser seule le bilan de sa situation, qui était loin d'être brillante.

Elle se retrouvait coincée. Stoppée dans son élan, tout cela parce qu'un gamin avait perdu le contrôle de son skate-board. Il avait tout fichu par terre.

Il lui semblait qu'elle venait de heurter un mur de brique et qu'il n'y avait plus aucune issue. Elle avait eu envie de hurler à ces garçons qu'ils auraient dû faire attention, mais elle-même n'avait pas remarqué grand-chose, à part le bateau qui s'éloignait et le soleil sur son visage. Elle avait eu à peine le temps de tourner la tête en entendant le bruit avant que Marcus lui rentre dedans.

Les garçons avaient paru contrits. Ils avaient également eu l'air d'en avoir assez de se faire gronder. Jenny comprenait ce qu'ils avaient ressenti. Combien de fois Alison et elle n'avaient-elles pas rendu leur mère à moitié folle ? Cela, Cameron Roberts ne s'en était pas douté.

« Je parie que je pourrais en apprendre à ses garçons, pour ce qui est de faire des bêtises. »

— Emma ? Que se passe-t-il, mon bébé ?

Dans le box voisin, le ton angoissé de la mère l'alerta aussitôt.

— Elle est devenue toute rouge. Emma ? Elle ne respire plus !

Jenny balança les jambes sur le côté du lit, crispant les dents sous l'effet de la douleur.

— Je suis médecin. Amenez-la ici, dit-elle d'un ton autoritaire.

La petite fille, qui lui souriait quelques minutes plus tôt, avait une expression de terreur sur le visage et Jenny s'empressa d'appuyer sur le bouton d'alarme près du lit.

— Jouait-elle avec quelque chose ?

— Des boules de coton, je crois.

Prenant l'enfant des bras de la mère en détresse, Jenny lui introduisit son index plié en forme de crochet dans la bouche et en retira des boules de coton humides. En avait-elle avalé ?

— Savez-vous si votre fille a des allergies ? demanda-t-elle.

— Pas à ma connaissance.

Emma ne respirait plus. Rapidement, Jenny l'allongea en travers de ses genoux, la tête en bas, et se mit à lui administrer des tapes entre les omoplates du plat de la main.

« Une. Deux. Allez, bébé, respire. Trois. Quatre. S'il te plaît, s'il te plaît, s'il te plaît. Cinq. Où sont passés les médecins ? »

La poitrine d'Emma ne se soulevait toujours pas. Ignorant

les cris de la mère, Jenny se concentra sur l'enfant qu'elle redressa pour l'asseoir contre elle, sur ses cuisses.

— Que se passe-t-il ?

Un médecin accourait, suivi de deux infirmières.

Enfin… Mais lui passer le relais maintenant entraînerait la perte de précieuses secondes.

Jenny mit l'avant-bras au creux de l'estomac de la petite fille.

— Cette enfant est en arrêt respiratoire. Je lui ai administré cinq tapes dans le dos. Au fait ! Je suis médecin urgentiste.

« *J'étais* médecin urgentiste », rectifia-t-elle pour elle-même.

Elle effectua une compression. Un. Deux… Emma toussa à plusieurs reprises, et un petit objet rond jaillit de sa bouche et alla rouler par terre.

— On dirait un couvercle de boîte à pilules, dit une infirmière en allant le ramasser sous le lit voisin.

Emma, l'air désorienté, se mit à pleurer et le médecin l'enleva des bras de Jenny pour la poser sur le lit.

— Chut, mon ange. N'aie pas peur, tout va bien.

Il jeta un coup d'œil à la maman, toujours sous le choc, tandis que le père, visiblement secoué, tentait de sortir de son lit.

— Venez tenir votre fille pendant que je l'examine, dit-il à la mère. Jason, ne bougez pas de votre lit, sinon votre blessure va se remettre à saigner.

Il procéda à un examen rapide mais complet de l'enfant.

— Elle est en pleine forme, grâce à ce médecin, conclut-il en désignant Jenny.

La mère la regarda, toute pâle.

— Merci beaucoup, dit-elle d'une voix tremblante. Si vous n'aviez pas fait les bons gestes…

Elle ne put continuer.

Jenny s'allongea sur son lit. La douleur s'était amplifiée et devenait lancinante, à présent qu'elle n'était plus distraite.

— Ce n'est rien, répondit-elle en s'efforçant de sourire.

20

Réjouissez-vous que vous vous soyez trouvées ici plutôt que chez vous quand c'est arrivé.

En quelques minutes, le service retrouva son rythme normal et on n'entendit plus que des voix étouffées.

Avec un soupir, Jenny s'abandonna dans son lit. Quelle journée… Mais après tout, une cheville cassée n'était rien sur l'échelle des urgences et elle avait beaucoup de chance.

Le désespoir céda la place à la joie. Cette enfant aurait pu être sauvée par n'importe lequel des médecins ou des infirmières du service, mais c'était elle qui l'avait fait. Instantanément, les anciens réflexes avaient refait surface.

C'était bon de savoir qu'elle les avait toujours en elle, même si elle n'avait nullement l'intention de faire la bêtise de redevenir médecin.

Pourtant, elle avait dit « Je suis médecin » sans réfléchir, ne songeant pas un instant à diriger l'enfant vers quelqu'un d'autre au risque de perdre de précieuses secondes.

Tout en s'enfonçant davantage dans les oreillers, elle se demanda ce qu'elle ferait une fois qu'elle sortirait de l'hôpital. Initialement, elle avait prévu de passer un jour ou deux à Blenheim pour visiter les vignobles qu'elle avait vus avec Alison deux ans auparavant, et boire un verre de la boisson pétillante favorite de sa sœur : le champagne.

Allait-elle rester ici jusqu'à ce qu'elle soit capable de circuler de nouveau ? Mais pour faire quoi ? Lire, manger, dormir… L'ennui. Et si elle retournait à Havelock ? se dit-elle avant de laisser échapper un petit rire sans joie.

Moins de cinq cents personnes vivaient là-bas. Pas vraiment un endroit pour elle. En un rien de temps, les gens commenceraient à lui dire bonjour et à lui demander comment elle allait.

Un frisson d'appréhension la parcourut. Il fallait qu'elle se rende à l'évidence : actuellement, elle n'était guère capable de passer plus de trois nuits quelque part. En même temps, elle n'était plus en état de bouger.

Près de six mois passés sur les routes n'avaient rien résolu et ne lui avaient pas apporté le pardon dont elle avait tant besoin : elle ne parvenait toujours pas à accepter ce qu'il s'était passé.

A présent, elle était presque au bout de son voyage : plus que deux étapes. Comme si maintenant, elle allait pouvoir gravir les montagnes du parc national de Kahurangi… Il faudrait qu'elle attende l'année prochaine pour dire adieu à sa sœur.

Les larmes se mirent à couler sur son visage.

— Désolée, petite sœur. Je voulais vraiment me trouver à l'endroit où tu m'as quittée pour ce premier anniversaire.

Il avait suffi d'un seul choc pour la priver de ce dernier adieu. C'était un peu comme pour la mort d'Alison : une seule chute, et elle avait disparu pour toujours.

— On dirait que vous avez besoin d'un peu de compagnie.

Cette voix, elle l'avait entendue quelques heures auparavant.

— Docteur Cameron Roberts ?

Surprise, surprise…

— Vous vous rappelez mon nom, donc. La plupart des gens m'appellent Cam.

Elle avait toujours eu une mémoire phénoménale. Cela lui servait à se rappeler les dernières paroles de sa jumelle, par exemple.

Mettant Alison de côté — du moins pour le moment — elle prit une profonde inspiration tout en gardant la tête baissée.

— Vous n'arrivez pas à trouver l'endroit où a lieu la fête de Noël des garçons ? dit-elle en souriant.

Il s'assit sur le bord du lit sans lui demander la permission. Au moins, il fit attention de ne pas heurter son pied blessé.

— Ils sont arrivés à bon port sans problème, répondit-il. Et pour une fois, je n'ai pas eu à revêtir un costume rouge ni à distribuer des cadeaux à des gamins surexcités.

— Ça a pourtant l'air amusant, dit-elle en levant les yeux, oubliant ses larmes.

— Vous pleurez…, marmonna-t-il, l'air désemparé.

Il devait faire partie de cette catégorie d'hommes qui ne supportaient pas de voir une femme en larmes.

— C'est sans doute le contrecoup du choc. Je me retrouve

ici, au lieu d'être en train de savourer mon déjeuner à la marina.

Si elle racontait la vérité à cet inconnu, elle aurait l'air de chercher à se faire plaindre et c'était la dernière chose qu'elle voulait.

— Ne vous inquiétez pas pour moi, je vais bien, ajouta-t-elle.

Cam parut soulagé.

— Il paraît que vous attendez Angus McNamara ?

— Est-il un bon chirurgien ? demanda-t-elle.

— Vous ne pensez pas que je vais vous dire le contraire ? répondit-il avec un léger sourire.

Il devrait sourire plus souvent, songea-t-elle. Il était toujours aussi séduisant, mais encore plus attirant.

Comme elle éprouvait un chatouillement agréable au niveau de l'estomac, elle se raidit.

Elle ne devait pas oublier que cet homme avait une femme. Après tout, les garçons avaient dit qu'ils avaient vu leur mère.

Elle remua légèrement et poussa un grognement de douleur.

— Si j'avais besoin de voir un spécialiste du bistouri, vous me le diriez, n'est-ce pas ?

Cam sourit de nouveau.

— Angus est un très bon chirurgien, répondit-il en lui tendant ses clés. Votre voiture est maintenant à l'abri, dans mon garage. Je vous ai apporté votre bagage, au cas où vous auriez envie de vous changer.

Non seulement il était beau, mais il était prévenant.

— Je l'ai laissé au bureau des urgences, en attendant que l'on sache si vous devez vous faire opérer ou bien si vous avez juste besoin d'une attelle correcte et d'une paire de béquilles.

— Voulez-vous mettre les clés dans mon sac ? Je crains de les perdre.

— Bien sûr.

Il resta un moment silencieux, les yeux fixés sur ses pieds.

— Si on vous laisse sortir d'ici, où irez-vous ?

Elle n'en avait aucune idée.

— Hier, j'ai cherché un motel à Blenheim et j'ai vu qu'il y avait beaucoup de chambres libres, alors je n'ai pas pris la peine de réserver. Je téléphonerai une fois que je saurai ce qui m'attend ici.

— Etes-vous sûre de vouloir faire ça ? Vous pourriez très bien rentrer directement chez vous en avion.

D'après son regard interrogateur, il aurait bien aimé savoir où elle habitait. Mais elle n'avait pas envie de satisfaire sa curiosité.

— Pas de problème. J'ai l'embarras du choix, en fait.

Entre un motel où il faudrait qu'elle se fasse livrer des plats tout prêts à cause de son impossibilité à se déplacer, et un avion qui l'emmènerait… Où ? Dans quel endroit pourrait-elle s'installer en prétendant être chez elle, le temps qu'elle soit de nouveau capable de bouger ? D'après certains, là où était notre cœur se trouvait notre toit. Mais son cœur à elle était perdu.

Toutes ses possessions terrestres se trouvaient enfermées dans un container d'un entrepôt d'Auckland, où elles devaient être en train de moisir. Après son long voyage, elle aurait sûrement envie de prendre un nouveau départ dans un nouvel endroit.

— Je vous laisse mes coordonnées, dit-il. Au cas où vous auriez envie que je vous rapporte autre chose laissé dans votre voiture.

— Merci.

Le carton de journaux de médecine pouvait bien attendre. Quant aux chaussures de marche ou de course et à l'équipement de camping, ils lui étaient tout à fait inutiles pour l'instant.

« Arrête de t'apitoyer sur ton sort. Ce n'est rien d'autre qu'une cheville cassée. Pas de quoi en faire un drame, même si tu restes coincée ici pendant un bout de temps. »

Son regard se promena sur Cam, son large torse et ses longues jambes.

— Comment avez-vous réussi à vous glisser derrière

le volant de ma voiture ? Vous avez dû avoir les genoux sous le menton.

— J'ai l'habitude, répondit-il. Cependant, c'était une première pour moi de conduire une voiture de sport, même pendant quelques centaines de mètres seulement. Les garçons n'en croyaient pas leurs yeux quand je suis arrivé à la maison.

Elle hocha la tête en souriant.

— J'imagine leur tête.

Elle ne put s'empêcher de continuer à l'examiner. Il devait passer du temps au soleil, car il exhibait un hâle doré du plus bel effet.

Son estomac se serra. Ce n'était vraiment pas le moment de s'intéresser à un homme. Elle n'avait rien à offrir à quiconque. Quoi qu'il en soit, celui-là était déjà pris.

— Vous avez l'air en forme. Est-ce que vous courez ?

Pourquoi lui posait-elle cette question ? Il n'allait pas tarder à disparaître de sa vie.

Cam eut l'air surpris.

— En effet, répondit-il. C'est la seule chose qui me permette de ne pas devenir fou, certains jours. Comme Havelock est petit, je vais sur Queen Charlotte Drive où il n'y a pas beaucoup de circulation. Parfois, les garçons m'accompagnent à vélo.

— Vos garçons sont adorables.

Où était leur mère ? Les avait-elle accompagnés à la fête ?

— Surtout, ne leur dites jamais ça. Ils détestent le mot « adorable ».

Cette fois, son sourire était plus large et illuminait ses yeux.

— On dirait qu'ils ont un caractère bien trempé.

Cam hocha la tête.

— Malheureusement, oui.

Il poussa un soupir et son regard devint triste.

— Ils sont un curieux mélange de force et de douceur. Ce qui est plutôt bien, mais j'aimerais qu'ils soient plus forts dans certains domaines.

Elle aurait voulu savoir comment effacer cette soudaine mélancolie et ramener son sourire chaleureux. Mais ce n'était pas son rôle. Ils étaient des étrangers l'un pour l'autre et étaient appelés à le rester.

— Vous avez des enfants ? reprit-il.

Cette question n'avait rien de surprenant étant donné le cours qu'avait pris leur conversation, pourtant, elle la reçut comme une flèche en plein cœur.

— Non.

Elle avait toujours espéré se marier un jour et fonder une famille. Cela avait fait partie de son projet de vie, en même temps que poursuivre sa carrière médicale, voyager dans toute l'Europe et voir Alison atteindre son but en devenant pilote de ligne.

Mais voilà… Alison était morte parce qu'*elle* avait échoué en tant que médecin.

Désormais elle aurait de nouveaux projets, mais une chose était sûre : fonder une famille en ferait toujours partie. La perte de sa sœur jumelle n'avait fait qu'accroître ce besoin en elle.

— Hello, Cam. Je ne m'attendais pas à te trouver ici. Tu connais ma patiente ?

Un homme d'une cinquantaine d'années venait de les rejoindre.

— Pas vraiment, répondit Cam. Mes garçons sont responsables de son état. Accident de skate-board.

— Aïe… Je suis Angus, votre chirurgien, dit l'homme en se tournant vers elle.

Elle lui tendit la main.

— Jenny Bostock. Puis-je vous demander si la pêche a été bonne sans que vous vous vengiez sur moi plus tard ? demanda-t-elle avec un sourire contraint.

— Vous êtes tombée pile au bon moment, répondit gaiement le chirurgien sans se démonter. Mon dîner m'attend chez moi, au réfrigérateur. J'ai pris de la morue qui est pour moi le meilleur poisson que l'on puisse trouver dans nos eaux.

Son sourire amical s'évanouit.

— J'ai vu vos radios. Il y a une petite fracture à la base du tibia, mais c'est surtout le talus qui est touché. Il faudra fixer des plaques.

— Je m'y attendais un peu.

Et cela ne l'emballait pas du tout, mais elle n'avait pas le choix.

— Voulez-vous que je vous décrive tout le processus, docteur Bostock ? demanda le chirurgien.

Cam haussa les sourcils.

— Ainsi, vous êtes médecin. Je m'étais posé la question.

Elle aurait aussi bien pu marquer « promeneuse de chiens » ou « femme de ménage » sur sa fiche d'admission, mais certaines habitudes avaient la vie dure, même au bout de six mois.

En fait, elle disait rarement qu'elle était médecin, de crainte que les gens lui demandent aussitôt son avis sur leur santé. Mais quand il s'agissait de remplir un papier, elle était honnête. Au cas où elle se remettrait sur les rails, un jour.

Angus se tourna vers Cameron.

— J'ai appris que notre patiente avait sauvé la vie d'un enfant qui était en train de s'étouffer il y a à peine une demi-heure. Tout le monde ne parle que de ça.

Cam haussa de nouveau les sourcils.

— Vraiment ? On dirait que vous avez le chic pour vous trouver au milieu des ennuis. C'est exceptionnel, ou bien est-ce une habitude chez vous ?

— Je crois qu'aujourd'hui j'aurais mieux fait de ne pas sortir de mon lit, marmonna-t-elle.

— Eh bien, vous voilà de nouveau couchée, dit Cam avec un sourire espiègle qui lui réchauffa le cœur.

— Bien, l'anesthésiste devrait être là dans une minute, intervint Angus d'un ton professionnel. Je vais au bloc et je vous y attends.

Il ouvrit le rideau et s'éloigna.

— Je ferais bien d'aller vérifier ce que font mes garçons,

dit Cam. Au cas où ils auraient encore trouvé une bêtise à faire.

— Merci d'être passé. Je m'occuperai de ma voiture quand je serai un peu plus mobile, répondit-elle.

— Elle peut rester là où elle est pendant des semaines, ce n'est pas un problème. Appelez-moi si vous avez besoin de quoi que ce soit.

Il ne faisait que se montrer obligeant envers quelqu'un que ses enfants avaient mis en fâcheuse position, rien de plus.

— Merci.

Soudain, elle n'avait pas du tout envie qu'il s'en aille. Ses doigts s'agrippèrent au drap qui la recouvrait car elle se sentait nerveuse à l'idée de devoir subir une anesthésie. Les pires scénarios lui venaient à l'esprit. Elle savait que l'opération de chirurgie la plus anodine n'était jamais totalement dépourvue de risques.

— Je peux rester là jusqu'à ce que Sheree, l'anesthésiste, arrive, dit-il comme s'il lisait dans ses pensées.

Il se rassit sur le bord du lit.

— Dans quel domaine pratiquez-vous ? ajouta-t-il.

C'était le revers de la médaille : elle devait répondre à des questions qu'elle aurait préféré éviter.

— Les urgences.

— Cela doit vous faire drôle de vous retrouver à la place de vos patients, non ?

Il haussa de nouveau les sourcils, ce qui lui donnait un air tout à fait charmant.

Cet homme n'était pas disponible, il avait une famille. Mais cela faisait longtemps qu'elle ne s'était pas intéressée à un représentant de la gent masculine.

— Disons que c'est assez bizarre d'être l'objet de l'attention des médecins.

— J'ai moi-même été opéré de l'appendicite il y a environ un an, répliqua-t-il. On craignait que cela ne s'aggrave assez rapidement et on m'a fait de la microchirurgie. Traitez-moi de mauviette si vous voulez, mais je savais exactement ce qui allait se passer, et je n'en menais pas large.

— Parce que vous connaissiez les risques.

Tout comme elle.

Une grande main chaude recouvrit la sienne.

— Tout ira bien. Sheree et Angus savent ce qu'ils font. Le plus difficile, ce sera après, quand vous ne pourrez plus vous déplacer facilement. Et si je vous envoyais mes garçons pour que vous en fassiez vos esclaves jusqu'à ce que vous soyez rétablie ? ajouta Cam, les yeux pétillant de malice. Ils ne sont pas très doués pour la cuisine et le ménage, ni pour faire du bon café, en revanche, ils sont excellents pour aller chercher des objets, et les rapporter.

Surprise de le voir plaisanter ainsi, elle sentit son appréhension diminuer.

— On dirait que vous parlez de chiots. Va chercher, toutou…

La chaleur dégagée par le contact de sa main la détendait encore plus. Elle se raidit et se libéra.

« Il est marié. »

— Merci pour votre sollicitude, mais tout va bien. Vraiment…

Cam scruta son visage, l'étudiant attentivement. Que cherchait-il ? Puis, hochant la tête, il se leva.

— Il est temps que j'y aille, j'entends la voix de Sheree. Prenez soin de vous.

Après son départ, elle resta un moment les yeux fixés sur le rideau. Qu'est-ce que cela faisait de retrouver Cameron Roberts en rentrant chez soi après une journée chargée à l'hôpital ?

« Désolée, mais tu ne travailles plus aux urgences. Tu ne travailles plus nulle part, d'ailleurs. Quant à retrouver cet homme chez toi, tu délires complètement. Il est déjà pris, rappelle-toi. »

Elle avait bien le droit de rêver un peu, non ?

3.

Jenny se réveilla au moment où une infirmière était en train de prendre sa tension.

— J'ai raté quelque chose ?

L'infirmière fronça les sourcils.

— Pardon ?

— J'ai la bouche sèche et la tête qui tourne.

— Ce sont les effets secondaires de l'anesthésie, répondit l'infirmière en souriant. Votre tension est normale, il faut encore que je prenne votre température.

Elle lui glissa un thermomètre dans la bouche tout en continuant de parler.

— On va vous apporter votre petit déjeuner. Et vous avez des visiteurs.

— Des… des visiteurs ? bafouilla-t-elle avant de retirer le thermomètre. Je ne connais…

« Personne, excepté Cam et ses fils. »

— Les enfants sont superbes, dit l'infirmière. Tout comme leur père.

— C'est vrai, dit-elle.

Ce devait être à cause de l'anesthésie.

— On dirait que vous allez mieux, intervint une voix grave depuis la porte. Prête à recevoir trois visiteurs ?

Instinctivement, elle remonta le drap jusqu'au menton. Elle devait être affreuse à voir, avec ses cheveux en bataille et le mascara de la veille qui avait dû laisser des traces noires sous ses yeux. Mais elle était heureuse de le voir.

Cam s'approcha, suivi de ses fils qui portaient un café et un sac qui dégageait une bonne odeur de croissant chaud.

— Bonjour, les garçons. C'est pour moi ?

Ils hochèrent la tête d'un même mouvement.

— Vous êtes des amours. Je rêvais d'un café depuis que je suis arrivée ici.

Dire qu'elle n'aurait rien eu de tout ça si elle avait laissé éclater sa colère la veille.

— Est-ce qu'il y a un moyen de distinguer qui est Marcus et qui est Andrew ?

Ils étaient presque identiques — quoique, en y regardant de plus près, elle remarqua qu'un des garçons avait une cicatrice sur le menton, qu'elle tapota doucement.

— Que s'est-il passé ?

— Marcus m'a fait tomber de la balançoire quand on était petits.

— Donc, tu es Andrew.

Le sourire du garçon ressembla à celui de son père, en plus espiègle.

— Marcus a aussi une cicatrice, mais sur la fesse.

— C'est pas vrai !

— Si.

Les deux frères se toisèrent du regard, et Andrew tendait la main pour agripper le short de Marcus quand Cam s'interposa.

— Ça suffit, maintenant. Nous sommes venus ici en visite, pas pour transformer la pièce en champ de bataille.

Jenny sentit monter en elle quelque chose qui ressemblait étonnamment à une envie de rire. Depuis combien de temps n'avait-elle pas ri pour de bon ?

— C'est mieux que de mourir d'ennui, dit-elle. Alors, comment était votre fête ? Est-ce que le Père Noël vous a apporté des cadeaux ?

— Le Père Noël n'existe pas. C'est juste…

— Un vieil homme déguisé.

Sa gorge se noua. Alison et elle aussi avaient l'habitude de finir chacune la phrase de l'autre. Bon sang, c'était trop dur.

« Dis quelque chose, ils sont tous en train de te regarder. »

— Qu'est-ce que vous avez eu comme cadeaux ?

— J'ai eu un avion téléguidé.

— Et moi un hélicoptère.

— Vous aimeriez être pilotes, donc.

— Papa, on pourra lui montrer nos cadeaux ? demanda Marcus.

Ou bien était-ce Andrew ? Ils n'étaient pas faciles à identifier quand elle ne les voyait pas de face.

Cameron fronça les sourcils.

— Ce serait plus poli de dire Mlle Bostock, intervint-il — après un discret coup d'œil à sa main gauche qui ne portait pas d'alliance. Ou encore Dr Bostock.

Leurs regards s'accrochèrent l'un à l'autre, et elle ressentit un pincement à l'estomac. Il était vraiment séduisant. Et là, elle ne délirait pas à cause du gaz.

— Cela me conviendra très bien s'ils m'appellent Jenny, dit-elle. A moins que vous n'y voyiez une objection.

En tout cas, certainement pas « docteur ». Elle méritait plus ce titre.

Il haussa les épaules.

— Pas de problème. Bon, les garçons, approchez-vous de Jenny pour lui donner ce que vous avez apporté. Mais ne grimpez pas sur le lit car elle a très mal au pied.

Le sourire de Marcus disparut et il baissa la tête.

— Je suis désolé.

Elle aussi, mais on ne pouvait pas revenir en arrière et elle ne se sentirait pas mieux en s'apitoyant sur son sort.

Se penchant en avant, elle releva le menton de l'enfant du bout des doigts.

— Ecoute-moi. C'était un accident. Tu ne l'as pas fait exprès, je le sais. Tu ne m'as pas vue et je ne t'ai pas vu. Alors ne revenons plus là-dessus, d'accord ?

Marcus hocha la tête avant de regarder son père.

— Elle est gentille, papa. Je l'aime bien.

Pour le coup, elle se sentit rougir, elle qui était habituellement plutôt pâle. C'était la chose la plus agréable qu'on lui ait dite depuis longtemps, au point qu'elle était au bord des larmes pour la deuxième fois en moins de vingt-quatre heures. Génial… Si elle continuait ainsi, Cam allait penser qu'elle serait plus à sa place dans le service de psychiatrie…

— Le petit déjeuner, annonça une dame d'une cinquantaine d'années, un plateau dans les mains. On dirait que votre famille vous a apporté du vrai café, et voilà du lait et du sucre. Les garçons, vous voulez bien donner le lait à votre maman ?

Marcus fixa la femme, la bouche ouverte et une lueur d'angoisse dans les yeux, tandis que son frère, l'air déconcerté, passait la petite bouteille en plastique à Jenny.

— Elle n'est pas notre mère, répondit-il. On est venus lui rendre visite parce que c'est mon skate-board qui l'a blessée.

— C'est gentil à vous.

Jenny jeta un coup d'œil au badge de la femme.

— Merci, Sadie, mais je n'ai pas besoin des céréales avec ce que l'on m'a apporté.

Sadie se retira pour céder la place à Angus qui entra, vêtu d'un pantalon de toile et d'un T-shirt.

— Bonjour, tout le monde. Comment va la patiente ?

— Je vais bien, répondit-elle. Mais je ne suis pas encore debout et je ne sais pas comment je vais m'en sortir avec des béquilles.

Les yeux des jumeaux brillèrent.

— Des béquilles ?

Elle ne put s'empêcher de leur sourire. Ils avaient le don de faire un jeu de tout et elle se sentit le cœur plus léger.

— Il est temps de prendre congé de Jenny, intervint Cam en se dirigeant vers la porte. Elle doit parler avec le Dr McNamara.

La déception l'envahit. Elle n'avait pas eu le temps de bavarder avec Cam et d'en apprendre davantage sur la vie à Havelock, ne serait-ce que pour entendre plus longuement sa voix grave et un peu rauque.

Déjà, les garçons se bousculaient pour rejoindre leur père.

— Merci d'être passés, Cam, dit-elle. Cela m'a vraiment fait plaisir.

Il se tourna vers elle.

— Je pourrais vous laisser les garçons pour qu'ils vous tiennent compagnie pendant la journée…

« J'adorerais ça. Au moins, je serais certaine de ne pas m'ennuyer. »

— Le personnel de l'hôpital risquerait d'y trouver à redire.

— Vous aussi, au bout de moins d'une heure. On ferait mieux de ne pas faire attendre Angus. D'après sa tenue, il ira jouer au golf, ensuite.

— Bien vu, Cam, répliqua le chirurgien. Mais je n'en ai pas pour longtemps avec Jenny, si vous voulez attendre.

Cam secoua la tête.

— J'ai des choses à faire en ville, et je voudrais être rentré chez moi avant qu'il fasse trop chaud. A plus tard, ajouta-t-il en se tournant vers elle.

Vraiment ? Il avait l'intention de repasser ? Elle hocha la tête, la gorge serrée. Elle avait tellement l'habitude d'être seule, à présent, que l'arrivée du trio Roberts lui avait fait l'effet d'un coup de fouet. C'était un excellent stimulant. Le plus longtemps possible, elle suivit des yeux les larges épaules de Cam, notant au passage que son pantalon kaki moulait ses hanches.

— Hmm…

Angus s'éclaircissait la gorge, se rappelant à son attention.

— Alors, quelle est la suite des événements ? demanda-t-elle. Est-ce que je peux sortir d'ici dès ce matin ?

— Avez-vous un endroit où aller ?

— Oui.

Ils avaient bien des taxis à Blenheim, non ?

Le chirurgien secoua la tête.

— Vous allez devoir être un peu plus précise. Sur votre feuille d'admission, vous avez indiqué un numéro de boîte aux lettres à Dunedin.

Coincée…

— Je suis au motel.

— Lequel ?

Mince… Quel était le nom de celui où elle avait réglé sa note la veille ? Le Grape Castle ? Le Vineyard Retreat ?

Elle réprima un soupir.

— Je vais réserver avant de partir d'ici.

— Ce sera demain au plus tôt. Si vous aviez quelqu'un pour s'occuper de vous, je vous libérerais dès aujourd'hui, mais ce n'est pas le cas et, de plus, vous ne maîtrisez pas encore les béquilles. De toute façon, vous ne devez pas marcher du tout, même pas pour traverser votre chambre, tant que l'œdème ne sera pas résorbé. Et je crains que, dans un motel, vous ne vous retrouviez à faire un peu trop de mouvements.

— Bien reçu, répliqua-t-elle. Vous allez pouvoir vous rendre à votre partie de golf. Quant à moi, je vais rester tranquillement ici. Pour l'instant.

Il lui lança un regard dubitatif, comme s'il n'était pas certain qu'elle tiendrait parole. Elle non plus, d'ailleurs. Mais, une fois qu'Angus l'eut examinée et lui eut prescrit des analgésiques, elle n'eut plus assez d'énergie pour sortir du lit.

Un point pour le chirurgien.

Dès qu'ils furent de retour à la maison, Cam se rendit dans la troisième chambre à coucher qui était peu utilisée. Il avait pris sa décision. C'était probablement la chose la plus stupide de toutes les choses stupides qu'il eût jamais faites, mais il était déterminé.

— Les garçons, venez me donner un coup de main.

Marcus et Andrew arrivèrent en un éclair.

— Qu'est-ce que tu fais, papa ?

— Je veux que vous enleviez tous ces livres et ces jouets et que vous les rangiez dans votre chambre. Au fond de la penderie, si nécessaire.

— Pourquoi ? demandèrent-ils d'une seule voix.

Parce que c'était bien du désespoir qu'il avait vu dans les yeux de Jenny Bostock. Il lui faudrait sûrement du temps pour s'habituer aux béquilles, et il l'avait sentie triste et seule — des sentiments qu'il pouvait comprendre — avec ce regard hanté qu'elle avait parfois.

Cette expression, il l'avait vue trop souvent dans les yeux de Margaret durant les mois qui avaient précédé son départ. Mais son ex-femme avait plutôt ressemblé à une lionne en cage pressée de partir à la conquête du monde, alors que Jenny avait l'air perdu. Quelques jours à Havelock ne lui feraient pas de mal. Pourquoi ne pas l'aider ?

Il poussa un soupir. Du moment qu'il ne souffrait pas, lui.

Il y avait quelque chose d'indéfinissable qui le touchait chez Jenny — en dehors de ses qualités physiques. Malgré sa fragilité apparente, il sentait en elle beaucoup d'altruisme, et le désir de bien agir. Une femme comme elle serait-elle capable de quitter son conjoint après avoir fait le vœu de l'aimer pour toujours ?

— Papa, pourquoi tu nettoies cette chambre ?

— Parce que je vais demander à Jenny si elle veut rester chez nous quelque temps.

— Ouais, génial ! s'exclamèrent les garçons en se tapant dans la main. Tous les deux, on l'aime bien. Elle ne nous a pas hurlé dessus quand on l'a fait tomber.

C'était aussi pour cette raison qu'il comptait l'inviter. Ce serait à la fois une façon de la remercier et de s'excuser.

— Vous avez eu de la chance qu'elle se soit montrée aussi compréhensive.

Il se demandait pourquoi elle ne lui avait pas dit tout de suite qu'elle était médecin.

Avec enthousiasme, Marcus et Andrew soulevèrent chacun une pile de livres et quittèrent la chambre, titubant sous la charge.

Une bouffée d'affection balaya Cam. C'étaient de super

gamins. Ce qu'il n'aurait pas tendance à oublier s'il n'était pas aussi occupé et fatigué.

En un rien de temps, ils effectuèrent plusieurs allers et retours et la chambre fut bientôt habitable pour Jenny. En faisant le lit, il fut assailli par le doute.

Et s'il se couvrait de ridicule ? Jenny allait peut-être le soupçonner d'avoir des vues sur elle, ou bien elle écarterait sa proposition en riant et l'assurerait qu'elle s'en sortirait très bien toute seule.

Avait-il raison de l'inviter alors qu'il avait déjà tant de choses à gérer ? Mais s'il ne le faisait pas, il serait plus que jamais envahi par la culpabilité. Donc, il lui proposerait de séjourner à Havelock, et ce serait à elle de décider.

« N.B. : Demander à Mme Warner de faire les courses plus tôt cette semaine, au cas où on aurait une bouche de plus à nourrir. »

— Où allez-vous comme ça ?

Cam mit les mains dans ses poches et s'appuya contre l'encadrement de la porte de Jenny. Elle sursauta en s'accrochant au bord du lit — si mince, et en même temps si forte. La fragilité était dans son regard, pas dans son corps.

Elle lui jeta un coup d'œil à la fois irrité et coupable.

— Vous auriez pu frapper avant d'entrer.

— Vous étiez tellement occupée à jongler en douce avec vos béquilles que vous ne m'avez pas entendu arriver, répondit-il, amusé.

En fait, il l'avait surprise en train d'essayer de prendre son sac de voyage posé sur la chaise.

— Pas du tout, répondit-elle avec un sourire contraint.

— N'essayez pas de discuter avec moi, dit-il en s'emparant du bagage. Vous oubliez que je vis avec deux experts.

Le sourire de Jenny disparut.

— Qu'est-ce que vous faites, Cam ? Où emportez-vous mon sac ?

— Chez moi.

Pour ce qui était d'une approche tout en finesse, c'était raté.

— Nous avons une chambre disponible, poursuivit-il. Vous pourrez y rester aussi longtemps que vous voudrez. Lorsque vous serez en mesure d'utiliser vos béquilles avec un peu plus d'habileté, vous pourrez vous balader autour de la maison. Dans le village nous avons des cafés, une boulangerie, une bijouterie et diverses boutiques.

— Je ne suis pas fana de shopping, mais les cafés sont plus intéressants.

Elle avait l'air stupéfait, et en même temps, il crut voir une lueur d'espoir dans ses yeux.

— Y a-t-il un motel à Havelock ?

S'était-il vraiment attendu à ce qu'elle saute sur son offre ?

— Seulement pour les randonneurs, répondit-il.

— Ah…

Le regard de Jenny alla de son sac aux béquilles. Elle semblait peser le pour et le contre.

Il devait l'aider à se décider.

— Les garçons vous ont préparé votre chambre. Ils sont très excités à l'idée de vous avoir comme visiteur, même si vous n'êtes pas encore capable de jouer au cricket sur la pelouse.

— Ce n'est pas très loyal…

Peut-être pas, mais il ne pouvait pas s'en aller en la laissant seule avec ses béquilles. Elle n'était pas en état de se débrouiller par elle-même pendant plusieurs jours.

— J'essaie de faire en sorte que vous acceptiez plus facilement. Vous pourrez partir quand vous voudrez, même juste après le dîner si cela vous chante.

Les doigts de Jenny tapotèrent nerveusement les poignées des béquilles.

— Qu'en est-il de votre femme ? Est-ce qu'elle est d'accord ?

— Je suis divorcé.

Il la vit prendre une profonde inspiration.

— Désolée, mais il fallait que je sache. Je n'ai pas envie de déranger qui que ce soit.

— Vous ne dérangez personne, Jenny. C'est parce que vous avez entendu les garçons parler de leur mère ?

— Oui.

— En fait, ils ne l'ont pas vue. D'après ce que je sais, elle vit à Auckland.

C'était tout ce que Jenny avait besoin de savoir, se dit-il.

— Ce doit être difficile pour vous tous, murmura-t-elle. Est-ce qu'il leur est déjà arrivé de croire qu'ils avaient vu leur mère là où elle n'était pas ?

— Hélas, oui. Margaret — mon ex — est partie brusquement il y a deux ans.

Cette fois, il n'en dirait pas davantage.

— Jenny, vous vous retrouvez immobilisée, en partie à cause des bêtises de mes fils. J'ignore pourquoi vous ne voulez pas retourner chez vous — où que cela soit —, mais je serais vraiment heureux de pouvoir vous aider jusqu'à ce que vous soyez en mesure de gambader de nouveau. C'est tout ce que je vous propose. Maintenant, il faut que vous sachiez que la vie à la maison n'est pas de tout repos, mais au moins, pendant la journée, vous serez tranquille parce que les garçons seront à l'école. C'est à prendre ou à laisser.

Il jeta un coup d'œil à son bagage. Elle voyageait vraiment léger, d'après ce qu'il avait vu dans sa voiture.

Jenny fit deux pas mal assurés appuyée sur ses béquilles. Elle leva les yeux et pencha la tête de côté, comme si elle le jaugeait.

Le sac à la main, il se dirigea vers la porte.

— Vous venez ?

Il y eut un silence assourdissant. Il se remit à marcher plus lentement pour lui laisser la possibilité de le rejoindre, et entendit le bruit des béquilles sur le sol. Clop, clop… Elle se dirigeait vers lui.

Cam réprima un soupir de soulagement et ralentit encore sa marche, envahi par une douce chaleur.

Jenny venait avec lui. Jusque-là, il ne s'était pas rendu

compte à quel point il en avait envie. Il avait bien fait de la bousculer un peu.

— Je suppose que l'on vit aussi bien à Havelock qu'à Blenheim, dit-elle en le rejoignant.

— Mieux, à mon avis. Il y règne un esprit plus communautaire.

C'était quelque chose qu'il avait fini par apprécier. Pourtant, il lui avait fallu du temps pour s'habituer à vivre dans un lieu aussi petit, après avoir passé dix ans de sa vie à Wellington. A présent, il doutait d'être encore capable de supporter le stress de la grande ville, avec deux jeunes garçons qu'il devait éduquer d'une main ferme.

— Ce sera juste le temps que j'arrive à maîtriser ces fichus engins.

Les béquilles heurtèrent bruyamment le sol.

— Un ou deux jours, tout au plus, ajouta-t-elle.

— Certainement.

La sensation de chaleur augmenta en lui. « Du calme, du calme. »

Les jumeaux les attendaient à l'accueil, sous la surveillance de la réceptionniste.

— La voilà !

— Bonjour, Jenny. Alors, tu viens habiter à la maison ?

D'un même élan, tous les deux se précipitèrent sur elle, menaçant son fragile équilibre.

Mais avant que Cam ait pu intervenir, Jenny éclata de rire.

— Comment refuser quand on reçoit un accueil aussi chaleureux ?

Il n'avait pas eu droit à son rire, ni même à un merci. Peut-être devrait-il demander des conseils à ses fils pour savoir comment s'y prendre avec une jolie femme ?

— Les garçons, attendez ici avec Jenny le temps que j'aille chercher la voiture. Et faites attention aux béquilles !

Au moment où il sortait, il reconnut la voix de Marcus derrière lui.

— Est-ce qu'on pourra essayer les béquilles tout à l'heure ? Elles ont l'air super !

Malheureusement, les portes automatiques se refermèrent avant qu'il ait pu percevoir la réponse de Jenny, mais quelque chose lui disait qu'elle avait accepté : elle s'entendait très bien avec ses fils. Tant qu'elle ne devenait pas trop proche... Il ne voulait pas qu'ils soient affectés quand elle s'en irait...

Il ne savait que trop bien l'effet dévastateur qu'avait eu sur eux le départ de leur mère. Mais il était prévu que Jenny reste une nuit, deux tout au plus. Marcus et Andrew n'auraient pas le temps de s'attacher à elle.

Et lui ? Allait-il s'attacher ? Il n'était pas prêt à risquer son cœur de nouveau, et ne le serait probablement plus.

« Tout ça, c'est ta faute, Margaret. »

Combien de temps fallait-il pour que des enfants comprennent ce que cela signifiait d'être abandonnés par leur mère ? Ou bien en avaient-ils déjà conscience ? Mais le fait de la voir où elle n'était pas faisait-il partie du processus d'acceptation ?

« N.B. : Aller voir un psy, pour qu'il remette de l'ordre dans ma tête afin que je comprenne mes fils et que je ne commette pas de stupides erreurs en me noyant dans les magnifiques yeux verts d'une femme. »

4.

— C'est la première fois que l'on me traite comme une reine.

Jenny sourit aux jumeaux qui posaient un verre d'eau fraîche sur la petite table, près du fauteuil dans lequel on l'avait installée. Au moins, le séjour, la salle à manger et la cuisine formaient une grande pièce, si bien qu'elle ne se sentait pas à l'écart de ce qu'il se passait.

— Je pourrais facilement m'y habituer, ajouta-t-elle.

— Papa a dit qu'on devait tout faire pour que tu te sentes bien…

— Et t'apporter tout ce que tu voudrais.

La voix de Cam résonna derrière le comptoir de la cuisine.

— Cela signifie aussi que vous ne devez pas importuner Jenny tout le temps.

Elle prit la parole avant qu'une dispute s'ensuive.

— Et si on faisait un jeu sur l'ordinateur, tout à l'heure, les garçons ? proposa-t-elle.

Deux « oui » enthousiastes lui répondirent.

— En attendant, vous pouvez aller jouer dehors, dit Cam.

Dans leur hâte de sortir, ils se bousculèrent.

— Est-ce qu'il leur arrive de ralentir ? demanda-t-elle en les suivant des yeux.

Cam esquissa un demi-sourire.

— On est fatigué rien qu'en les regardant. A propos, vous avez l'air d'avoir sommeil. Voulez-vous aller au lit un moment ?

Voilà une proposition à double sens. Comment réagirait-elle si Cam, de sa voix grave et un peu rocailleuse parfois, lui proposait de la rejoindre dans son lit ? Mais pourquoi se posait-elle la question ? Se secouant mentalement, elle vit une lueur amusée dans les yeux de Cam. Avait-il deviné son trouble ?

— Jenny ? Vous rêvez, on dirait.

— Si cela ne vous ennuie pas, je vais rester où je suis. Et si je m'endors, n'insistez pas pour que les garçons ne fassent pas de bruit. Cela me mettrait mal à l'aise.

Elle avait déjà suffisamment dérangé cette famille.

— Nous allons faire un barbecue. Est-ce que vous aimez les steaks ?

— C'est parfait. Je peux faire la salade ?

Il sourit en la regardant de la tête aux pieds.

— Je ne crois pas que ce soit une bonne idée.

En fait, elle était soulagée qu'il refuse. Le maniement des béquilles se révélait plus difficile qu'elle l'avait cru, et il serait plus tranquille si elle n'était pas en train de clopiner autour de lui.

— Y a-t-il des aliments que vous n'aimez pas ? lui demanda-t-il.

— Les tripes, les choux de Bruxelles et les gros haricots secs, répondit-elle.

— Ici, vous ne craignez rien.

Il lui tourna le dos pour chercher parmi les bouteilles de sauces et elle constata que, même sans l'effet des drogues de l'hôpital, elle le trouvait toujours aussi sexy. C'était sûrement dû à l'excitation de se retrouver sans transition chez un homme qu'elle connaissait à peine : elle réagissait de façon excessive.

A cet instant, il se retourna et surprit son regard.

— Oui ? dit-il en haussant les sourcils, un léger sourire aux lèvres.

Mmm… Vraiment craquant. Elle avait l'impression d'être une collégienne surprise en train de lorgner le professeur pendant qu'il écrivait au tableau.

— Rien. Vous avez une charmante maison... Spacieuse, lumineuse et confortable. Et chaleureuse.

Voilà maintenant qu'elle jouait à la journaliste travaillant pour une revue de décoration.

— Vous êtes là depuis longtemps ?

— Deux ans et demi. J'avais un cabinet à Willington, et je cherchais à lever un peu le pied sur le plan professionnel. Alors que l'on prenait des vacances à la ferme dans le détroit, quelqu'un m'a dit qu'on avait besoin d'un généraliste à Havelock. Voilà comme nous sommes là.

— Est-ce qu'un médecin a de quoi s'occuper à plein temps ? Il n'y a pas beaucoup d'habitants, par ici.

— Je travaille au centre médical quatre matinées par semaine et, le reste du temps, je suis à Blenheim.

— Comment faites-vous ? La vie d'un médecin généraliste n'est décidément pas de tout repos. Et puis, il y a les enfants.

— Quand on est une famille monoparentale, il y a un équilibre à trouver, mais je ne changerais pour rien au monde.

Il versa de l'huile sur les steaks et les saupoudra de poivre moulu.

En regardant s'activer ses mains aux longs doigts puissants, elle ressentit une étrange sensation dans le bas-ventre. Elle n'avait pas à se forcer beaucoup pour les imaginer en train de se promener sur sa peau.

Instantanément, elle se sentit rougir. C'était comme si son corps tout entier venait de se réveiller.

— Est-ce que je me suis cogné la tête hier, en tombant ? demanda-t-elle.

Cam s'essuya aussitôt les mains pour se précipiter vers elle.

— Vous avez la migraine ? demanda-t-il, les yeux remplis de sollicitude.

Cherchait-il des signes de commotion ? Elle détourna vivement les yeux de crainte qu'il ne lise dans ses pensées, qui étaient à mille lieues de là.

— Désolée. Non, je n'ai pas mal, marmonna-t-elle.

C'était juste un problème d'hormones...

Il lui jeta un coup d'œil dubitatif avant de rejoindre son comptoir.

— A l'examen, je n'ai remarqué aucun signe de choc sur le crâne.

— C'est ce que je pensais.

Elle avala quelques gorgées d'eau fraîche. Quand s'était-elle retrouvée dans les bras d'un homme pour la dernière fois ? Depuis quand n'avait-elle pas été embrassée ? Cela faisait des mois. Depuis que Colby et elle avaient rompu.

Colby… Un homme marqué par son passé de pauvreté qui ne savait pas s'arrêter pour jouir de ce qu'il avait accompli, voulant toujours davantage, attendant d'elle la même chose. Quand elle lui avait dit un jour qu'elle espérait fonder une famille, il l'avait regardée comme si elle était une inconnue. Peut-être n'avait-il pas remarqué qu'elle avait changé. Elle-même avait parfois du mal à se reconnaître.

Son désir d'enfant datait de la perte d'Alison. Mais en tout premier lieu, elle devait trouver un homme avec les mêmes idées et les mêmes objectifs qu'elle. L'image de hanches moulées dans un pantalon lui traversa l'esprit.

Il n'y avait pas eu un seul homme dans sa vie depuis Colby. Elle n'en avait pas éprouvé le besoin. Le grand voyage qu'elle avait entrepris pour revisiter les endroits où elle et Alison s'étaient rendues ensemble avait laissé peu de place à l'amour et au sexe.

De toute façon, avoir une aventure ne la tentait pas, et elle ne s'était jamais arrêtée assez longtemps quelque part pour connaître quelqu'un. Jusqu'à maintenant. De nouveau, l'image de Cam s'imposa.

Elle releva brusquement la tête, sentant quelque chose de froid contre son estomac. Le verre qu'elle avait à la main était vide.

— Est-ce que je me suis assoupie ?

— En effet. Voulez-vous que je vous le remplisse de nouveau ? demanda Cam d'un ton amusé.

— Non, merci.

— Papa, on a faim !

Les garçons étaient de retour.

— Oh ! vraiment ? Quelle surprise… Allez vous laver les mains, puis vous mettrez la table.

— Est-ce que Jenny vient dehors avec nous ?

Il haussa un sourcil.

— Je peux vous apporter votre dîner ici, si vous préférez.

— Pas question.

Elle fit un mouvement pour sortir du fauteuil et une main secourable la tint par le coude.

— Je peux très bien vous rejoindre là-bas et…

— Allez-y doucement, dit-il en lui tendant ses maudites béquilles.

— J'aurais pu sauter à cloche-pied, marmonna-t-elle.

— Vous auriez pu, et vous vous seriez fait mal, dit-il d'un ton professionnel.

— Vous avez réponse à tout, n'est-ce pas ?

Elle aurait voulu lui lancer un regard irrité, mais ne put que lui sourire. Comment lui en vouloir quand il était si gentil… et si séduisant ?

— C'est exact, répondit-il en souriant à son tour.

Par bonheur, cette fois, les hormones restèrent sages, mais une vague de chaleur se répandit en elle. Lorsque Cam souriait, c'était comme une lumière surgissant dans le noir total. Elle avait alors l'impression d'être quelqu'un de très spécial pour lui. Ce qui n'était naturellement pas le cas.

Elle se dirigea vers la terrasse à pas hésitants, en contournant les meubles. Elle n'allait tout de même pas se retrouver par terre et lui donner encore plus de travail.

— Bonne nuit, les enfants. On ne parle pas une fois la lumière éteinte…

Comme s'ils allaient tenir compte de ses paroles… Cam avait essayé de prendre l'air sérieux, mais Marcus et Andrew étaient tellement adorables quand ils essayaient de donner l'impression d'être prêts à s'endormir. Il savait qu'à peine la porte de leur chambre refermée, ils tourneraient la tête l'un vers l'autre et se mettraient à jacasser tant qu'il ferait semblant de ne rien remarquer.

— Bonne nuit, papa, répondirent ses fils, riant sous cape.

Comment Margaret avait-elle pu les laisser ? Il ne parvenait toujours pas à comprendre. Le quitter, lui, pourquoi pas ? Sa peine s'était dissipée peu à peu, mais les garçons méritaient beaucoup mieux de la part de leur mère. L'amertume lui noua la gorge.

C'était comme si le fameux instinct maternel avait toujours fait défaut à Margaret. Certes, la grossesse n'avait pas été planifiée. Il aurait dû tenir compte des signes avant-coureurs. Alors qu'il avait été aux anges en apprenant qu'elle était enceinte, elle s'était montrée contrariée. Il s'était dit que cela passerait et qu'elle tomberait amoureuse de ses bébés dès qu'elle les tiendrait dans ses bras, mais en lieu et place, elle s'était concentrée de plus en plus sur sa carrière qui avait fini par l'attirer davantage que ses enfants ou son mari.

— Papa ? appela Andrew, qui semblait inquiet.

En trois enjambées, il fut de nouveau près des lits et serra ses enfants dans ses bras, l'un après l'autre. Leur odeur chaude de petits garçons lui fit fondre le cœur.

— Je vous aime tant, murmura-t-il, la gorge serrée.

Depuis quand n'avait-il pas prononcé ces quelques mots ? Ces derniers temps, il les grondait bien plus souvent qu'il ne leur disait des paroles affectueuses. Il allait devoir remédier à cela.

Les garçons se tortillèrent joyeusement dans leur lit.

— On t'aime aussi.

— Tu crois que Jenny a quelqu'un qui l'aime ? demanda Andrew.

Il se rappela le désespoir qu'il avait lu dans ses yeux et préféra mentir.

— J'en suis sûr… Mais ce n'est pas quelque chose que vous pouvez lui demander.

— Pourquoi ?

Comment répondre sans les perturber ?

— Quand on ne connaît pas bien quelqu'un, on ne lui pose pas des questions trop personnelles. C'est indiscret.

« Cela vaut pour toi aussi, Cam. »

— Vous ne voulez pas que Jenny soit malheureuse, et en la questionnant, vous risquez de la rendre très triste si jamais elle n'avait personne en particulier.

— Elle est heureuse, avec nous. Elle rit tout le temps.

— C'est vrai. Elle rit beaucoup quand elle est avec vous.

Moins quand elle était avec lui. Ce qui finalement n'était pas plus mal car il valait mieux qu'ils ne soient pas trop proches l'un de l'autre. Il avait sa vie toute tracée : son but était d'amener sans encombre ses deux garçons jusqu'à l'âge adulte et il devait se focaliser sur leurs besoins, non sur les siens.

« De toute façon, quels sont mes besoins ? J'ai à manger, un toit, de la chaleur, grâce à un travail qui contribue également à mon équilibre. Je suis le père des deux enfants les plus charmants et les plus drôles du monde. Vouloir davantage, ce serait de la gourmandise. »

Pourtant, quand il retourna dans le salon et vit Jenny dans le vieux fauteuil à bascule que sa grand-mère lui avait laissé, il se posa de nouveau la question.

« Est-ce que j'ai d'autres besoins ? »

Soudain, il éprouva un sentiment de solitude. Etrange, car il était entouré de monde. Mais quand avait-il confié ses rêves à quelqu'un ? Quand avait-il fait des projets de vacances, avec le désir de tout partager avec une autre personne ?

Certains lui disaient qu'il avait de la chance de pouvoir décider seul de ce qu'il allait acheter à ses enfants pour Noël. Il n'y avait personne pour discuter son avis.

En regardant Jenny endormie, il se demanda ce qui, chez elle, suscitait autant d'émotions en lui. Elle était l'image même de l'abandon : les yeux fermés, la tête contre le dossier du fauteuil et les mains reposant sur ses genoux. Elle avait fini par succomber à la fatigue contre laquelle elle avait lutté toute la soirée.

Un léger ronflement lui parvint aux oreilles et il sourit, attendri.

Cependant, il ne devait pas oublier que Jenny serait partie dans quelques jours, tout au plus. Il était évident qu'elle était du genre à ne pas rester en place. Ce qui n'était pas plus mal. Il lui avait fallu du temps pour se remettre de l'abandon de Margaret. Alors, il n'était pas question qu'il engage de nouveau ses sentiments.

Jenny devait néanmoins dormir dans son lit, et non pas recroquevillée dans un fauteuil. Rapidement, il alla dans sa chambre, écarta les couvertures, alluma la lumière et ferma les rideaux. Puis il retourna dans le séjour et, prenant une profonde inspiration, il la souleva dans ses bras pour gagner la chambre en essayant de ne pas la réveiller.

Mais, dormant toujours, elle se contenta de se blottir contre lui, ce qui eut pour conséquence de lui faire contracter tous ses muscles et de faire réagir son sexe. Donc il fonctionnait toujours, s'étonna-t-il. Même quand il n'aurait pas dû.

Qu'y avait-il chez Jenny pour qu'il se soit réveillé ainsi, alors qu'il n'avait pas eu le moindre intérêt pour le sexe depuis que Margaret était partie ?

Après avoir déposé Jenny sur le lit, il remonta les couvertures sur elle sans se préoccuper de lui ôter ses vêtements — il n'allait tout de même pas tenter le diable. Puis il sortit de la pièce le plus vite qu'il put et, après avoir fermé la porte, resta appuyé contre le mur pendant cinq bonnes minutes en jurant silencieusement.

« N.B. : Dire à mes hormones de rester tranquilles. Jenny est intouchable. »

Le lendemain matin, Cam surveilla les garçons tandis qu'ils déposaient une assiette de toasts et une tasse de thé sur la petite table avec la délicatesse d'un troupeau de bovins batifolant dans la boue.

— Maintenant, vous dites au revoir et vous prenez vos sacs, ordonna-t-il.

Jenny gratifia chacun des garçons d'un large sourire.

— Le petit déjeuner au lit ? Quel luxe... Merci beaucoup, Andrew. Merci beaucoup, Marcus.

Elle n'incluait jamais les deux garçons dans le même compliment, prenant bien soin de toujours les singulariser, observa-t-il. Habituellement, tout le monde s'adressait aux jumeaux comme s'ils ne formaient qu'une seule personne. Tout le monde, sauf Jenny.

— Est-ce que vous êtes jumelle ? demanda-t-il sans réfléchir.

Instantanément, la lumière qui brillait dans les yeux de Jenny s'éteignit. D'un mouvement convulsif, ses mains s'agrippèrent aux couvertures et il vit sa lèvre inférieure trembler.

Tous les jurons auxquels il pouvait penser lui traversèrent l'esprit. Qu'avait-il déclenché là ? Sa question lui avait pourtant paru anodine.

Les yeux de Marcus s'écarquillèrent.

— Est-ce que tu es comme nous ? Où est ta sœur ? Elle ne veut pas être avec toi ?

L'atmosphère de la pièce devint glaciale, au point que Cam eut des frissons. S'il avait cru voir du désespoir dans les yeux de Jenny, la veille, il n'y avait pas de mots pour décrire le choc, la douleur et le désarroi qui assombrissaient maintenant son regard.

— Dehors, les enfants. Prenez vos sacs et attendez-moi devant la maison.

Puis il poussa les garçons vers la porte avant qu'ils disent quelque chose qui aggrave encore sa gaffe monumentale.

Car tout cela n'était pas leur faute, mais la sienne.

Sans doute avaient-ils senti quelque chose d'anormal car ils ne protestèrent pas et s'éloignèrent sur la pointe des pieds, l'air inquiet. Cam leur fit un petit signe rassurant avant de se retourner vers la femme qu'il venait de terrasser sans le vouloir en quelques mots.

— Je suis désolé de m'être mêlé de ce qui ne me regardait pas, mais vous savez si bien vous y prendre avec les garçons, en les considérant individuellement et non pas comme les deux moitiés d'un tout, que j'ai eu soudain l'impression que vous saviez ce que c'était qu'être jumeau. Je ne voulais surtout pas vous bouleverser, mais on dirait bien que c'est ce que j'ai réussi à faire.

Il fallait que la tension s'apaise, qu'il revoie un sourire sur ses lèvres pâles.

— Vous vous y prenez vraiment bien avec mes fils, insista-t-il. Cela vous vient naturellement.

Mais elle respirait trop fort, sa poitrine se soulevait trop vite.

— Prenez une profonde inspiration, dit-il.

Puis il cessa de parler. Au bout d'un moment, Jenny parvint à contrôler son souffle. Mais pas son regard, qui était toujours éteint et refusait de croiser le sien.

Il se pencha et, lui prenant la main qu'il trouva froide et tremblante, l'enveloppa dans les siennes. Alors il s'assit sur le bord du lit et resta ainsi, lui massant doucement le dos de la main en faisant des cercles avec son pouce. Peu à peu, le tremblement diminua.

Puis Jenny retira sa main et se redressa contre les oreillers.

— Alison. C'était le prénom de ma sœur jumelle. Elle est morte.

Il avait craint ce genre de révélation étant donné la violence de sa réaction.

— Je suis sincèrement navré. Je ne peux même pas imaginer ce que l'on doit éprouver…

— Arrêtez de vous excuser.

— Pardon ?

— Vous n'avez pas cessé depuis que nous avons fait connaissance. Ce n'est pas nécessaire.

— Entendu. Plus d'excuses. A présent, buvez votre thé avant qu'il soit totalement froid.

— On ne vous a jamais dit que vous étiez autoritaire ?

— Les ju… Marcus et Andrew me le disent tout le temps.

Il lui tendit sa tasse qu'elle prit à deux mains, et il s'efforça de ne pas remarquer à quel point elle tremblait.

— Dépêchez-vous de les rejoindre, dit Jenny. Ils vont se demander pourquoi vous êtes si long.

Son visage reprenait peu à peu des couleurs.

« N.B. : Ne plus jamais mentionner sa sœur jumelle. »

5.

Jenny avait envie de vomir. Durant tous les mois qu'elle avait passés sur la route, personne ne lui avait demandé si elle avait une famille, encore moins si elle avait une jumelle.

Elle avala quelques gorgées de thé tiédi et mordit dans le toast recouvert d'une épaisse couche de beurre que les garçons lui avaient préparé. Peut-être qu'ainsi la nausée passerait plus vite.

Si son pied n'avait pas été aussi douloureux et difficile à bouger, elle aurait été tentée de prendre un bus qui l'aurait emmenée loin d'ici, des questions indiscrètes et des regards inquisiteurs. Rien n'échappait à Cam. Il avait repéré la moindre de ses émotions quand il lui avait posé *la* question et avait tout de suite compris qu'il avait commis une erreur.

« Oui, je suis une jumelle, qui a failli à son autre moitié. Oui, je sais exactement ce que cela fait quand on nous met toutes les deux dans le même panier. Nous étions nées identiques, avions la même date de naissance et les mêmes parents, partagions la même passion pour les randonnées dans la brousse, mais les similitudes s'arrêtaient là. »

Comme pour Marcus et Andrew. Elle pouvait déjà voir des différences entre eux. Par exemple, ils aimaient tous les deux jouer au cricket, mais pas au même poste. L'un était plus concentré, l'autre plus dans le mouvement.

Quant à leur père… Il l'intriguait. Il adorait manifestement ses enfants, pourtant il se mettait souvent en colère contre eux pour un rien. Il avait vraiment besoin de se détendre.

Elle pouvait parler ! En ayant maintenant du temps

devant elle, elle était forcée d'affronter des choses qu'elle n'avait pas l'intention de regarder en face. Il y avait eu de bons moments durant le voyage — comme sur cette plage de Whangamata où elle et Alison s'étaient essayées au surf. Aucune des deux n'avait réussi à rester assez longtemps debout sur la planche pour chevaucher une vague. Cette fois, Jenny avait pris une leçon, mais elle avait encore échoué. Nul doute qu'Alison devait bien rire, de là où elle était.

Rejetant les couvertures, Jenny posa le pied par terre avec précaution et se leva en retenant un cri. Au bout de quelques secondes d'immobilité, la douleur s'apaisa.

Décidée à rapporter tasse et assiette dans la cuisine, elle y renonça à cause de la complexité de la tâche avec les béquilles et se dirigea vers la salle de bains.

Avec son habituelle prévenance, Cam lui avait préparé un grand sac-poubelle et un rouleau de Scotch pour protéger son pied de l'eau. Un tabouret avait été posé près de la douche, avec une serviette pliée dessus et sa trousse de toilette.

Elle aurait pu s'habituer facilement à un tel traitement. Cam était si attentionné. Elle se demanda ce qui n'avait pas marché dans son mariage.

Une fois sa jambe bien enveloppée, elle prit sa douche et se lava les cheveux avec délectation. A présent, elle se sentait de nouveau presque humaine. Si seulement il avait suffi d'un peu d'eau et de shampooing pour régler tous ses problèmes…

Qui aurait pu croire que se laver, s'habiller et faire son lit pouvait prendre autant de temps ? Il était presque l'heure de déjeuner lorsque Jenny se retrouva dans la cuisine avec une tasse de thé. Elle fit la grimace en voyant la terrasse inondée de soleil : elle aurait nettement préféré lézarder dehors plutôt que se retrouver là, incapable de bouger sans ses béquilles.

Elle jeta un coup d'œil au tableau en liège accroché

près du réfrigérateur. Il était recouvert de photos, de notes scolaires, d'invitations à des fêtes et d'emplois du temps sportifs. Cela lui donnait une idée de la vie quotidienne de la famille Roberts. C'était une vie bien remplie. Et heureuse. Sur chaque photo figuraient un ou plusieurs membres du trio qui habitait cette maison. Tous souriaient à la vie.

Son cœur se serra. Cam était un super papa, et ses compétences professionnelles n'étaient pas négligeables non plus. Il s'était montré gentil et attentif quand elle s'était cassé la cheville, lui avait posé les bonnes questions. De plus, il était séduisant et, à en croire son grand corps mince, entretenait une bonne forme physique.

Cerise sur le gâteau, il avait cet esprit acéré qui saisissait vite — un peu trop ? — les moindres vibrations de l'air. Rien ne lui échappait. Le tout formait un ensemble très intrigant.

« Attention, terrain dangereux », lui rappela une petite voix familière quelque part dans sa tête.

Après avoir fini son thé, elle se dirigea lentement vers la terrasse et se laissa tomber sur une chaise, goûtant la chaleur et la quiétude de l'endroit.

— Déjà en pleine action ? dit une voix espiègle.

Cam se tenait dans l'encadrement de la porte du séjour, deux petits sacs en papier à la main.

— Voilà notre déjeuner, avec les compliments de la boulangerie.

— Mmm… Je suis passée devant leur vitrine samedi et tout avait l'air très alléchant.

— Vos cheveux sont magnifiques, commenta-t-il avant de disparaître dans la cuisine.

Ainsi, il avait été frappé par sa chevelure rousse dont le soleil devait encore exacerber la couleur.

— Il est certain que je suis repérable dans une foule, répondit-elle en élevant la voix pour être sûre d'être entendue.

La tête de Cam apparut à la fenêtre de la cuisine.

— Vous n'aimez pas être rousse ? demanda-t-il, l'air surpris. Ou bien vous n'aimez pas être repérée ?

— Je me suis teinte en blond, à une époque. C'était beaucoup plus amusant.

Il esquissa un léger sourire.

— Les roux ne savent donc pas s'amuser ?

— Nous sommes des gens très sérieux.

Cam avait ce pouvoir magique de la faire sourire facilement.

Il la rejoignit en portant des assiettes, des verres de jus de fruits et les sacs de la boulangerie.

— Au menu, nous avons des petits pains au saumon fumé, avec de la salade assaisonnée à la canneberge.

— C'est ce que j'aurais commandé.

— Alors, comment va cette cheville ?

Elle le regarda mordre dans son sandwich et remarqua pour la première fois ses dents blanches et régulières.

« Et alors ? Tout le monde a des dents. »

Mais celles de Cam lui donnaient envie de les sentir la mordiller un peu partout…

— Jenny ? Certains hommes pourraient se sentir vexés, étant donné le nombre de fois où vous vous mettez à rêver quand je vous parle.

« Oh ! il n'y a vraiment pas de quoi être vexé, bien au contraire ! »

— Ma cheville va aussi bien que possible étant donné les circonstances, répondit-elle enfin. Autrement dit, je ne suis pas encore prête pour jouer au football ou danser le tango car en cas de mouvement brusque, mon corps ne manque pas de se rappeler à mon bon souvenir, mais cela ne nous empêche pas d'avancer.

Il secoua la tête en la regardant.

— Vous êtes quelqu'un, vous savez…

A son tour, elle entama son sandwich, préférant changer de sujet.

— Et vous, comment se passe votre journée ? Avez-vous beaucoup de patients ?

— Le lot habituel de prises de tension, prescriptions d'antihistaminiques et contrôles divers. On est rarement débordé, dans ce centre. Les jours où une urgence se présente, tout se bouscule un peu.

Avait-elle perçu une légère amertume dans sa voix ?

— Vous arrive-t-il de regretter votre cabinet bondé de Wellington ?

Pendant quelques secondes, il mâchonna pensivement son sandwich.

— Jusqu'à présent, j'ai été trop pris par les garçons — à veiller à ce qu'ils s'adaptent bien à leur nouvelle vie — pour prendre le temps d'y réfléchir. Nous étions trois amis pour ouvrir le cabinet de Wellington et avions fait nos études de médecine ensemble. Et puis, un jour, il y en a un qui est parti courir après le travail et a fait un infarctus sur le bord de la route.

— Est-ce qu'il s'en est sorti ?

— Oui, mais cela a été un signal d'avertissement et nous a ouvert les yeux. Parfois, il nous arrivait de travailler encore plus que lorsque nous étions internes aux urgences. Nous avons donc pris d'autres associés, mais ce n'était plus la même chose. Alors, pour répondre à votre question, non, je ne regrette pas ce cabinet.

Le rythme plus lent de Havelock avait-il déplu à sa femme ? Elle n'osa pas lui poser la question.

— Où vont vos enfants après l'école ? demanda-t-elle.

Elle pourrait peut-être s'occuper d'eux le temps que Cam revienne du travail ?

— La maman d'un de leurs amis, Amanda, les prend chez elle et, en prime, elle leur donne des leçons de natation.

La déception l'envahit. Elle aurait dû se douter qu'il avait tout organisé sans attendre qu'elle fasse irruption dans sa vie.

— Et pendant les vacances scolaires ?

— Ils vont à la ferme de mes parents. Ils s'y plaisent tant que j'ai toujours du mal à les ramener à la maison.

Jenny réprima un soupir. Son père et sa mère lui manquaient. Au moins, elle espérait qu'ils comprenaient pourquoi elle avait entrepris ce voyage.

Cam se leva.

— Il est temps que j'aille à Blenheim. Avez-vous besoin de quelque chose avant que je parte ?

— Euh… Pourriez-vous m'apporter ma tablette, si cela ne vous dérange pas trop ?

— Bien sûr. Où est-elle ?

— Au fond de mon sac.

En un rien de temps, il déposa sur la table une bouteille d'eau fraîche, des fruits et la tablette. Il lui laissa également un petit bloc-notes avec son adresse e-mail.

— Au cas où il y aurait quoi que ce soit.

Elle l'aurait volontiers serré dans ses bras. Pourquoi ? Peut-être parce qu'elle se sentait un peu seule, immobilisée ainsi, au point d'envisager d'envoyer un e-mail à ses parents.

— J'espère que je n'aurai pas à vous déranger, dit-elle. Passez un bon après-midi.

Du bout du doigt, il lui souleva le menton et son regard plongea dans le sien.

— Croyez-moi, une heure à peine après notre retour, vous regretterez votre paix et votre tranquillité. L'école ne fatigue pas mes enfants. Au contraire, elle les stimule.

Le doigt de Cam glissa le long de son menton avant qu'il s'écarte. Elle avait eu l'impression d'une caresse, mais c'était sûrement son imagination.

— Cam ? J'apprécie vraiment tout ce que vous faites pour moi. Et ne me dites pas que c'est normal car vous n'y étiez pas obligé.

— Chut…, répondit-il en souriant, avant de s'éloigner. Les lèvres de Cam. Qu'est-ce que cela ferait, de les sentir sur les siennes ? Avec un soupir, elle alluma sa tablette.

Bonjour, maman et papa. Contente que vous fassiez ce voyage à Sydney pour le nouvel an.

Normalement, elle se serait arrêtée là, à peu de chose près. Mais ses doigts continuèrent à taper sur les touches.

Je suis actuellement à Havelock, un joli village

58

situé dans le fjord de Pelorus, célèbre pour ses moules qui sont élevées et conditionnées sur place.

Enfin, elle en vint à l'essentiel.

Maman, papa, il ne faut pas vous inquiéter, mais je me suis cassé la cheville. Un accident stupide qui m'immobilise pendant quelques jours. Le médecin du coin a gentiment proposé de m'héberger jusqu'à ce que j'aie retrouvé mon autonomie.

Elle rit toute seule. Cela donnait l'impression que Cam était vieux et chenu.

Il a deux fils qu'il élève seul et qui sont adorables. Je vous aime. Jenny.

Sans hésiter, elle appuya sur la touche « Envoi » et le plus long e-mail qu'elle ait écrit depuis un an partit dans le cyber espace.

— Jenny, où es-tu ?
— On est rentrés. Est-ce que tu vas mieux ?
Pas moyen de distinguer les jumeaux au son de leur voix.
— Je suis sur le canapé avec un chat, répondit-elle. Vous savez à qui il appartient ?
Le félin noir et blanc était confortablement installé sur ses genoux depuis une heure et elle n'avait pas eu le cœur à le repousser.
— C'est Socks. Elle habite la maison de Mme Warner, mais papa dit que c'est nous qui la nourrissons le plus souvent.
— Socks commence à être un peu lourde. Andrew, peux-tu l'enlever pour que je bouge mes jambes ?
— D'accord.
Elle ne s'était pas trompée de prénom.
— Cette chatte est bien trop grosse, commenta une voix

grave. Comment s'est passé votre après-midi ? demanda Cam en les rejoignant.

— Très bien. C'est très calme, ici. Désolée, mais je n'ai rien préparé pour le dîner.

— Ce n'était pas prévu ainsi.

— On va faire un barbecue, intervint Marcus, qui venait d'entrer et se mit à fouiller dans la pièce jusqu'à ce qu'il trouve la télécommande.

— On fait toujours des barbecues, commenta Andrew d'un ton ennuyé.

Chaque fois qu'un garçon parlait, l'autre ajoutait son grain de sel. Le cœur de Jenny se serra. C'était comme elle et Alison. Elle n'avait pratiquement plus rien dit pendant les premiers mois qui avaient suivi sa mort, car chaque fois qu'elle avait parlé, elle avait fait une pause, attendant qu'Alison enchaîne derrière elle. Mais il ne s'était plus rien passé, et cela lui avait fait encore plus mal.

— Un barbecue, c'est facile à faire, grommela Cam. Surtout en été.

— J'adore les barbecues, dit-elle avec une mine gourmande.

— Eteins cette télé, Marcus. Tu n'as pas encore rentré le linge.

Cam ôta la télécommande des mains de son fils.

— Quant à toi, Andrew, tu dois vider le lave-vaisselle. Maintenant…, dit-il en élevant la voix. Et rapportez vos boîtes de déjeuner dans la cuisine.

Jenny fit la grimace.

— Je ne peux vraiment pas vous aider ? Préparer une salade ou peler des pommes de terre, que sais-je ?

Rester assise pendant que tout le monde s'agitait autour d'elle la mettait mal à l'aise. Elle n'avait même pas remarqué le linge qui avait été mis à sécher sur une corde.

— Ne vous inquiétez pas, répondit-il en regagnant la cuisine. Nous avons notre routine.

Mais demain, elle irait sûrement mieux et pourrait se rendre un peu utile. Elle avait remarqué l'aspect froissé qu'avaient parfois les vêtements que portaient les trois hommes de cette maison. Demain, appuyée sur son pied valide, elle repasserait quelques chemises.

Personne n'aimait repasser. Excepté Alison, qui était une maniaque dans ce domaine.

Jenny retint sa respiration, s'attendant à l'explosion de douleur qui suivait habituellement ce genre d'évocation. Mais rien ne vint. Une première…

Décidément, cette journée était de plus en plus étrange. D'abord, elle envoyait un e-mail à ses parents plus long que : « Bonjour, comment allez-vous ? » Puis elle avait pu se souvenir d'Alison sans que son cœur se mette à peser une tonne.

— Et si je faisais un peu de repassage, demain ? proposa-t-elle.

— Papa dit que c'est une perte de temps, répondit Marcus.

— Ton papa est un homme très occupé. Je suppose qu'il fait d'abord les choses les plus importantes, et qu'il ne lui reste plus de temps pour ça.

Malgré sa résolution de ne pas regarder du côté de Cam, ses yeux se tournèrent irrésistiblement vers lui. Une assiette de côtelettes dans une main, une bouteille d'huile dans l'autre, il la fixait d'un air surpris.

Elle lui adressa un clin d'œil en catimini et son étonnement augmenta quand il cligna de l'œil en retour.

Alors — allez savoir pourquoi — elle fut prise d'une envie de rire comme elle n'en avait pas connu depuis un an.

« Attention, Jenny. Deux jours à peine après ta rencontre avec Cam, tu commences à voir le monde en couleurs au lieu du gris monotone habituel. Sois très prudente. »

— Tu as un message, annonça Marcus en rentrant de la terrasse. Veux-tu que je t'apporte ta tablette ?

— Oui, merci.

Sa mère lui avait répondu. Rien d'étonnant. Elle devait s'inquiéter à cause de l'accident et avait peut-être même réservé une place sur le prochain avion afin de se rendre compte par elle-même de l'état de sa fille.

« Je n'aurais rien dû leur dire. »

Jenny chérie, désolée d'apprendre que tu as la cheville cassée. Cela peut être très handicapant. Le médecin est sûrement quelqu'un de bien pour t'avoir invitée chez lui alors qu'il doit être très occupé. Je suppose que tu fais tout ton possible pour l'aider. Nous t'aimons très fort. Maman.

C'était tout ? Où étaient les demandes de détails ? Ses exhortations à la prudence ? L'annonce de l'heure de son arrivée ? Sa mère cherchait-elle à lui faire comprendre qu'il était temps qu'elle arrête de bouger pour se fixer quelque part ?

— Qui t'a envoyé un e-mail ? demanda Marcus.

— Ma mère.

— Tu as de la chance, dit-il d'une voix triste.

— C'est vrai. Mais toi, tu as ton papa et Andrew.

Ni l'un ni l'autre ne remplaçaient sa mère, bien sûr. Cela, elle le comprenait très bien : ses parents ne remplissaient pas le vide laissé par Alison.

— Ils t'aiment beaucoup.

Elle ne pouvait pas dire à Marcus que son père et son frère seraient toujours là pour lui car nul ne pouvait en être sûr. Il n'y avait qu'à voir ce qui lui était arrivé alors qu'elle avait cru qu'Alison ferait partie de sa vie pour toujours.

— J'aime beaucoup ma maman, murmura Marcus en baissant la tête, ses cheveux lui tombant dans les yeux.

Elle tendit la main et le fit asseoir près d'elle.

— Bien sûr que tu l'aimes. Les mamans sont spéciales.

— Notre maman est spéciale.

— Et aussi les papas et les frères.

Il hocha la tête, les yeux fixés au sol.

— Les miens sont les meilleurs du monde.

— Tu vois ? Tu as beaucoup de chance. Je suis certaine que, pour eux aussi, tu es le meilleur.

Marcus releva la tête et la regarda.

— Tu es vraiment une jumelle ?

6.

Cam retint sa respiration, attendant la réaction de Jenny. Il aurait dû intervenir, dire à Marcus d'arrêter de poser des questions et d'aller plutôt faire ses devoirs, mais il se retint en voyant que, cette fois, elle ne semblait pas s'effondrer. Et puis, pour être honnête, il avait envie de connaître la réponse.

— Oui, répondit-elle. Je… Mes parents ont eu deux filles. Je suis la plus âgée des jumelles, mais Alison était la plus autoritaire et me disait toujours ce que je devais faire.

— Moi, je suis le plus autoritaire *et* le plus âgé, dit Marcus.

Exact, se dit Cam.

— Et qui est le plus intelligent ? demanda Jenny.

Marcus bomba le torse.

— C'est encore moi.

— Non, c'est faux, protesta Andrew depuis la cuisine, où il était en train de ranger la vaisselle propre avec une lenteur impressionnante — un couvert à la fois. J'ai de meilleures notes que toi en maths.

Il y avait de la dispute dans l'air.

— Vous êtes tous les deux intelligents dans des domaines différents, intervint Cam. A présent, Marcus, mets la table pour le dîner. Et toi, Andrew, dépêche-toi de vider ce lave-vaisselle. Avant Noël, si possible.

Jenny se leva.

— Je vais commencer à me diriger vers la terrasse pour être sûre d'être arrivée à l'heure du dîner.

Le sourire qu'elle lui adressa était plein de chaleur, de

gratitude et de compréhension. Elle avait dévié la conversation sur les garçons pour les empêcher de la questionner davantage, et il était entré dans son jeu en continuant de les distraire.

C'était ainsi que des parents devaient être — chacun couvrant l'autre de manière subtile. Jenny n'était pas la mère des garçons, pourtant, elle y arrivait. Margaret ne l'avait jamais fait, aggravant plutôt les disputes. Peut-être n'avait-il pas choisi la femme qu'il fallait ? Il l'avait aimée, profondément, mais avait-il trop attendu de cet amour ?

La prochaine fois qu'une femme l'intéresserait sérieusement, il ferait bien de réfléchir à tout cela. D'ailleurs, pourquoi ne pas commencer tout de suite ? se dit-il, le sourire aux lèvres, tout en découpant le concombre.

A une époque, il souriait presque tout le temps. C'était avant que les choses se gâtent.

— Ça sent la viande brûlée par ici, dit Jenny en arrivant près du barbecue. Rien de tel qu'une côtelette un peu croustillante.

Elle retourna la viande sur le feu pour qu'elle cuise de l'autre côté.

« Bravo, Cam. » C'était la faute de Jenny, s'il avait été distrait.

« N.B. : Rester concentré sur autre chose que Jenny Bostock, ou bien il n'y a pas que les côtelettes qui vont brûler. Et prendre rendez-vous chez le coiffeur pour les garçons. »

— Avez-vous parlé de votre fracture à vos parents ? demanda Cam après avoir envoyé les enfants au lit.

— Oui, répondit Jenny. Ils ne semblent pas très inquiets, ce qui est plutôt un soulagement.

Elle referma la page Web qui était ouverte sur la compagnie de cars locale. Les solutions ne manquaient pas pour aller de Havelock à Blenheim si elle décidait de partir et de trouver un motel. Peut-être pas demain, mais le jour suivant, quand elle saurait mieux se déplacer avec ses béquilles.

— Vous préparez les repas pour l'école ? demanda-t-elle.

Il n'avait pas arrêté de toute la soirée.

— Oui, répondit-il en étalant de la margarine sur des tranches de pain. Je fais ça tous les jours, excepté le vendredi car je laisse les enfants acheter leur déjeuner à la boulangerie.

— Combien de choses devez-vous encore faire avant de pouvoir vous arrêter ?

A cette heure-là, Cam aurait dû être assis en train de regarder la télévision ou de lire un livre, ou encore de bavarder avec elle en buvant un café. Rien d'étonnant s'il avait tout le temps l'air épuisé. Demain, elle tâcherait de faire un peu de rangement pour lui.

Il haussa les épaules.

— Je crois que j'ai bientôt fini. Vous ai-je dit que je vous avais pris un rendez-vous avec Angus pour demain ? Il m'a appelé en cherchant à vous joindre et n'a pas dû prendre la peine de consulter votre dossier pour avoir votre téléphone. J'imagine que je suis plus ou moins considéré comme votre généraliste et j'espère que cela ne vous dérange pas. J'ai choisi l'après-midi de façon à pouvoir vous conduire à Blenheim, et je vous ramènerai à la fin de la journée. Il faudra trouver à vous occuper pendant les quelques heures qui suivront le rendez-vous.

— Cela ne devrait pas être trop difficile.

Il y avait sûrement des cafés à Blenheim. Ou bien elle pourrait en profiter pour chercher un motel.

— Merci. Une fois de plus, vous vous êtes montré très obligeant. J'apprécie vraiment votre aide.

— A propos, où est votre généraliste ? Dans quelle ville ? demanda-t-il d'un ton hésitant, comme s'il craignait de se montrer trop indiscret.

En temps normal, elle lui aurait dit de se mêler de ses

affaires. Mais après tout… Ce n'était tout de même pas une information ultraconfidentielle.

— A Dunedin, dans le Sud. C'est là où j'ai grandi, et où j'ai fait mes études de médecine.

— Vos parents vivent-ils toujours là-bas ?

— Oui. Ils n'en partiront jamais car ils prétendent que c'est un endroit unique au monde. Il y fait trop froid pour moi, il y a souvent de la neige et de la glace.

— Où préféreriez-vous vivre ? demanda Cam.

— Je n'en ai aucune idée. Mon dernier poste était à Auckland, mais cette ville ne m'a pas vraiment plu. Trop grande et trop agitée pour moi… A une époque, j'étais très attirée par la montagne, mais je n'y vivrais pas.

— Qu'est-ce qui vous a fait changer d'avis ?

Elle aurait mieux fait de se taire.

— J'ai fait beaucoup de randonnée, et découvert l'arrière-pays, mais j'ai envie de m'intéresser à autre chose.

« De préférence, quelque chose de moins dangereux. Papa et maman n'ont pas besoin de perdre leur autre fille. »

Elle put lire dans son regard compréhensif et à son léger sourire que Cam savait que sa réponse était incomplète. Mais il n'insista pas.

— Un café ? proposa-t-il.

— Je préférerais un thé, sinon je risque de rester éveillée la moitié de la nuit.

— Mmm… Je doute que quoi que ce soit vous empêche de dormir une fois que vous serez au lit, à en juger par les valises que vous avez sous les yeux.

Elle sourit.

— Charmant…

Chaque fois qu'il parlait de lit, elle éprouvait une drôle de sensation au creux du ventre. Certes, Cam était terriblement sexy. Mais ce n'était pas une raison pour se mettre dans tous ses états.

D'un autre côté, n'avait-elle pas le droit de se réveiller et de recommencer à regarder les hommes ? Il n'était pas question d'une véritable relation avec Cam. Dans le meilleur des cas, il ne s'agirait que d'une très brève aventure puisqu'elle ne comptait pas rester au-delà de mercredi. Mais y était-elle vraiment prête ?

— Moi aussi, j'ai fait mes études à l'école de médecine de Dunedin, dit-il. Ce devait être avant que vous arriviez car nous ne nous sommes jamais croisés.

Elle avait commencé à dix-huit ans et en avait trente et un. Il devait en avoir cinq ou six de plus.

— Du lait dans votre thé ? demanda-t-il.

— Oui, merci. Et vous, pourquoi aviez-vous installé votre cabinet à Wellington ?

— J'ai été là-bas en pension. Mes parents ont une ferme dans les fjords depuis une quarantaine d'années. Maman nous avait fait la classe à la maison jusqu'à ce qu'on ait l'âge d'aller au collège. J'ai adoré ça là-bas, je trouvais la ville très excitante. Aviez-vous une raison particulière de vouloir vous rendre à Blenheim samedi ? ajouta-t-il après un bref silence.

Il était temps de finir son thé et d'aller se coucher.

— Non, pas vraiment.

Il eut l'air d'attendre la suite, mais, après tout, elle ne lui devait pas d'explications.

Le silence se prolongea. Ces derniers mois, les rares personnes dont elle avait croisé le chemin n'avaient même pas su qu'elle était médecin.

— Cela fait quelque temps que je ne travaille pas. J'ai entrepris un voyage.

Elle n'en dirait pas plus.

— Un long voyage ?

— Je suis presque au bout.

Il y avait un problème : elle se demandait comment elle pourrait aller jusqu'à Kahurangi, avec son pied qui ne lui permettait pas de conduire. Quelques rares bus faisaient le trajet, mais ils vous déposaient au milieu de nulle part, sans possibilité de se loger ni de se nourrir. Quant à monter sur le lieu de l'accident, ce n'était tout simplement pas envisageable.

— Jenny ? reprit Cam d'une voix douce. S'il y a quoi que ce soit d'autre que je puisse faire, vous me le direz, n'est-ce pas ?

— Vous avez déjà fait énormément. Je m'en irai dès que possible, cela vous soulagera.

Elle se rendit compte qu'elle n'avait pas du tout envie de partir. Pas tout de suite. Pas avant d'en avoir appris davantage sur Cam. Mais elle ne pouvait pas rester plus longtemps : il avait bien assez de problèmes à gérer sans qu'elle s'ajoute à sa liste.

— Pensez-vous retourner aux urgences, ou bien envisagez-vous de changer de spécialité ? demanda-t-il.

— La médecine des urgences a toujours été ma passion, et je me vois difficilement l'abandonner.

Assez de questions, songea-t-elle en se redressant pour saisir ses béquilles.

— Je crois que je vais aller me coucher.

— Il y a une demande constante d'urgentistes à Wairau, dit-il comme s'il n'avait pas entendu.

Pour le coup, elle se laissa retomber sur sa chaise et sa cheville ne manqua pas de protester violemment.

— C'était juste pour que vous soyez au courant, au cas où vous envisageriez de rester dans les parages, ajouta-t-il.

Non, merci. C'était une chose d'avoir du mal à partir, et une autre d'envisager de rester.

— Je le garde à l'esprit, répondit-elle poliment.

Cam s'approcha d'elle.

— Laissez-moi vous aider, vous avez dû vous faire mal. On dirait que je vous ai encore contrariée, ajouta-t-il d'un air contrit.

Il lui prit la main pour l'aider à se relever et, instantanément, une vague de chaleur la submergea. Leurs regards s'accrochèrent l'un à l'autre, et elle vit dans ses yeux un mélange de solitude, de compréhension et… — était-ce du désir ? — qui lui coupa le souffle.

Soudain, elle eut envie d'intimité, d'amitié, et de cette aventure à laquelle elle avait déjà pensé. Elle était là, à portée de main. Pas de doute : c'était bien du désir qu'il y avait dans les yeux de Cam. Il était palpable dans l'air, devenu soudain plus dense.

C'était comme si sa vie recommençait — comme une chrysalide sortant enfin de son cocon pour donner naissance à un papillon. Elle sentit son corps se pencher naturellement vers le sien…

Mais elle ne méritait pas une seconde chance, se dit-elle avec un mouvement de recul.

Cam la regardait toujours. Il lui suffisait de se redresser un peu pour que leurs lèvres se rejoignent, et elle saurait enfin ce que cela faisait d'être embrassée par Cam, elle connaîtrait le goût de ses lèvres.

Son regard se détourna et se posa sur un tas de jouets divers — avion, camion, hélicoptère — entassés dans un coin. Il y avait des enfants qui vivaient ici, avec cet homme. Ils avaient la priorité, elle ne devait pas l'oublier. Décidément, elle agissait de façon étrange depuis sa chute.

Libérant sa main, elle s'écarta de Cam en clopinant.

— Désolée, il faut que je dorme.

Cela lui permettrait peut-être de se calmer. Silencieusement, il lui tendit ses béquilles d'un air impénétrable. Tout désir semblait avoir disparu. Tant mieux.

— Bonne nuit, Jenny.

— Bonne nuit, répondit-elle d'un ton sec avant de s'éloigner appuyée sur ses béquilles.

Il fallait vraiment qu'elle trouve un autre endroit où séjourner, en attendant qu'elle soit plus mobile. Ce n'était pas bon de rester plus longtemps ici — ni pour Cam ni pour elle.

« Demain, tu vas aller à Blenheim avec Cam pour voir le chirurgien. Pendant le temps qu'il te restera, tu en profiteras pour appeler les motels du coin. »

C'était la meilleure solution. Mais alors, pourquoi manquait-elle à ce point d'enthousiasme ? Parce qu'elle aimait être ici, et appréciait la compagnie des enfants presque autant que celle de leur père. Elle se sentait bien, détendue, au point d'avoir envie de communiquer davantage avec ses propres parents.

Raison de plus pour s'en aller. La question n'était pas de savoir si elle le voulait ou non. Cam Roberts n'avait certainement pas besoin d'elle pour lui compliquer la vie.

Entendant frapper, elle se retourna et, dans sa hâte, fit glisser les béquilles qui lui heurtèrent les jambes, la projetant sur le lit. La douleur dans sa cheville fut si forte qu'elle poussa un cri.

— Hé, doucement.

Instantanément, Cam fut près d'elle et mit les béquilles de côté.

— Je croyais que vous m'aviez entendu arriver dans le couloir.

Elle respira profondément à plusieurs reprises et, peu à peu, la douleur diminua, la laissant épuisée.

— C'est la preuve que je ne progresse pas aussi vite que je le croyais…

Il s'agenouilla près d'elle et lui étendit doucement la jambe.

— Aussi vite que vous le voudriez, vous voulez dire. Etes-vous toujours aussi impatiente ?

Se redressant, il la releva et la laissa en appui sur son pied valide le temps d'écarter les couvertures puis il l'aida à s'asseoir sur le lit.

— Moi ? Impatiente ? Seulement quand j'ai besoin que quelque chose soit fait.

Génial… A présent, elle se retrouvait au lit tout habillée. Mais elle n'allait pas se mettre en tenue de nuit tant que Cam serait dans la pièce. Pas après le moment qu'ils venaient de vivre dans le séjour.

A l'évidence, il ne pensait pas comme elle car il lui tendit le maxi T-shirt dans lequel elle dormait qui était rangé sous l'oreiller.

— Avez-vous quelque chose de très urgent à faire ? Un endroit où vous devez vous rendre ? Ou bien êtes-vous pressée de nous quitter ?

— Un peu tout à la fois, répondit-elle.

Il alla fermer les rideaux.

— Qu'y a-t-il de si important pour que vous ne puissiez pas accorder quelques jours de tranquillité à votre cheville, le temps qu'elle commence à guérir ?

— Je déteste être une gêne. Ma cheville guérira aussi bien dans un motel que sur votre terrasse.

Il se tourna vers elle, l'air un peu déçu, presque blessé.

— Vous serez bien seule. Mais je suppose que se retrouver coincée avec deux gamins débordant d'énergie et leur ronchon de père doit être pire pour quelqu'un qui, de toute évidence, préfère sa propre compagnie.

— Vous n'êtes pas ronchon, et je ne suis pas coincée, protesta-t-elle. Enfin, pas trop.

Peut-être que, demain, Angus lui mettrait un plâtre à la fois plus léger et plus solide qui lui permettrait de se déplacer plus facilement afin de pouvoir découvrir Havelock le jour suivant. Mais que ferait-elle le reste de son temps, une fois qu'elle connaîtrait par cœur les quelques boutiques existantes ?

— Apparemment, vous n'aimez pas vous éterniser quelque part, n'est-ce pas ? Surtout dans un endroit aussi petit que Havelock ?

Décidément, cet homme était capable de lire en elle comme dans un livre ouvert. Comment était-ce possible ?

— Tout dépend de la raison pour laquelle je m'arrête, répondit-elle.

De nouveau, il eut l'air déçu.

— Dormez bien, Jenny. Vous semblez épuisée.

Il esquissa un sourire un peu contraint puis referma la porte derrière lui.

Elle fut réveillée par les voix des garçons qui couraient en se disputant dans le couloir. Un rayon de soleil filtrait entre les rideaux que Cam n'avait pas complètement fermés la veille.

Elle avait beaucoup dormi, mais rien ne valait la peine qu'elle se précipite hors du lit, sauf peut-être la vue du corps d'athlète de Cam pour bien commencer la journée.

Décidément, il fallait qu'elle parte d'ici. Demain ferait l'affaire.

Se redressant dans le lit, elle étira les bras au-dessus de sa tête. Elle se sentait bien. Même son pied avait l'air d'aller mieux. Peut-être avait-il dégonflé un peu.

Mais à peine fut-elle debout que la douleur se ranima. S'était-elle réjouie trop tôt ?

On frappa doucement à la porte.

— Jenny, vous êtes réveillée ? demanda Cam.

— Bien sûr.

La porte s'ouvrit en grand et il apparut, remplissant toute la pièce de sa présence.

— Comment allez-vous, ce matin ? Vous n'avez plus les yeux aussi fatigués.

Il la regarda de la tête aux pieds. Elle se tenait debout devant lui, habillée d'un mince T-shirt lui couvrant à peine les fesses.

— Je vais bien, très bien, répondit-elle d'une voix éraillée. Vous aviez quelque chose à me demander ?

— Euh… Non, rien.

— On se verra pour le déjeuner ?

— Oui. Vous devrez vous occuper seule de votre petit déjeuner. Je suis passé il y a environ une heure vous demander ce qu'il vous plairait de manger, mais vous étiez dans un état semi-comateux, et maintenant, je suis en retard.

— Pas de problème.

Le regard de Cam était toujours attiré par le bas de son T-shirt. Elle se rassit sur le lit en se couvrant les jambes.

— Vous devriez vous dépêcher.

Il lui sembla qu'il avait rougi.

— Allez, les garçons. Vite, vite.

— Vite, vite, répétèrent les jumeaux en riant dans le couloir.

Jenny ne put se retenir de sourire.

— Je me rappelle qu'Alison et moi répétions tout ce que maman disait. Il lui arrivait d'être à cran à cause de nous, surtout si elle était pressée ou de mauvaise humeur.

— Je ne suis pas de mauvaise humeur, marmonna Cam.

— Bien sûr que non, répondit-elle avec une moue ironique.

Il fronça les sourcils.

— Finalement, je me demande si je ne préfère pas quand vous dormez.

Cette fois, elle se mit à rire. Alison et elle avaient bien aimé taquiner leur mère, de temps en temps. Cette dernière avait-elle eu l'air aussi fatigué que Cam ? Elle se rappelait qu'une fois, leur père les avait confiées à la garde d'une voisine pour emmener leur mère dans un restaurant chic afin qu'elle puisse faire une pause.

Maman et papa. Ils avaient été les meilleurs parents que des jumelles pouvaient souhaiter. Elle les avait bien mal traités ces derniers mois, les ignorant presque. Pourtant, ils étaient toujours patients avec elle, attendant que son chagrin s'apaise peu à peu, tout en faisant face à leur propre peine.

Où était sa tablette ?

Elle la trouva dans le salon et, après s'être préparé une tasse de thé accompagnée d'une tranche de pain, elle commença son e-mail.

Chers maman et papa,

C'est plutôt amusant pour moi de me retrouver dans cette maison. Marcus et Andrew me rappellent les bêtises que nous faisions, Alison et moi. Cam, leur père, a tout le temps l'air épuisé. Je suppose que nous vous faisions le même effet.

Aujourd'hui, je vais chez le chirurgien pour un check-up et attendrai à Blenheim que Cam vienne me chercher pour me ramener à la maison.

Elle appelait cet endroit « la maison », à présent ? Qu'est-ce que Cam en penserait ?

Je ne sais pas encore quand je serai en mesure

de partir d'ici. Ma voiture est dans le garage de Cam, qui dit que je peux la laisser là aussi long-temps que je veux. Je vous tiendrai au courant de mes prochains déplacements.

Je vous embrasse très fort : Jenny.

Tout en appuyant sur « Envoi », elle dut reconnaître que c'était bien agréable d'avoir des choses à raconter, sans se demander si elle devait ou non mentionner le prénom d'Alison de crainte de leur faire de la peine.

Marcus et son skate-board avaient une grande part de responsabilité dans cette situation, mais dans le cas présent, c'était plutôt positif.

Il était temps de prendre une douche sans plus se poser de questions. Dans la salle de bains, Cam avait de nouveau tout préparé, constata-t-elle en souriant. Etait-il aussi atten-tionné avec tout le monde, ou juste avec elle ?

Se sentait-il attiré par elle, comme elle par lui ? Elle ne pouvait le nier : elle le trouvait très attirant physiquement. Mais il y avait plus encore : sa prévenance, sa tendresse et son désir d'être le meilleur père possible pour ses enfants.

En fait, tout lui plaisait chez lui. C'était inquiétant et excitant à la fois.

7.

— Qu'est-ce que ça sent ? marmonna Cam en fronçant le nez.

Il y avait une forte odeur de brûlé qui venait de la maison.

La journée avait été particulièrement exténuante. Le manque de sommeil des nuits précédentes, avec la pensée de Jenny qui ne l'avait pas quitté, n'avait fait qu'ajouter à la difficulté de convaincre Roy Frank de se faire opérer à cœur ouvert, comme cela était prévu pour la semaine suivante.

Mais son patient s'obstinait dans son refus. A l'évidence, il était terrifié. Qui ne l'aurait pas été à sa place ? Hélas, il n'y avait pas d'alternative.

Dans la cuisine, Jenny se tenait devant l'évier, visiblement embarrassée.

— Ce n'est pourtant pas difficile de faire cuire du riz, marmonna-t-elle. Des millions de gens le font chaque jour sans brûler le fond de la casserole !

— Pourquoi du riz ? s'étonna-t-il. J'ai prévu des pommes de terre nouvelles préparées avec de la menthe fraîche du jardin de Mme Warner. Les côtelettes d'agneau attendent dans une assiette au réfrigérateur, prêtes pour le barbecue. Il n'y a plus qu'à remuer la salade.

Jenny lui jeta un regard sombre.

— J'avais l'intention de préparer le dîner pour vous. Parce que vous avez toujours été si gentil avec moi, je voulais que vous vous accordiez une pause.

Sur le comptoir, il y avait un livre de recettes asiatiques. Elle en avait besoin pour faire cuire du riz ?

— Je suppose que la cuisine n'est pas votre point fort ?

— Pas vraiment.

Il ne put s'empêcher de sourire en voyant une casserole au fond noirci qui trempait dans l'évier.

— Et ça, qu'est-ce que c'est ? demanda-t-il en désignant une bouillie non identifiable dressée sur un plat.

— Du poulet chasseur. Bon, d'accord, je ne suis pas un grand chef étoilé. Mais j'avais envie de vous aider, au lieu de rester assise à ne rien faire. J'ai quand même réussi à vider le lave-vaisselle et à rentrer le linge sans incident.

— Merci. J'apprécie ce que vous faites.

Comme elle se détournait, il la rattrapa avant de lui soulever le menton du bout du doigt. Des larmes brillaient dans ses yeux.

— Je vous assure, je suis sincère.

Il aurait dû s'écarter, mais il en fut incapable. Ses magnifiques yeux verts étaient encore plus beaux, légèrement humides. Il aurait voulu s'y noyer.

— Ne le prenez pas mal, mais je m'occuperai de la salade, ajouta-t-il, souriant de nouveau. Si on prenait d'abord un verre de vin sur la terrasse ?

A présent, il pouvait lui en proposer puisqu'elle venait d'arrêter les calmants. Son nouveau plâtre, plus léger, y était sans doute pour quelque chose.

— C'est pour me consoler ?

— C'est pour le plaisir.

Depuis que Jenny était chez lui, toutes sortes de choses auxquelles il n'avait pas pensé depuis bien longtemps lui traversaient l'esprit.

— Cabernet sauvignon ou sauvignon blanc ? proposa-t-il.

— Le blanc, merci. Voulez-vous du fromage et des crackers avec ? Il y a du Havarti au réfrigérateur.

La lumière était revenue dans les yeux de Jenny. Il remplit deux verres : le blanc pour elle, le rouge pour lui.

— Vous avez choisi l'un de mes fromages préférés.

— C'est la femme de la boutique qui me l'a dit.

Il fut touché qu'elle ait pris la peine de demander.

— Alors, que pensez-vous de notre petite ville, Jenny ?

— Disons qu'elle a un charme un peu… désuet.

— Delia, mon infirmière, a dit qu'elle vous avait vue ce matin marcher avec vos béquilles.

— Je suppose qu'il n'y a pas beaucoup de monde à Havelock qui se promène avec un pied dans le plâtre.

Elle s'assit sur une chaise et s'appuya contre le dossier avant de poser les béquilles sous la table, hors du passage.

— On dirait que vous avez pris le coup de main.

Il la regarda ensuite siroter son vin, les lèvres délicatement appuyées contre le verre, et suivit, fasciné, les mouvements de sa gorge, sentant une tension dans le bas-ventre qu'il n'avait pas éprouvée depuis longtemps.

— Qu'y a-t-il ? demanda-t-elle d'un air surpris.

— Rien. J'aime ce que je vois, c'est tout.

C'était beaucoup. Depuis le départ de Margaret, les femmes n'avaient tenu aucun rôle dans sa vie. Et voilà qu'en quelques jours, il revenait à la vie avec l'arrivée de Jenny. Jusqu'à cette semaine, il ne s'était pas rendu compte qu'il était comme mort dans certains domaines.

— Vous faites des progrès côté compliments, commenta-t-elle en le gratifiant d'un sourire qui le chamboula complètement.

Bon sang… Il se sentait sens dessus dessous.

— Je vais allumer le barbecue, dit-il en se levant si brusquement qu'il renversa la moitié de son verre sur son pantalon.

Génial ! A présent, il avait une cuisine et un pantalon à nettoyer.

— Allez vous changer et donnez-le-moi, ordonna Jenny. Je suis experte en nettoyage de taches de vin.

Il se détourna aussitôt pour éviter qu'elle ne remarque un renflement suspect, juste sous la tache — sinon elle risquait d'appeler la police des mœurs. Avait-il été frustré à ce point par son absence de relation sexuelle, ou bien était-ce Jenny qui avait tout déclenché parce qu'elle était belle et sexy et qu'il était bouleversé par ses grands yeux ?

« N.B. : Se tenir à distance de son sourire enjôleur, et de ces yeux. Trop dangereux. Une bonne fois pour toutes, prendre ce satané rendez-vous chez le coiffeur. »

Jenny frotta la tache, rinça le pantalon et alla l'étendre sur le fil en clopinant. Comme il faisait chaud, avec un peu de chance, il serait sec au matin.

Son regard fit le tour du jardin. Cam ne devait pas avoir le temps de s'en occuper, ou bien il n'avait pas de goût pour cette activité. Il y avait une chose que sa mère lui avait enseignée : faire pousser des fleurs. Quoi de plus gratifiant que de voir des massifs se couvrir des couleurs chatoyantes des freesias, marguerites, roses et autres pivoines pendant les mois d'été ? Cueillir quelques fleurs pour les disposer dans un vase au centre de la table l'avait toujours ravie.

Les compétences de Cam au jardin semblaient se limiter à tondre la pelouse. Tout au fond, il y avait une balançoire accrochée à un arbre qui semblait à l'abandon. S'asseyant sur la planche, Jenny prit son élan à l'aide de son pied valide. Quand s'était-elle balancée pour la dernière fois ? C'était lors de vacances à Surfers Paradise, avec Alison, quand elles étaient adolescentes. Elles avaient tenté d'impressionner des garçons qui se trouvaient aussi dans le parc. Echec total.

De nouveau, elle pouvait évoquer Alison sans trembler de désespoir. Il devait y avoir quelque chose de relaxant dans l'air de Havelock. Parviendrait-elle un jour à venir à bout de son chagrin ? C'était sans doute trop demander pour l'instant.

Elle devait procéder étape par étape.

— Tu as perdu brutalement ton mojo. Ne te précipite pas pour le retrouver.

— Qu'est-ce que c'est, un mojo ? demanda un des jumeaux.

— On peut t'aider à le trouver ? demanda l'autre.

Instantanément, elle cessa de se balancer et se retourna.

Elle n'avait pas entendu les garçons arriver et ne s'était pas rendu compte qu'elle avait parlé tout haut.

— Pour certains, c'est une sorte de porte-bonheur, répondit-elle. En fait, c'est une partie de moi, de ce que je suis et de ce que je deviendrai… C'est le moteur qui m'aide à avancer, ma raison de vivre.

Pour une fois, Marcus et Andrew restèrent muets, se contentant de la regarder.

— J'ai perdu mon mojo il y a un an, et je voudrais le retrouver pour pouvoir de nouveau être heureuse.

Comprendraient-ils mieux avec cette explication ?

— On peut t'aider, si tu veux.

Ils le faisaient déjà. Tous les deux, avec Cam, l'avaient traitée avec tant de naturel qu'elle avait commencé à revivre.

— Merci, murmura-t-elle.

— Si on t'aide…

— Est-ce que tu nous aideras à trouver quelque chose ? demanda Andrew, achevant la question de son frère.

Elle avait entendu parler d'une chaussure de sport qui avait disparu, et Cam faisait la guerre à ses enfants pour qu'ils la cherchent partout.

— Bien sûr. Qu'avez-vous perdu ?

— Notre maman. On la trouve nulle part.

Oh ! non ! Elle ne s'était pas méfiée. Les pauvres enfants avaient l'air désespéré. Son cœur se serra.

— Je…

Que dire ? Tout ce qui lui venait à l'esprit n'aurait fait que les peiner davantage. Elle ne connaissait pas les circonstances du départ de leur mère et, de toute façon, ce n'était pas à elle de leur parler.

Mais ils restaient là, à la fixer d'un air suppliant.

— On voudrait juste la voir et lui faire un câlin, dit Andrew, prêt à fondre en larmes.

Abandonnant la balançoire, Jenny prit les deux garçons dans ses bras et les serra contre elle. Ce n'était pas l'étreinte qu'ils auraient souhaitée, mais elle ne pouvait pas les laisser ainsi. Ils s'accrochèrent à elle, tremblants.

— Je sais ce que c'est, murmura-t-elle. J'aimerais tant pouvoir prendre ma sœur dans mes bras.

Mais c'était différent. Alison était morte alors que la maman de ces garçons se trouvait quelque part. Comment une mère pouvait-elle ainsi quitter ses enfants ? C'était tout simplement inconcevable. Aucune excuse ne pouvait trouver grâce à ses yeux.

Elle sentit la présence de Cam juste avant qu'il les entoure de ses bras. La main qu'il avait posée sur son épaule était chaude et lui donna le courage de lever la tête.

« Merci », mima-t-il silencieusement avec les lèvres.

Il avait donc entendu les paroles des garçons. Cam se trouvait-il souvent confronté à ce genre de demande de la part de ses fils, et comment réagissait-il ?

Il déposa un baiser sur la tête de chaque garçon et recula doucement, les entraînant avec lui.

« Et moi ? Je ne peux pas avoir un baiser, moi aussi ? »

Elle en avait oublié sa cheville qui se rappela soudain à son souvenir, mais Cam lui tendit la main pour l'aider à regagner la terrasse.

— Où est ta jumelle ? demanda un des garçons en les rejoignant.

Elle réprima un soupir. Que répondre ? Penseraient-ils que leur mère était morte aussi, si elle leur disait la vérité ? Mais elle ne pouvait pas leur mentir, cela n'aiderait personne.

Cam lui adressa un signe discret de la tête, comme pour l'encourager. Après avoir avalé une gorgée de vin, elle leur parla le plus simplement possible.

— Ma sœur a eu un accident. On était parties en randonnée en montagne quand le sentier le long d'une falaise sur lequel on se trouvait s'est effondré et nous sommes tombées. Un gros rocher s'est détaché et a heurté la tête d'Alison.

Ses mains se mirent à trembler.

— Elle est morte là-bas. Elle me manque terriblement.

Sans rien dire, Andrew vint s'asseoir sur le banc à sa droite tandis que Marcus s'asseyait à sa gauche. Cam les regardait.

— C'est triste, commenta enfin Marcus en se blottissant contre elle. Andrew me manquerait aussi s'il lui arrivait quelque chose. En plus d'être mon frère, il est aussi mon meilleur ami.

— Oui, c'est comme ça chez les jumeaux, ajouta Andrew en se blottissant de l'autre côté.

Jenny renifla avant d'avaler une autre gorgée de vin.

— Vous savez, on a plus de chance que les autres quand on est jumeaux. Personne d'autre n'a quelqu'un d'aussi spécial et qui soit aussi proche.

Marcus s'écarta d'elle pour mieux la regarder.

— Alison était aussi jolie que toi ?

— Tu es un vrai petit charmeur, tu sais ça ? Alison était tout à fait comme moi, ajouta-t-elle, son sourire s'effaçant.

— Comment faisaient les gens…

— Pour vous distinguer ?

Cela devenait difficile.

— Alison était très drôle et faisait rire tout le monde. Moi, j'étais plus sérieuse — sauf quand j'étais avec ma sœur.

Cam lui versa de nouveau du vin alors qu'elle avait à peine touché à son verre.

— Marcus, Andrew, laissez un peu Jenny respirer. Le dîner sera bientôt prêt, alors vous feriez bien de vider vos cartables et de poser vos boîtes de déjeuner dans la cuisine.

— Merci, dit-elle en regardant les garçons s'éloigner. Je ne suis pas sûre qu'ils puissent poser grand-chose dans la cuisine car je me suis un peu étalée tout à l'heure.

Cam fit mine de s'étrangler en buvant.

— Un peu ? Je dirais plutôt qu'une véritable tornade est passée par là.

Elle lui tapota énergiquement le dos.

— C'est un peu exagéré, répliqua-t-elle en retirant sa main à regret, la promenant au passage sur l'épaule et le haut du bras de Cam.

Elle avait l'impression que la chaleur de Cam irradiait jusqu'à son propre corps. Quand il les avait tenus serrés contre lui, elle s'était rendu compte qu'elle n'avait pas été enlacée par quelqu'un depuis bien longtemps.

— Moi, j'exagère ?

Il avait un curieux sourire et sa respiration s'était accélérée. Ce n'était tout de même pas parce qu'elle l'avait touché ? Oh ! non ! Donc, elle lui plaisait ? Et elle, avait-elle envie de lui plaire ? La confusion la plus totale régnait dans sa tête.

Cam lui souleva le menton pour croiser son regard.

— Merci d'avoir raconté votre histoire aux garçons. Certes, ce n'est pas la même chose d'avoir perdu leur mère, mais j'ai l'impression qu'ils ont compris quelque chose avec vous, et que cela les aidait d'être des jumeaux.

— Ce doit être difficile pour vous chaque fois qu'ils croient voir leur mère. Je suppose que c'est ce qu'il s'est passé samedi dernier ?

— En effet. Il y a des jours où je lui en veux terriblement de les faire souffrir ainsi. Tout ce que Marcus et Andrew ont jamais demandé, c'est d'être aimés. Qu'y a-t-il de mal à ça ?

Son regard se perdit dans le vague.

— Depuis combien de temps est-elle partie ?

— Un peu plus de deux ans.

La tristesse qu'elle sentait dans sa voix lui serra le cœur. Elle eut soudain envie de le serrer dans ses bras à son tour, de prendre sur elle toute cette tristesse, mais elle fut incapable de bouger. Ils se connaissaient à peine, même si elle avait parlé brièvement d'Alison par l'intermédiaire des jumeaux, ce qu'elle n'avait fait avec personne.

Aimait-il toujours sa femme ? La cherchait-il dans les magasins, lui aussi ? Peut-être, à en croire son regard perdu. En tout cas, elle n'avait pas le droit de ressentir autre chose que de la sympathie pour lui parce qu'il s'était montré gentil avec elle.

Il était vraiment temps de partir avant qu'elle éprouve quelque chose de plus intense. Elle en parlerait aux garçons après le repas, quand ils seraient couchés. Dès demain, elle irait dans un motel, à Blenheim.

Le dîner se déroula sans anicroche. Une fois la table

débarrassée et la vaisselle rangée dans la machine, Jenny se sentit prête à regagner sa chambre.

Cam s'était assis devant son ordinateur portable.

— Je dois contrôler les besoins mensuels du service de santé, marmonna-t-il.

— Il vaut mieux que vous veniez prendre votre thé dans la cuisine. J'ai fini de nettoyer mes bêtises, ajouta-t-elle en posant une assiette de cookies aux copeaux de chocolat près de son mug.

— Mmm, ce sont les meilleurs de la boulangerie.

— On dirait que vous êtes un peu gourmand ?

— Qui ne l'est pas ?

Il lui sourit en la rejoignant — un vrai, large sourire, qui aurait pu facilement la faire craquer.

— Je crois que je vais repartir bientôt, annonça-t-elle. Peut-être samedi.

Où était passée sa résolution de s'en aller dès le lendemain ? Samedi lui était venu tout seul. Décidément, il lui devenait de plus en plus difficile de quitter cet endroit où Cam l'avait accueillie avec tant de gentillesse, lui faisant voir le monde d'une autre façon. Elle était presque devenue accro.

Il se pencha vers elle, les sourcils froncés.

— Repartir ? Pour où ? Et comment ? Je vous rappelle que vous ne pouvez pas encore conduire.

— J'ai suffisamment abusé de votre hospitalité.

— Lorsque ce sera le cas, je vous le ferai savoir.

— Franchement, Cam, vous avez déjà tant fait pour moi. Des liens se créent entre les jumeaux et moi, alors ne vaut-il pas mieux que je m'en aille maintenant, avant que cela devienne un problème ? Je ne voudrais en aucun cas perturber Andrew et Marcus.

— Ça, c'est un coup bas, Jenny Bostock, marmonna-t-il.

— Ce n'était pas mon intention.

Elle n'avait aucune envie de partir. Pas déjà. Mais plus elle s'attarderait, plus ce serait dur pour elle, et pour les garçons. Déjà elle rêvait de Cam de jour et de nuit. Le simple fait de le regarder allumait le feu en elle. C'était difficilement compréhensible, d'autant que le sexe n'avait jamais eu beaucoup d'importance dans sa vie, même quand tout allait bien. Etait-ce parce qu'elle n'avait encore jamais rencontré d'homme aussi sexy que Cam ? Elle ne se reconnaissait plus.

— Que faites-vous pour Noël ? demanda-t-il, étendant ses longues jambes sous la table.

— Pour Noël ?

Quel rapport ? s'interrogea-t-elle, méfiante.

— Vous savez, cette fête pendant laquelle le Père Noël descend par la cheminée avec des cadeaux pour tout le monde.

En fait, si elle partait cette nuit ? Elle ne pouvait pas imaginer manger de la dinde rôtie ou défaire des paquets sans Alison. L'année précédente, la difficulté avait été contournée : ses parents les avaient rejoints, elle et Colby, dans un restaurant d'Auckland.

— Ce n'est plus très loin, maintenant, ajouta Cam. Avez-vous des projets ?

— Oui, justement.

« Je vais trouver un hôtel dans lequel je ne suis jamais allée et passer la journée à découvrir les environs. »

Cam était de toute évidence déçu. Un silence embarrassé s'ensuivit, qu'elle finit par rompre.

— Et vous, que faites-vous, ce jour-là ?

Détourner l'attention de l'interlocuteur : la tactique s'avérait généralement payante.

— Nous allons retrouver le clan Roberts au grand complet dans la maison familiale de Kenepuru.

— Vous avez des frères et des sœurs ?

— Trois sœurs, trois beaux-frères, six neveux et nièces, et mes parents. Nous passons toujours un très bon moment ensemble.

Cela lui donna envie de se replier complètement à l'intérieur d'elle-même. La famille. Maman et papa. Retourner à Dunedin. Noël serait aussi solitaire pour eux qu'il le serait pour elle, dans un hôtel.

Soudain, elle prit sa décision.

— Je vais dans le Sud voir mes parents.

— C'est une bonne idée.

Mais il y avait encore de la déception dans les yeux de Cam quand il retourna s'asseoir à son clavier.

— Bonne nuit, dit-elle en clopinant vers le couloir.

— Jenny, dit-il d'une voix douce. Ne prenez pas de décision hâtive pour votre départ. Restez pendant le week-end, et vous verrez comment vous vous sentez la semaine prochaine. Les garçons seraient ravis que vous soyez là samedi, pour leur compétition de natation organisée par leur école.

Et Cam ? Serait-il ravi qu'elle soit près de lui pour encourager Marcus et Andrew ?

8.

Cam se sentait plus libre qu'il ne l'avait été depuis des mois. Manifestement, les garçons n'avaient jamais été aussi heureux depuis leur arrivée à Havelock, et ils appréciaient de vivre dans cet endroit où tout le monde connaissait tout le monde — parfois un peu trop bien. C'était pour eux qu'il s'accrochait à ce coin au lieu de se laisser reprendre par l'envie de se perdre de nouveau dans une grande ville pleine de monde, d'activités et de travail.

Aujourd'hui, il se sentait le cœur léger. Cela n'avait rien à voir avec Havelock, mais beaucoup avec la femme qui marchait près de lui.

— Bonjour, Cam !

Braden lui sourit tout en accrochant le panneau « OUVERT » devant son bureau de tourisme.

— Vous avez l'air en forme, ce matin, ajouta-t-il.

— Noël ne va pas tarder, le soleil brille, et mes garçons participent à la compétition de natation qui va les opposer à l'école de Rai Valley, ce week-end. Cela ne pourrait pas aller mieux, répondit-il gaiement.

— On dirait que vous avez pris des pilules euphorisantes, marmonna Jenny près de lui.

Spontanément, il éclata de rire. Que lui arrivait-il ?

— Je ferais bien de vérifier le contenu du flacon de vitamines. Qui sait ce qu'il contient ?

Jenny secoua la tête en souriant.

— Vous feriez mieux de consulter un médecin. Braden

est en train de vous regarder en se grattant la tête, comme s'il ne vous reconnaissait pas.

— Et si ce médecin était responsable de mon état ?

Les grands yeux verts s'écarquillèrent, et elle se mit à rire à son tour.

— Vous voulez dire que c'est ma faute si vous êtes dans un état d'excitation anormal ?

— Bien sûr

Pas seulement cela. Elle était responsable de ses nuits blanches, passées à l'imaginer nue dans son lit, les jambes nouées autour de ses reins, tandis qu'il caressait ses seins magnifiques qu'il devinait sous le petit haut…

— Je n'y crois pas…

— Les garçons, faites attention où vous allez, dit-il machinalement avant de prendre Jenny par le coude pour l'aider à traverser.

Elle n'avait pas vraiment besoin d'une main secourable puisqu'elle avait laissé ses béquilles à la maison le matin même. Mais il aimait la toucher, sentir sa peau douce sous ses doigts.

Jenny se libéra de son contact et s'écarta de lui, mettant un espace entre eux. Cependant, elle n'avait pas du tout l'air offusqué. Avait-elle ressenti la même bouffée de chaleur que lui ?

Les garçons avaient couru devant eux pour rejoindre d'autres enfants sur le chemin de l'école.

Aujourd'hui, Cam se surprenait à regarder autour de lui, à sourire aux gens tout en regardant Jenny boitiller à son côté, et à se réjouir de l'enthousiasme de ses fils pour l'école.

Oui, aujourd'hui, il aimait Havelock. Il aimait vivre ici et était heureux d'y construire une vie, pour lui et ses enfants. Et il aimait marcher à côté de Jenny.

Une famille. Voilà à quoi ils ressemblaient. Ce qu'ils auraient dû être avec Margaret qui trouvait cet endroit ridiculement petit. Or, la femme qui lui avait fait éprouver ce sentiment, qui lui avait mis de la chaleur au cœur, n'était qu'une étrangère pour lui. Jenny avait l'habitude des grands hôpitaux et d'une vie professionnelle trépidante. Il y avait peu de chances qu'elle se sente bien à Havelock. Cela, il ne devait pas l'oublier la prochaine fois que ses hormones le titilleraient.

— A tout à l'heure, papa ! cria Andrew en agitant la main dans sa direction.

Ah, oui. C'était là qu'il devait tourner.

— Le centre médical est au bout de cette rue, Jenny, dit-il. Merci de vous être proposée. C'est une des choses qui m'ennuient le plus : que Marcus et Andrew ne puissent pas rentrer directement après l'école et qu'ils doivent aller chez Amanda. Mais il n'y a pas d'autre solution.

— C'est avec plaisir, répondit-elle.

Elle avait l'air si sincère qu'il sentit son cœur fondre un peu plus.

« N.B. : Apprécier le temps que Jenny passe avec nous, et éviter de me sentir mal quand elle décidera de s'en aller. »

Jenny arriva en clopinant devant le portail de l'école quelques minutes avant 3 heures. On était jeudi et elle n'était pas du tout prête à partir. En fait, elle se sentait beaucoup trop bien dans la famille Roberts. Comme si elle était chez elle. Peut-être que lundi elle aurait changé d'avis après le week-end de folie qui s'annonçait.

Elle attendait la sortie des enfants, un peu à l'écart des autres parents, quand une femme aux cheveux noirs entremêlés de mèches orange s'avança vers elle en souriant.

— Bonjour, je suis Amanda. C'est chez moi que vont habituellement les jumeaux après l'école. Je suppose que vous êtes Jenny ?

— Bonjour, Amanda. J'imagine que je suis facilement repérable avec mon plâtre.

— Les jumeaux n'arrêtent pas de parler de vous, dit Amanda. Je dois savoir à peu près tout à votre sujet.

Fantastique… Toute la ville devait donc être au courant de la mort de sa sœur.

Le sourire d'Amanda s'élargit encore.

— Ne vous inquiétez pas, je plaisante. Les jumeaux vous trouvent jolie, ils apprécient que vous leur fassiez la lecture, mais trouvent que vous cuisinez très mal.

Le son aigu d'une cloche retentit dans la cour de l'école. Sauvée par le gong ! Elle n'avait plus qu'à ramener Marcus et Andrew à la maison, où elle pourrait encore amuser la galerie en faisant d'autres bêtises.

— Et si vous veniez prendre le café chez moi, demain matin ? reprit Amanda.

Jenny était sur le point de refuser, mais le regard de cette femme, qui s'était montrée charmante avec elle, était si amical qu'elle se détendit.

— Avec plaisir, répondit-elle.

Elle se rendit compte que cela faisait bien longtemps qu'elle ne s'était pas retrouvée autour d'un café avec une amie — même si Amanda et elle n'étaient pas intimes à proprement parler ! Un autre point fort de Havelock : ce village avait commencé à ébranler l'armure dont elle s'était entourée qui maintenait le reste du monde dehors et sa peine à l'intérieur. Et cela, aucun autre endroit n'avait réussi à le faire.

Tous les enfants arrivèrent pendant qu'Amanda lui donnait son adresse et, soudain, ce fut un véritable brouhaha.

— Jenny, on a faim ! s'écrièrent les garçons en la rejoignant.

— On n'aura qu'à s'arrêter à la boulangerie… Il vaut mieux ça plutôt que ce soit moi qui vous fasse des biscuits, n'est-ce pas ?

Ils approuvèrent avec enthousiasme.

Qu'était-il arrivé à la Jenny qui détestait échouer dans quoi que ce soit ? Celle qui n'aurait jamais cuisiné, de crainte que l'on se moque d'elle ? Elle était venue à Havelock, voilà l'explication.

Les garçons n'arrêtèrent pas de parler jusqu'à la boulangerie, et là, ils n'arrivèrent pas à choisir ce qu'ils allaient prendre.

— Je vous laisse vous décider le temps que la dame me donne mon gâteau à la crème, sinon vous ressortirez sans rien, dit-elle d'un ton ferme.

En deux secondes, ils avaient tous les deux opté pour un brownie et la remercièrent en chœur.

— Aujourd'hui, c'est jeudi, il y aura des saucisses pour le dîner, dit Marcus quand ils arrivèrent à la maison.

Jenny arrondit les yeux d'étonnement.

— Vous voulez dire que vous avez un plat pour chaque jour de la semaine, toujours le même ?

— Bien sûr.

C'était sans doute la seule façon pour Cam de s'en sortir, lui qui était si organisé.

A l'heure du repas, il lui adressa un sourire d'excuse.

— Vous savez, il m'arrive de varier les menus, notamment d'une saison à l'autre. Pendant les mois d'hiver, je prépare surtout des ragoûts qui présentent l'avantage de pouvoir mijoter à feu doux dans la cocotte pendant la journée. Mais vous, vous n'avez *jamais* cuisiné ? ajouta-t-il, comme s'il avait du mal à croire une chose pareille.

— Parce que pour vous, toutes les femmes doivent être des déesses aux fourneaux ? Eh bien, pas moi. A quoi bon se fatiguer, alors que les supermarchés regorgent de plats tout préparés ? Ce n'est peut-être pas de la cuisine très fine, mais c'est délicieux comparé à ce que je fais.

Cam haussa les épaules.

— Vous savez, pour moi, il ne s'agit pas de faire une différence entre les hommes et les femmes dans ce domaine. Mais c'est très agréable de concocter un repas que l'on va partager avec sa famille ou des amis. Cela procure un plaisir spécial et, pour moi, c'est une façon de leur montrer que je les aime. Même si je ne fais que griller quelques saucisses.

Elle n'avait jamais vu les choses de cette façon. Le partage. De son côté, elle offrait les fleurs de son jardin.

Cela lui avait toujours fait plaisir et elle espérait qu'il en avait été de même pour les personnes qui les avaient reçues.

— Je comprends ce que vous voulez dire. Si ce n'est que dans mon cas, je risquerais de perdre tous mes amis…

Elle pensa à son dernier plat qui avait fini à la poubelle.

— Vous imaginez, si je leur servais le poulet chasseur de la dernière fois ?

— Règle numéro un en cuisine : ne pas oublier que les gens mangent d'abord avec les yeux avant de saisir leur couteau et leur fourchette.

Le lendemain, dans la grande cuisine d'Amanda, Jenny s'arrêta devant l'étagère couverte de livres de recettes.

— Vous devez en avoir des centaines…

— Il faudrait que je fasse le tri, mais je n'en ai jamais le temps, répondit Amanda. A vrai dire, j'ai été chef avant d'avoir quatre enfants et de donner des leçons de natation.

— Et vous n'avez pas envie de recommencer ici, à Havelock ?

Un délicieux arôme de bon café flotta dans la cuisine, tandis qu'Amanda sortait des tasses du placard.

— Cela me prendrait trop de temps, dit-elle. Je préfère nettement me consacrer à mes enfants. Ils grandissent si vite ! Avant que je m'en aperçoive, ils seront partis à la découverte du vaste monde.

Jenny, elle, n'avait à se soucier que d'elle-même. Pourtant, quelques jours auparavant, elle avait repris contact avec ses parents en leur envoyant des e-mails quotidiens dans lesquels elle parlait beaucoup de la famille Roberts… Et cela lui faisait du bien.

— Amanda ? Est-ce que vous accepteriez de me montrer comment cuisiner un ou deux plats simples que je pourrais faire pour Cam et les garçons ? Je paierai pour les cours, bien sûr. Si vous avez le temps…

Amanda n'hésita pas une seconde.

— Cela pourrait être amusant. Quand voulez-vous commencer ?

— Pourquoi pas aujourd'hui ?

De nouveau, elle accepta tout de suite.

— Buvez votre café, et nous déciderons de ce que nous allons faire pour le dîner. Je prépare des plats qui plaisent autant aux enfants qu'à Ross. On pourrait doubler les quantités, et vous emporterez ce qu'il vous faut pour Cam et les garçons.

Jenny n'arrivait pas à croire qu'elle s'était embarquée dans une leçon de cuisine.

— Très bonne idée, Amanda. Ce café est absolument délicieux.

Amanda sourit.

— Vous aimez le bœuf Stroganov ?

— J'adore ça.

— Mes enfants aussi, et je suis sûre que cela plaira aux jumeaux.

— Mais il va falloir faire cuire du riz ? s'inquiéta-t-elle.

— Il vous faut un récipient spécial. Je dois en avoir un quelque part que je vous prêterai pour commencer.

Le riz était blanc et gonflé. Quant au bœuf, il fondait dans la bouche. Cam et les garçons en reprirent tous, et Jenny était aux anges.

— C'était succulent, dit Cam avec un soupir de satisfaction. Vous avez donc trouvé un livre de recettes écrit en anglais ? ajouta-t-il avec un sourire taquin qui la chavira.

— Pas du tout. Ce matin, j'ai pris un cours avec un ex-chef.

Oui, elle avait été capable de cuisiner, se dit-elle avec fierté. Même si Amanda avait été omniprésente à son côté. Par ailleurs, elle n'ignorait pas qu'un seul repas ne faisait pas d'elle une cuisinière confirmée.

— Vous avez vu Amanda, dit Cam.

— Entre autres choses, elle m'a appris à trancher la viande dans le bon sens et à ne pas trop remuer la sauce. J'ai passé une excellente journée, mais malheureusement pour Amanda, elle s'est tailladé trois doigts en voulant me montrer comment couper des oignons. Comme elle a refusé les points de suture, je lui ai confectionné des sortes de poupées en puisant dans sa pharmacie personnelle.

Il ne s'était pas agi d'un accident grave, mais elle avait été heureuse de pouvoir aider Amanda sur le plan médical. Le médecin qui était en elle s'était également réveillé ici, à Havelock.

— Amanda ne pourra pas beaucoup se servir de sa main gauche pendant quelques jours, conclut-elle.

— Telle que je la connais, cela m'étonnerait. Mais je suis content que vous ayez été là pour elle.

En voyant les sourires de plaisir de Cam et des enfants après avoir fait honneur au repas, elle avait été emplie d'une chaleur bienfaisante comme elle n'en avait jamais ressenti, pas même avant la mort d'Alison. Elle se sentait touchée en profondeur, et avait le sentiment d'être là où il fallait. Avait-elle retrouvé son mojo ?

« Et si je ne partais pas ? Si je restais ici, et que je fasse passer le nombre d'habitants de cinq cents à cinq cent un ? Mais je ferais quoi, exactement ? Je vendrais du bœuf Stroganov devant ma porte ? »

Sa joie avait disparu. Elle *devait* partir. Bientôt.

Cam se leva pour débarrasser la table alors que les enfants avaient eu la permission exceptionnelle d'aller jouer.

— C'est le plat le plus savoureux que nous ayons jamais mangé dans cette maison, déclara-t-il en disposant les couverts et les assiettes dans le lave-vaisselle. A propos, les garçons ont adoré que vous les rameniez après l'école. C'est beaucoup mieux pour eux, cela les stabilise un peu dans leur vie qui a été plutôt perturbée jusqu'ici.

Elle en eut le souffle coupé, stupéfaite par ce qu'il venait de lui confier. Elle avait été désireuse d'aider Cam, mais à ce point ? Plus ils s'attachaient à elle, plus les garçons risquaient d'avoir le cœur brisé quand elle partirait.

— Je ferais peut-être mieux de ne pas continuer, dit-elle. Avez-vous pensé à leur réaction quand je repartirai ?

Elle-même se sentirait mal de devoir quitter les garçons — quant à laisser Cam, elle ne parvenait même pas à imaginer ce qu'elle éprouverait.

— J'y ai pensé, effectivement, répondit Cam. Mais je compte sur les vacances d'été pour les consoler.

— Excepté que je ne resterai pas jusque-là. Il y a un endroit où je dois absolument aller, ajouta-t-elle, comme pour s'en convaincre.

— Je vois.

A son expression, elle sut qu'il ne voyait rien du tout. Comment l'aurait-il pu ? Il ignorait pourquoi elle était venue jusqu'ici.

— Je vais nettoyer la cuisine, ajouta-t-elle. Si vous avez autre chose à faire…

Elle se leva et frotta le bas de son dos qui était douloureux depuis un moment.

Cam suivit les mouvements de ses doigts, de toute évidence troublé. Mais elle ne devait pas prêter attention à sa réaction. A cause des enfants. Parce qu'elle n'était pas prête. Parce qu'elle allait partir, et qu'une aventure — même très brève — ne faisait pas partie de ses plans.

Cela ne l'empêchait pas d'apprécier qu'il soit attiré par elle. Elle se sentait plus vivante, redevenait une femme, et pas seulement quelqu'un qui parcourait le pays, cherchant à la fois le pardon et la motivation pour retourner à la médecine.

« La seule personne qui ait à te pardonner, c'est toi-même. »

La salière et le poivrier qu'elle était en train de ranger lui échappèrent. C'était faux. Son père et sa mère la tenaient certainement pour responsable de la mort d'Alison, même s'ils ne le lui avaient jamais dit. Elle avait été la seule personne présente au moment de l'accident, et n'avait pas pu sauver sa jumelle.

— Jenny ? Que se passe-t-il ?

Aussitôt près d'elle, Cam l'aida à s'asseoir sur une chaise. Pas question qu'elle lui raconte quelle terrible sœur elle avait été, doublée d'un médecin inefficace. Il la trouverait sans doute beaucoup moins attirante, et cela, elle ne le voulait pas. Pas tant qu'elle serait là.

— Tout va bien, dit-elle faiblement. J'ai fait un faux mouvement et me suis fait mal à la cheville.

A son habitude, Cam lui souleva le menton pour mieux plonger son regard dans le sien.

— Essayez autre chose, je ne vous crois pas.

Son regard était plein de compassion, mais elle refusa de s'y abandonner. Elle devait être forte. Il ne connaissait aucun des détails de l'accident et elle ne lui dévoilerait rien. C'était son cauchemar à elle, à personne d'autre. Et encore moins à cet homme qui n'avait fait que lui manifester de la bonté.

Elle lui écarta la main et ramassa le sel et le poivre qu'elle rangea dans le placard.

« Allez-vous-en, pria-t-elle en silence. Laissez-moi recouvrer mes esprits toute seule. »

Mais quand elle se retourna, Cam se trouvait tout près d'elle. Quelque chose dans son expression avait changé.

— Jenny…

Tout doucement, il lui prit le visage entre ses mains.

— Tu es si belle…

Ses yeux étaient rivés aux siens, pleins de désir et d'attente. Alors elle tendit le cou et frôla ces lèvres dont elle rêvait depuis des jours. Mais ce ne fut pas assez pour Cam qui se mit à l'embrasser, à la fois avec ardeur et délicatesse. Nouant les bras autour de son cou, elle lui répondit avec le même enthousiasme et sentit ses genoux flageoler. Les lèvres de Cam étaient brûlantes, les mains sur sa taille aussi, et il plaquait son torse contre ses seins. Elle sentit quelque chose de dur contre son ventre. Comment le contact de deux bouches pouvait-il entraîner de telles réactions ? Un feu s'était allumé en elle, embrasant tout son corps.

— Oh ! Ils s'embrassent !

— Ne regarde pas, ce n'est pas poli.

Cam s'écarta d'elle si vite qu'elle faillit perdre l'équilibre.

Oh ! non ! Marcus et Andrew. Qu'allaient-ils penser ? Le visage de leur père s'était durci. Soudain, il n'était plus question d'embrasement. Elle allait monter faire ses bagages, en espérant que Cam patienterait jusqu'au lendemain matin avant de la mettre dehors.

— Marcus, Andrew, où en êtes-vous de vos devoirs ? demanda Cam d'une voix ferme.

Manifestement, il avait repris le contrôle de ses émotions, comme si ce baiser ne l'avait pas affecté le moins du monde. Pourtant, quelques secondes auparavant, il lui avait montré qu'il la désirait.

— Il faut vraiment les faire ? demanda l'un.

— Demain, il y a compétition de natation, enchaîna l'autre.

— Au travail. Maintenant…, ordonna Cam d'un ton sans réplique.

Jenny décida de passer la serpillière. Plus tôt la cuisine serait propre, plus vite elle pourrait se réfugier dans sa chambre et fermer la porte sur l'énorme erreur qu'elle et Cam venaient de commettre.

Du coin de l'œil, Cameron observait Jenny tout en supervisant les devoirs de classe des garçons. Elle avait les épaules tendues en nettoyant le sol, mais, soudain, il remarqua un léger sourire qui se dessinait sur ses lèvres. Elle avait aimé leur baiser volé.

Dommage que les garçons les aient interrompus. En même temps, si cela n'avait pas été le cas, jusqu'où serait-il allé avec Jenny ? Sans doute jusqu'à sa chambre. Et après ?

Ses deux garçons étaient justement la raison pour laquelle il fallait arrêter. Encore une fois, dommage…

« N.B. : Trouver un moment et un endroit sans les jumeaux, où je pourrai de nouveau embrasser la femme la plus sexy que j'aie jamais connue. Le plus tôt possible. »

9.

La compétition de natation fut très amusante à suivre. Les garçons et les filles en présence avaient l'air à la fois excités et terrifiés, tout en semblant décidés à donner le meilleur d'eux-mêmes.

Jenny adressa un signe de main aux garçons.

— Bonne chance, Marcus. Bonne chance, Andrew.

Cam leva les pouces pour les encourager.

— Faites de votre mieux, les enfants. J'aurais préféré qu'ils ne participent pas à la même course, dit-il. Ils vont discuter des résultats pendant des jours. Marcus nage comme un poisson, alors qu'Andrew ressemble davantage à un bloc de béton.

Curieusement, la tension de la veille avait disparu. Tous les deux s'étaient levés de bonne humeur, songeant avant tout à encourager les garçons en vue de la compétition qui les attendait. Ils avaient tous pris le chemin de l'école à pied, comme si de rien n'était.

Mais Jenny était sûre que Cam était fier de ses fils car elle l'avait vu gonfler la poitrine. Un torse musclé sur lequel elle aurait adoré promener ses doigts…

Décidément, il fallait qu'elle prenne le bus de 11 heures pour Blenheim dès lundi. A moins qu'elle retourne à Nelson et qu'elle y reste jusqu'à ce qu'elle puisse se rendre à Kahurangi ?

— A vos marques…

Il y eut un coup de sifflet strident et tous les enfants se retrouvèrent dans l'eau.

Cam et elle s'égosillèrent à encourager les deux enfants, l'un après l'autre.

— Allez, Marcus, tu vas gagner ! Plus que quelques mètres !

Le style d'Andrew était plus discutable — d'ailleurs, il était distancé.

— Courage, Andrew, encore un effort !

Marcus arriva le premier de son groupe et, curieusement, Jenny sentit *sa* poitrine se gonfler de fierté.

Cam continuait à encourager Andrew.

— Vas-y, mon fils ! Un bras après l'autre.

Elle le prit par la main.

— On devrait les attendre à l'arrivée… Les garçons seront contents de voir leur père les accueillir.

Cam entrelaça ses doigts avec les siens.

— Tu as raison.

Ils arrivèrent au moment où Marcus sortait de l'eau.

— Tu as vu, papa ? J'ai gagné !

— Bravo, mon fils ! Tu as très bien nagé.

Puis Marcus se tourna vers elle.

— Tu m'as vu, Jenny ?

— Oh ! oui ! Tu es un vrai marsouin.

Elle l'embrassa sur le front, et l'odeur de chlore lui rappela les nombreuses heures qu'elle et Alison avaient passées à la piscine durant les vacances d'été.

La main de Cam se posa sur son épaule, et ses lèvres s'approchèrent de son oreille.

— Tu fais merveille avec les enfants. Es-tu sûre que tu n'en as pas à toi, que tu cacherais quelque part ?

Son souffle eut un effet incroyable sur sa peau, et une vague de chaleur se déclencha en elle, semblable à un tsunami. Cette fois, il n'avait même pas eu besoin de l'embrasser.

*
* *

— Papa ?

Andrew était arrivé à son tour. Cam la lâcha pour embrasser son fils, mais il resta près d'elle.

Qu'est-ce qu'il leur avait pris de se rapprocher ainsi, alors qu'ils étaient entourés d'enfants, de parents et de professeurs ? Et devant Marcus et Andrew ? C'était pire que la veille, dans la cuisine.

— Il faut que j'y aille, dit Cam. On se voit ce soir, d'accord ?

Il devait être à Blenheim pour les consultations de l'après-midi.

— Est-ce que Jenny va rester encore nous regarder ? demandèrent les jumeaux.

— Je serai là tout l'après-midi, dit-elle.

— Super !

— Et je ne vous quitterai pas des yeux.

Le sourire de Cam était curieusement détendu, comme s'il se moquait bien que la moitié de Havelock les ait vus sur le point de s'embrasser.

— Que diriez-vous si je rapportais du poisson et des frites ce soir, et que l'on emmène Jenny à la marina pour les déguster ?

Les cris d'enthousiasme des garçons furent assourdissants. Cette fois, Jenny sentit une douce chaleur la gagner. Cette famille avait l'air d'apprécier sa présence. Quant à elle, elle adorait être avec eux — surtout avec l'homme qui avait éveillé des endroits de son corps dont elle avait tout juste soupçonné l'existence auparavant. Comment les sensations qu'elle éprouvait avec lui pouvaient-elles être aussi différentes de celles qu'elle avait éprouvées lors de ses expériences précédentes ?

— A en croire les jumeaux, on dirait que votre dîner d'hier a eu un effet étrange sur vous deux, dit Amanda avec un sourire espiègle en la rejoignant après le départ de Cam.

— J'avais espéré pouvoir tirer un trait là-dessus, répliqua Jenny avec un soupir.

— Aucune chance. Je doute qu'il y ait un seul individu

dans les environs qui ne soit pas au courant que vous vous êtes embrassés hier soir.

— Je suppose qu'il n'y a rien à y faire. Comment vont vos doigts ?

— Ils sont très douloureux, mais l'avantage, c'est que je suis dispensée de vaisselle.

— Je me demande ce que nous allons préparer, la prochaine fois.

— Et si on faisait des lasagnes lundi ? proposa Amanda.

— Ce n'est pas trop difficile ?

— Pas du tout. Vous vous en sortirez très bien. Venez faire la connaissance de quelques autres mamans. Elles sont très curieuses à votre sujet, surtout après le rapprochement que vous avez eu avec Cam tout à l'heure.

— Génial…, marmonna-t-elle. Je ferais peut-être mieux de rentrer à la maison.

« Ce n'est pas ta maison, et tu dois surveiller les garçons. »

D'autre part, elle avait accepté de se rendre chez Amanda lundi alors qu'elle était censée partir ce jour-là. Mais il devait aussi y avoir des bus le mardi ?

— On se relaie pour surveiller les enfants à l'ombre depuis l'autre côté de la piscine, expliqua Amanda en l'entraînant pour faire les présentations.

Les autres mères étaient si amicales que Jenny se détendit aussitôt.

— Shelley, Karen, Jocelyn, voici Jenny. Elle habite chez Cam et les jumeaux jusqu'à ce que sa cheville aille mieux.

Jenny s'assit avec précaution sur la pelouse, à côté de Shelley. Celle dernière lui demanda comment allait sa cheville puis si elle avait des enfants.

— Vous avez l'air de savoir vous y prendre avec les fils de Cam.

— Non, je n'ai pas encore d'enfants, dit Jenny. Il faut d'abord que je trouve le père.

Malgré elle, l'image de Cam s'imposa aussitôt à son esprit.

— On dirait que vous l'avez déjà trouvé, intervint Jocelyn avec un charmant sourire.

— Vous savez, je serai repartie au plus tard dans quelques jours, répondit-elle.

Combien de fois n'avait-elle pas dit la même chose durant la dernière semaine ? Chaque fois, elle avait repoussé le moment de faire ses bagages. Mais, bientôt, elle ne pourrait plus reculer son rendez-vous avec le passé.

Shelley parut surprise.

— Vous ne restez pas plus longtemps ? Je suis certaine que Cam pourrait avoir besoin de votre aide au centre médical.

— Je pense qu'il se débrouille très bien ainsi, et d'autre part, je suis urgentiste et non généraliste.

Elle se releva pour chercher les jumeaux du regard, soudain lassée de ce bavardage un peu trop centré sur sa personne. Les questions risquaient de se faire de plus en plus indiscrètes.

Soudain, des cris parvinrent de la piscine. Des enfants regardaient dans l'eau, et elle vit des parents courir tous dans la même direction.

Son cœur se mit à battre à tout rompre. Où étaient les garçons ? Tout en se hâtant en clopinant vers le bord de la piscine, elle regarda partout autour d'elle et aperçut Andrew. Et Marcus ? Il était un peu plus loin, près des vestiaires. Ouf !

— Lily ! cria Shelley.

Dépassant Jenny, elle s'agenouilla au bord de l'eau un peu rougie. Un homme venait de plonger pour récupérer l'enfant qui était au fond.

— Que s'est-il passé ? demanda Jenny à une femme qui se trouvait près d'elle. Je suis médecin.

— Je sais… Je crois que Lily courait au bord de la piscine et elle a glissé. Combien de fois faudra-t-il dire aux enfants de marcher autour du bassin ?

— Pouvez-vous appeler une ambulance ? Je vais faire mon possible, mais Lily va avoir besoin entre autres d'oxygène, et je n'ai aucun matériel.

— Tout de suite, dit la femme qui composait déjà le numéro d'appel d'urgence sur son téléphone portable.

L'ambulance est juste à côté d'ici, mais l'appel doit transiter par Christchurch.

— Est-ce que quelqu'un aurait une clé pour aller chercher le matériel ? demanda Jenny.

— Moi, j'en ai une, intervint un homme. De quoi avez-vous besoin ?

Elle reconnut Brett qui faisait partie de l'équipe de volontaires.

— Il me faut une grande planche, de l'oxygène, une minerve et le défibrillateur, au cas où.

Elle s'accroupit près de Shelley pendant que l'enfant était remontée à la surface.

— C'est votre fille ?

— Oui. Est-ce qu'elle va s'en sortir ? ajouta Shelley d'un ton angoissé.

C'était la question à un million de dollars.

— Elle n'est pas restée sous l'eau plus de quelques secondes, répondit-elle sans s'engager davantage.

Mais qu'est-ce qui causait le saignement ?

Lily fut rapidement sortie de l'eau par son sauveteur qui l'avait soulevée en maintenant les mains sous ses aisselles, lui gardant ainsi le dos droit.

— Maman ! murmura Lily.

— Maman est là, ma chérie !

Grâce au ciel, elle respirait. Un problème de moins. Mais il fallait agir prudemment au cas où la colonne vertébrale serait endommagée.

Jenny organisa rapidement les secours.

— J'ai besoin de l'aide de trois personnes pour soulever Lily une fois que la planche sera là.

Elle n'eut que l'embarras du choix, de nombreuses mains s'étant levées. Brett était déjà de retour et Lily, en larmes, fut bientôt installée sur la planche. Jenny chargea Amanda de s'occuper de la maman, de plus en plus nerveuse.

Puis, de façon méthodique, elle palpa le corps de la fillette, mais ne trouva aucune blessure en dehors de celle au front, qu'elle avait dû cogner sur le rebord de la piscine en tombant. Le sang coulait toujours, mais seul un scanner pourrait dire si l'os du crâne avait été touché.

— Voulez-vous que j'applique un pansement compressif sur la blessure ? proposa Brett.

Elle acquiesça.

— Y a-t-il une attelle dans l'ambulance ? demanda-t-elle, ayant remarqué que le coude de Lily formait un angle anormal.

Une fois son examen achevé, elle se tourna vers la maman.

— Shelley, votre fille va devoir aller à l'hôpital. Elle a besoin de points de suture pour son front et d'un plâtre pour son bras. Il faut aussi lui faire des radios et un scanner, mais je suis plutôt optimiste. Cette petite fille a eu beaucoup de chance.

Des larmes coulèrent sur les joues de Shelley.

— Merci, Jenny. Je suis tellement contente que vous vous soyez trouvée là…

Brett était de retour et Jenny l'aida à appliquer le pansement. Puis, avec précaution, ils glissèrent l'attelle sous le bras et la nuque.

— Voilà, Lily, dit-elle à la petite fille, qui semblait un peu rassurée. Nous allons te transporter dans l'ambulance, et ta maman sera tout le temps avec toi.

Amanda proposa de s'occuper des autres enfants de Shelley et de prévenir son mari, Gavin, occupé à la récolte des moules.

— Comment faites-vous pour rester aussi calme, Jenny ? demanda-t-elle une fois que l'ambulance se fut éloignée.

— Je suppose que c'est l'entraînement.

Pourtant, elle avait toujours été calme durant les situations d'urgence. Si elle donnait libre cours à ses émotions, c'était après le coup de feu, jamais pendant.

— En tout cas, vous n'êtes peut-être pas une flèche en cuisine, mais vous savez soigner les gens, dit Amanda.

Et c'était vrai. A présent qu'elle était plus détendue, Jenny se sentait envahie d'une vague de chaleur mêlée d'excitation. Elle était venue en aide à Lily qui était maintenant en sécurité. Bon sang, elle se sentait vraiment bien.

Les garçons accoururent vers elle. Pendant l'urgence, elle les avait presque oubliés, mais elle savait qu'Amanda gardait un œil sur eux, ainsi que d'autres mamans.

— Jenny, c'est vrai que tu as sauvé Lily ?

— Non, je l'ai juste aidée.

— Il y a quelque chose à manger ? demanda Marcus. J'ai faim.

— Ça, c'est une surprise, commenta-t-elle en lui ébouriffant les cheveux. Vous avez besoin d'une bonne coupe, tous les deux.

— Papa oublie tout le temps de prendre rendez-vous avec Kaye, la coiffeuse.

— Si on s'occupait de ça tout à l'heure, après avoir fait un arrêt à la boulangerie ?

— Hé ! s'exclama Cam à son retour. Qui vous a coupé les cheveux ?

— Kaye, répondit Andrew en faisant la grimace car il détestait se faire couper les cheveux. Jenny nous a emmenés chez elle après la piscine.

— J'espère que vous vous êtes bien tenus.

— Oh ! oui, papa !

— Où est Jenny ?

— Je suis là, répondit une voix douce depuis la terrasse. Andrew, peux-tu rentrer le panier de linge, s'il te plaît ?

— D'accord, répondit Andrew en s'exécutant aussitôt.

Cam hocha la tête, admiratif.

— Il va falloir me révéler ton secret. Les cheveux, maintenant le linge, sans une protestation… Je n'arrive pas à le croire. Merci beaucoup pour le coiffeur, cela traînait depuis des semaines. Alors, comment fais-tu ?

— C'est la chance des débutants. Kaye a eu une annulation.

Il lui demanda de lui raconter en détail l'incident de la piscine.

— J'appellerai l'hôpital pour avoir des nouvelles de Lily puisque je suis son généraliste. Mais d'abord, allons pique-niquer.

— Ce poisson-frites sent divinement bon…, dit Jenny. J'ai rempli la glacière avec des sodas pour les garçons, du vin pour moi et de la bière pour toi, du ketchup et du papier essuie-tout. Vois-tu autre chose ?

— Rien du tout. J'emporte les chaises pliantes.

Un pique-nique. Il allait faire un pique-nique, avec les garçons et Jenny. Cam ne s'était pas senti le cœur aussi léger depuis des lustres. C'était du pur plaisir, le genre de chose qu'un père devait faire avec ses enfants, sauf qu'il n'y avait encore jamais pensé. A la fin de sa journée de travail, il était surtout pressé de mener à bien toutes les corvées qui l'attendaient chez lui pour pouvoir se détendre un peu. Mais avec Jenny, il voyait les choses différemment.

Ils partirent à pied et Jenny prit ses béquilles au cas où elle aurait besoin de soulager sa cheville.

— Est-ce que tu as un bateau ? demanda-t-elle quand ils furent arrivés au bord de l'eau.

— Seulement un quart. Je le partage avec mes trois beaux-frères. On ne l'utilise pas beaucoup, sauf pendant nos vacances en famille.

Au soleil, les cheveux de Jenny étaient encore plus flamboyants et il mourait d'envie d'y glisser les doigts. Plus le temps passait, plus il rêvait de faire l'amour avec elle, surtout depuis le baiser qu'ils avaient échangé. Il savait maintenant qu'il n'était pas le seul à éprouver du désir. Jenny y avait répondu avec la même force.

D'un autre côté, Jenny n'avait jamais caché qu'elle allait repartir bientôt. Au moins elle avait été honnête, et c'était bien ce qu'il recherchait, non ? Alors, devait-il faire des avances à Jenny, ou bien ignorer ses propres sentiments ?

« N.B. : Se décider rapidement. »

10.

— Je n'arrive pas à croire que je sois à Havelock depuis si longtemps, dit Jenny en riant.

De tous les endroits qu'elle avait visités, il avait fallu qu'elle s'arrête dans le plus minuscule. Au départ, bien sûr, elle avait été poussée à le faire. Mais à présent, elle ne pouvait nier qu'elle aimait vivre ici, partager la vie quotidienne de la famille Roberts, et rendre visite à Amanda presque tous les jours. Elles étaient en train de devenir de vraies amies.

— Peut-être que je n'aurai jamais envie de repartir…

— Tu n'as qu'à rester, répondit Amanda.

— Ce n'est pas si simple.

« Pourquoi pas ? Il faudra bien que tu t'arrêtes un jour, quelque part. Tu peux aller à Kahurangi et revenir ici après. »

Son téléphone portable se mit à vibrer sur la table alors qu'elle avait de la farine jusqu'aux coudes, occupée qu'elle était à se débattre avec la machine à faire des pâtes fraîches.

— Je vais répondre, si tu veux, dit Amanda.

Habituellement, lorsque le téléphone sonnait dans la journée, c'étaient les jumeaux qui voulaient savoir si elle venait bien les chercher après l'école, ou si elle avait retrouvé son mojo.

— C'est Cam, annonça Amanda. Il y a eu un accident.

Jenny ressentit un coup au cœur. Un accident ? Avec qui ? Cam ? Les garçons ? S'essuyant en hâte les mains, elle s'empara du téléphone.

— Cam ? Que s'est-il passé ? Est-ce que tu vas bien ?

— Moi, oui, mais l'un des matelots de Gavin qui

effectuent la récolte des moules s'est coincé le bras dans les cordages qui servent à relever les rangées de casiers et il risque de le perdre. Je me rends là-bas tout de suite car il n'y aura pas d'hélicoptère disponible avant une bonne demi-heure, et je voudrais que tu viennes avec moi. La médecine d'urgence, c'est ton domaine, et ce garçon mérite d'avoir toutes les chances de son côté.

— C'est que… Je suis un peu rouillée…

« Cesse d'hésiter. »

— Passe me prendre devant le portail d'Amanda, dit-elle.

— J'y suis presque.

— Si tu n'es pas revenue à l'heure de la sortie des classes, je ramènerai les jumeaux ici, intervint Amanda.

Dehors, il y eut un coup de Klaxon.

Elle rejoignit Cam le plus vite possible.

— J'espère que tu n'as pas le mal de mer, dit-il lorsqu'elle fut installée dans la voiture. C'est un peu agité, là-bas.

Elle n'allait pas tarder à le savoir.

Vingt minutes plus tard, la vedette sur laquelle ils avaient embarqué s'arrêtait près de la moulière, dans le fjord de Kenepuru. Des mains énergiques les firent monter sans ménagement sur le bateau qui récoltait les moules.

Le marin qu'elle suivait lui dit que le blessé s'appelait Haydon Tozer.

— Nous n'avons pas voulu couper le filin qui le retient, de peur qu'il fasse une hémorragie.

— Vous avez bien fait, dit-elle.

L'homme ouvrit à peine les yeux quand Jenny arriva près de lui.

— Haydon, je m'appelle Jenny, je suis médecin, et voici Cameron, un autre médecin. Nous allons vous faire sortir d'ici.

— Ma manche est restée coincée dans le cordage, marmonna-t-il.

Elle prit son poignet valide pour lui vérifier le pouls, l'autre avant-bras étant coincé avec force contre une barre d'acier.

Déjà, Cam ouvrait sa trousse de secours pour en retirer

un masque à oxygène. Jenny était surprise que l'homme soit encore aussi lucide.

— Mon bras est fichu, pas vrai ? dit-il avec peine avant de fermer les yeux comme si ses nerfs se relâchaient enfin maintenant qu'il était secouru.

Après avoir procédé à tous les examens nécessaires, elle regarda Cam et enfila une paire de gants.

— Nous allons vous faire une injection anesthésiante afin que vous ne sentiez rien quand le cordage sera coupé, annonça-t-elle.

En fait, elle avait déjà décidé qu'il fallait l'amputer.

L'homme ouvrit brièvement les yeux puis hocha la tête. Il avait compris.

Ensuite, une fois le produit inoculé dans l'épaule de Haydon, ce fut la partie la plus difficile. Elle sentait la tension émanant de l'équipage qui les entourait, et dont les yeux étaient braqués sur eux.

— Tu te débrouilles très bien, murmura Cam en lui tendant les compresses pour nettoyer la peau au moment où elle sentait la nausée la gagner.

Encouragée par son calme, elle saisit un scalpel et le fit pénétrer profondément.

L'opération dura longtemps. Elle venait de terminer quand ils entendirent le bruit de l'hélicoptère qui largua un auxiliaire médical au-dessus du bateau. Haydon fut attaché à un brancard et soulevé par un câble pour être héliporté jusqu'à Wellington.

Quelques minutes plus tard, se retrouvant sur la vedette qui les avait amenés, Jenny se laissa tomber sur un siège dans la cabine.

— Ouf ! Je suis contente que ce soit fini.

Cam s'assit près d'elle et lui prit la main.

— Moi aussi. Merci d'être venue. Je n'aurais pas du tout aimé me retrouver seul à gérer le problème.

Elle posa la tête sur son épaule.

— Il y a des choses qui ne sont jamais faciles à faire

en médecine. Quant à Haydon, ce n'est que le début des problèmes pour lui.

— C'est un garçon costaud. J'espère qu'il saura poursuivre sa vie en tirant le meilleur parti possible de sa situation.

— Merci de m'avoir soutenue, murmura-t-elle. Cela m'a fait du bien. Je me suis de nouveau sentie médecin, et j'ai pu agir efficacement.

A présent, elle était heureuse d'avoir eu cette opportunité. Pourrait-elle un jour être de nouveau le Dr Bostock ?

— Tu es un médecin, et un bon, insista Cam. C'est l'amputation la plus nette à laquelle il m'ait été donné d'assister, surtout dans ces circonstances. Tu peux être fière de toi.

Il exerça une pression sur sa main.

— J'ai envie d'un café bien fort.

— Moi aussi, dit-elle.

Cam regarda Jenny en lui tendant un verre de vin. Ils avaient pris l'habitude de s'accorder une demi-heure en fin de journée pendant laquelle il pouvait se détendre en parlant de tout et de rien.

— Aujourd'hui, lorsque je me suis occupée de Haydon, tout m'est venu naturellement, dit-elle en souriant. C'était comme si je n'avais jamais cessé de pratiquer. Après Haydon et le cas de Lily, j'ai l'impression de retrouver mon mojo. Havelock est bénéfique pour moi.

C'était aussi l'avis de Cam. Jenny semblait plus détendue, moins fatiguée que le premier jour où il l'avait emmenée chez lui.

— J'ai aimé travailler avec toi.

Et il souhaitait que l'occasion se représente.

— Qu'as-tu fait le reste de l'après-midi ? ajouta-t-il.

— J'ai pris un café avec Amanda et Shelley.

— Tu es en train de devenir amie avec tout le village.

Peut-être que Jenny pourrait s'installer ici, après tout.

Elle n'était pas du genre à prendre des grands airs avec les gens parce qu'ils étaient pêcheurs ou ouvriers.

— Comment va Shelley ?

— Elle et Gavin sont assez secoués. Personne ne comprend ce qu'il s'est passé car ils ont toujours été très pointilleux sur la sécurité. Shelley va prendre l'avion pour Wellington demain matin afin de rendre visite à Haydon et de s'assurer qu'il ne manque de rien. Elle et son mari veulent lui proposer de venir s'installer chez eux à sa sortie de l'hôpital.

— Cela ne me surprend pas du tout. Les gens sont comme ça, ici.

Elle lui jeta un coup d'œil.

— J'en ai fait moi-même l'expérience personnellement…

Son sourire était ouvert et chaleureux. Puis elle hocha la tête, l'air pensif.

— Des moments comme celui d'aujourd'hui aident à relativiser les choses. Parfois, je ne me rends pas compte de ma chance, ajouta-t-elle.

— Est-ce pour cela que tu parais toujours tendue ? Et que tu parles constamment de partir, alors que rien ne t'y oblige ?

Son regard vert s'assombrit et ses lèvres se pincèrent tandis qu'elle fixait la pelouse sans répondre.

— Jenny ?

— Mon départ est fixé pour le 13, dit-elle d'une voix éteinte.

— Quoi ? Dans cinq jours ?

Alors qu'il avait commencé à croire qu'elle pourrait rester pour de bon ? Que s'était-il donc passé pour qu'elle se referme aussitôt dès qu'il lui parlait de son passé ? Etait-ce en rapport avec sa jumelle ?

Lui entourant les épaules de son bras, il l'attira contre lui.

— Parle-moi, Jenny. Raconte-moi ce qu'il s'est passé. Dis-moi pourquoi tu as cessé d'être médecin pour te retrouver sur les routes.

Elle s'écarta de lui et se leva.

— Il faut que je prépare le dîner. Les garçons vont mourir de faim quand ils vont rentrer de chez Amanda.

— Parle-moi, je t'en prie. Tu es ici depuis plus de deux semaines et nous sommes en train de devenir amis. Est-ce si mal, de vouloir te connaître mieux ?

Jenny le regarda fixement.

— Je ne peux pas en parler. Ma sœur est morte, ma vie s'est arrêtée. C'est tout ce que tu as besoin de savoir.

— Non. C'est une réponse pour les autres, pas pour moi.

La main qu'il prit dans la sienne était froide et tremblante. Il voulait l'aider, faire ressortir l'humour et la gaieté qu'il avait vus en elle quand elle les avait parfois laissée échapper. Il voulait voir la vraie Jenny Bostock.

— Que s'est-il passé durant ce jour particulier ?

Elle retira sa main et s'éloigna.

— Je ne pourrai jamais en parler. A personne.

Il ne put s'empêcher de se sentir blessé et se retint de suivre Jenny dans la cuisine. En tout cas, cela avait un rapport avec sa sœur. L'anniversaire de sa mort, peut-être ? Il resta un moment seul sur la terrasse, à siroter son vin qu'il trouvait maintenant sans goût.

« N.B. : Essayer d'aider Jenny à surmonter ce qui a chamboulé sa vie. »

Jetant un coup d'œil dans la cuisine, il vit la femme la plus triste du monde derrière le comptoir. Cette femme avait de plus en plus d'importance pour lui. Aimait-il Jenny ? Assez pour vouloir s'impliquer dans le drame qui la déchirait ?

La réponse était oui. Il avait pourtant essayé de la maintenir à distance, mais elle avait réussi à toucher son cœur.

Plus d'hésitation : il la rejoignit et la prit dans ses bras.

— Sache que je suis là pour toi, murmura-t-il.

Sans lui laisser le temps de répondre, il se pencha sur sa bouche.

Jenny resta parfaitement immobile, sans lui rendre son baiser, mais sans le repousser, et elle devait sentir qu'il la désirait. Mais pour lui, ce baiser était aussi une façon de sceller l'engagement qu'il venait de prendre de veiller sur elle, et un moyen de lui montrer qu'il tenait à elle.

Peu à peu, elle s'abandonna, et ses mains se promenèrent sur lui.

— Cam…, murmura-t-elle, entrouvrant enfin les lèvres.

Avec un gémissement, elle pressa ses seins contre son torse, son ventre contre le sien, et Cam posa les mains sur les fesses rondes qui le tentaient depuis des jours. C'était si bon.

Ce maudit téléphone se mit à sonner. Etouffant un juron, il tendit le bras vers le comptoir pour répondre.

— Cam, c'est Amanda. Je quitte la maison avec les garçons, et nous serons là dans cinq minutes.

Puis elle raccrocha. Secouant la tête, il sentit le rire le gagner.

— C'était Amanda qui nous avertit qu'elle est en route avec les garçons.

Une lueur d'amusement brilla dans les yeux de Jenny.

— Décidément, elle est un peu effrontée. Mais je suppose que nous devrions lui être reconnaissants.

— Moi aussi.

Car ce baiser aurait pu se terminer dans la chambre.

11.

A 5 heures du matin, renonçant à essayer de s'endormir, Jenny enfila un pull sur son sweat-shirt et son short. A la cuisine, elle se prépara un mug de thé qu'elle emporta sur la terrasse pour contempler le lever de soleil derrière la colline, de l'autre côté de l'estuaire.

Lorsque le ciel s'éclaira, elle sentit qu'elle était prête : elle allait raconter à Cam ce qu'il s'était passé le jour de la mort d'Alison, sinon, leur relation ne pourrait pas avancer.

La veille, en effet, le baiser qu'ils avaient échangé lui avait fait comprendre qu'une relation s'offrait à elle si elle la voulait. Et c'était le cas… Si Cam était prêt à oublier ses erreurs, et si elle était prête à se pardonner à elle-même.

Aimait-elle Cam ? Le sentiment qu'elle éprouvait la possédait complètement, lui triturant le cœur, la faisant sourire, rire et parfois pleurer. Si ce n'était pas de l'amour, qu'était-ce ?

Elle entendit des tasses s'entrechoquer dans la cuisine. Cam aussi s'était levé. Il ne lui restait plus qu'à attendre qu'il vienne la rejoindre sur la terrasse.

Comme elle, avait-il tourné et viré toute la nuit ? Même dans la semi-obscurité, son visage montrait des signes d'insomnie. Il vint s'asseoir à côté d'elle, tenant son mug avec ces mêmes mains qui, la veille, s'étaient posées sur la chute de ses reins, affolant son corps.

Mais elle ne devait pas oublier le point important.

— Je dois me trouver au parc national de Kahurangi, le 13.

Il porta son mug à ses lèvres.

— Je t'y emmènerai, dit-il.

— Ah bon, juste comme ça ?

Sans poser de questions, il était prêt à faire tout ce chemin pour elle ?

— Oui.

— C'est un jour de travail, Cam.

— J'ai des journées à récupérer.

Les larmes qu'elle s'était efforcée de retenir toute la nuit coulèrent sur ses joues.

— Merci.

— C'est un plaisir.

Le dernier quart de soleil explosa au-dessus de l'horizon. Un nouveau jour était né. Jenny but son thé puis, posant son mug par terre, elle prit une profonde inspiration et commença à raconter.

— Alison et moi faisions une randonnée en marchant sur un sentier qui longeait la falaise.

Elle toussota, ayant du mal à continuer.

— J'ai insisté pour passer la première, ce qu'elle faisait habituellement. Nous en avons même plaisanté, en disant que, pour une fois, c'était moi la jumelle autoritaire.

Cam hocha la tête.

— Et tu t'en veux…

— Bien sûr. Lorsque je suis arrivée vers le milieu de la falaise, le sentier s'est effondré sous moi. J'ai lancé un avertissement, mais c'était trop tard. Elle est descendue après moi le long de l'éboulement, me criant tout le temps de tenir bon, qu'elle allait arriver. Un gros rocher s'est alors détaché et a roulé le long de la falaise, heurtant Alison à la tête.

Les mains de Cam enveloppèrent les siennes. Il restait calme et attentif comme s'il avait toute la journée pour l'écouter.

C'était si dur. Même après tout ce temps. Le silence d'Alison emplissait encore sa tête. Elle se rappelait sa propre terreur qui lui bloquait la gorge.

Le pouce de Cam lui caressa doucement le dos de la main.

Elle chercha de l'air.

— Je lui criais de bouger, de se lever, mais elle ne remuait pas. Lorsque je suis arrivée près d'elle, elle avait perdu connaissance. Je n'ai pas pu la sauver, je n'avais rien avec moi pour l'aider. Mon téléphone portable était en bouillie, de même que le signal d'alarme qu'elle avait dans son sac.

Sa voix faiblit, mais elle poursuivit.

— Je n'ai pas pu me décider à l'abandonner pour aller chercher de l'aide sur la route. Tout au fond de moi, je savais qu'elle ne s'en sortirait pas.

— Et toi, tu n'étais pas blessée ?

— Ce n'était rien, en comparaison. Des contusions, des égratignures, des muscles déchirés.

— Tu es donc restée près d'elle ?

— Je ne pouvais pas la laisser, ma sœur, ma jumelle… Elle est morte dans mes bras, une heure plus tard. Sachant que je n'aurais jamais eu le temps d'aller chercher de l'aide, j'ai été contente de ne pas l'avoir abandonnée. Ce doit être terrible de mourir seule, dans cet endroit isolé…

Elle poussa un long soupir. Cam la prit un moment dans ses bras avant de l'asseoir sur ses genoux.

— Chut, Jenny, ma chérie, murmura-t-il en la berçant doucement, les lèvres sur son front.

Ils demeurèrent longtemps ainsi puis elle se redressa.

— Avec mon pied dans le plâtre, je ne peux pas marcher jusqu'au lieu de l'accident, mais je voulais m'en approcher le plus possible pour l'anniversaire de sa mort.

— Tu veux dire adieu à Alison ?

— Non. Je veux lui demander pardon.

Le balancement s'arrêta et Cam lui jeta un coup d'œil interrogateur.

— Pourquoi ?

— Parce que je n'ai pas été capable de la sauver.

Voilà, elle l'avait dit. Pourtant, il ne la regardait pas avec horreur ou dégoût, mais d'un air étonné.

Il ne saisissait donc pas ?

— Sur le plan rationnel, je connais la réalité de la situation, et je sais que personne n'aurait pu l'aider, expliqua-t-elle.

Mais l'autre partie de moi — celle attachée à Alison — se refuse à comprendre.

— Oh ! ma chérie…

Cam la serra plus fort contre lui.

— Nous irons ensemble au parc, dit-il d'un ton résolu.

Pas un mot de condamnation sur la responsabilité qu'elle avait — juste la promesse qu'ils iraient là-bas tous les deux.

Etait-il possible qu'elle surmonte tout cela un jour ? Qu'elle se bâtisse de nouveau une vie ? Il était trop tôt pour connaître la réponse.

Le trajet jusqu'au parc, quelques jours plus tard, fut très silencieux.

Cam aurait tout donné — excepté ses garçons — pour rendre cette démarche plus facile pour Jenny. Mais il comprenait qu'elle ait besoin de la faire, et il pouvait la soutenir.

— Quelles sont tes intentions ? demanda-t-il lorsqu'ils furent arrivés sur le parking.

— Comme je ne peux pas marcher correctement, nous n'irons pas beaucoup plus loin car le sentier est inégal et étroit. L'équipe de secours avait utilisé le parking comme base pour leurs recherches. Quand ils ne nous ont pas vues revenir, ils se sont mis en action.

— Au bout de combien de temps ? questionna Cam.

— Vingt-quatre heures. J'ai attendu avec Alison, en la tenant contre moi.

Le tremblement de sa voix l'émut au-delà de tout et il prit sa main dans les siennes.

— Tu es si courageuse, murmura-t-il. N'oublie pas que je suis là.

Quand ils furent sortis de la voiture, Jenny regarda autour d'elle.

— Comment ai-je pu croire que j'arriverais à faire ça toute seule ? murmura-t-elle.

Il se glissa derrière elle et attira son corps mince contre lui, puis il posa le menton sur sa tête.

— Ta sœur et toi aimiez vous promener dans des régions éloignées ?

— Très tôt, notre père nous avait passé le virus. Plus tard, lorsque nous avons été prises par notre métier, c'était devenu notre façon de nous retrouver entre jumelles.

— Et c'est ce qui te manque plus que tout…

Elle avait eu de la chance de vivre une telle relation avec sa sœur, se dit Cam. C'était ce qu'il souhaitait pour Andrew et Marcus : qu'ils soient l'un pour l'autre un ancrage leur permettant d'affronter le mieux possible les épreuves de la vie. Lui-même était proche de ses sœurs, ce qui s'était révélé très précieux lorsque Margaret était partie.

Jenny se tourna vers lui.

— C'est vrai que notre complicité me manque. J'ai l'impression d'avoir été coupée en deux, et qu'une moitié de moi a disparu.

Ses yeux se remplirent de larmes et, du bout du doigt, il en essuya une qui s'était égarée sur sa joue.

— Ton mojo, murmura-t-il.

Elle hocha la tête en esquissant un sourire.

— Je crois que j'ai vraiment intrigué les garçons avec ça.

— D'ailleurs, ils continuent à le chercher pour toi.

— Vraiment ?

Le sourire de Jenny s'élargit.

— Ils sont vraiment super. Si gentils et attentionnés… Ils tiennent ça de toi.

— Sans doute, dit-il, amusé. Cependant, Margaret n'était pas toujours égoïste.

— Personne n'est totalement mauvais. Est-ce qu'elle te manque encore ?

Les yeux verts le fixaient sans ciller.

— Pas du tout, et depuis longtemps. Mais je continue d'être irrité par la façon dont elle traite les garçons. Si on marchait un peu ? Voyons comment cette cheville se comporte sur le sentier…

— Tu resteras près de moi, n'est-ce pas ? demanda-t-elle comme pour se rassurer. Si je t'en demande trop, dis-le-moi.

— Pas du tout. Fais-moi confiance.

Il marcha derrière Jenny quand elle avança avec précaution sur le sentier, retenant son souffle chaque fois qu'elle trébuchait, poussant un soupir de soulagement quand elle poursuivait son chemin.

Elle portait un bouquet de pivoines roses et blanches qu'elle tenait contre sa poitrine. Sans doute les fleurs préférées d'Alison. Au bout d'une heure environ, ils atteignirent un monticule et s'assirent sur le tronc d'un grand arbre couché. La sueur perlait sur leurs fronts.

— Quelle chaleur…, marmonna-t-il. Mais c'était un parcours agréable. Comment va la cheville ?

— Un peu trop présente pour mon goût. Je ne pense pas pouvoir aller plus loin.

Jenny regarda autour d'elle.

— Je me rappelle qu'on s'était arrêtées ici pour boire et manger une barre chocolatée.

Quelle coïncidence… Il sortit de son sac deux mini-packs de jus de fruits et des muffins à la myrtille achetés à la boulangerie. Il sourit, se sentant comme l'un de ses fils quand il avait obtenu une bonne note.

Les yeux de Jenny s'arrondirent et il vit ses épaules se détendre pour la première fois de la matinée.

— Merci, murmura-t-elle en l'embrassant sur la joue.

Puis elle l'embrassa de nouveau et il respira son parfum légèrement citronné et sucré à la fois, ce qui eut pour effet de faire monter une vague de désir en lui. Ce n'était pourtant pas le moment approprié. Mais comment s'abstenir ? Il l'avait suivie jusqu'à cette montagne par amour.

A son tour, il l'embrassa sur la joue puis, doucement, effleura ses lèvres des siennes avant de se reculer.

— J'ai encore beaucoup de bonnes choses dans la glacière, dit-il.

— Tu veux dire que tu as emporté un pique-nique ?

— Oui. J'avais besoin de me rendre utile.

Ils restèrent un moment silencieux. Puis il entendit un reniflement et s'aperçut que le visage de Jenny était inondé de larmes.

— Viens ici, mon cœur, dit-il en l'entourant de ses bras.

— Elle me manque tellement. J'aurais tant voulu la sauver…

Il la prit par les épaules et contempla son visage torturé.

— Etre médecin ne fait pas de toi une superwoman. Tu ne pouvais rien faire.

Ses mains lui caressèrent le dos en un geste réconfortant.

— Au moins, tes parents ne vous ont pas perdues toutes les deux, ce jour-là, ajouta-t-il en posant les lèvres sur son front.

— Je n'y avais jamais pensé de cette façon, murmura-t-elle, pensive. J'étais trop occupée à m'en vouloir à moi-même. C'est moi qui avais suggéré de faire une randonnée dans le parc de Kahurangi, et d'emprunter ce sentier.

Elle resta un instant silencieuse.

— Alison n'est pas ici, dit-elle soudain. Je pensais que je pourrais sentir sa présence en refaisant le même itinéraire, mais non. Je me rappelle qu'en marchant, elle n'arrêtait pas de rire et de parler. Mais ce n'est plus qu'un souvenir, ni plus ni moins.

De nouveau, elle regarda autour d'elle.

— Pourtant, elle sera toujours là, avec moi. Dans mon cœur…

Jenny joignit le geste à la parole et croisa les mains sur sa poitrine. Quand elle se leva, il ne la suivit pas, lui laissant le temps de réfléchir à ce qu'elle venait tout juste de commencer à comprendre : elle n'avait pas perdu Alison. Et elle ne la perdrait jamais.

Reprenant le bouquet de pivoines, elle longea le monticule et atteignit une zone herbeuse devant laquelle elle s'arrêta. Lentement, elle s'accroupit et déposa le bouquet à côté d'une fougère.

— Au revoir, sœurette… Fais bien attention à toi.

Les larmes coulaient sur son visage, mais quand elle

se tourna vers lui, Cam vit que la tension de la matinée avait disparu.

— Encore une fois, merci. Il y a quelques semaines, lorsque j'ai fait un vol plané devant ta maison, je ne me doutais pas que vous alliez changer ma vie, toi et tes fils.

— Peut-être que tu étais tout simplement prête à t'ouvrir à ce qui allait se passer. Si j'avais su les changements que *toi*, tu apporterais dans ma vie, j'aurais soudoyé Marcus pour qu'il te fasse tomber, ajouta-t-il sur le ton de la plaisanterie.

Il ressentait, dans tout son corps, un sentiment de légèreté qu'il n'avait pas éprouvé depuis très longtemps.

— Cam, fais-moi l'amour.

Avait-il bien entendu ? Debout devant lui, Jenny lui tendait les mains.

En quelques secondes, la légèreté se transforma en chaleur et en intensité, lui échauffant les sens. Elle avait un si joli sourire et ses yeux verts posés sur lui brillaient telles deux émeraudes.

— Cam, tu m'aides à aller de l'avant. Si nous faisons l'amour, j'avancerai encore plus loin. Cela fait des jours que je fantasme à ce propos.

Il écarquilla les yeux, surpris.

— Je suis content que tu me dises ça car, en ce qui me concerne, tu occupes mes pensées les plus intimes depuis des jours.

Lui prenant le visage entre les mains, il se pencha pour l'embrasser. Les lèvres de Jenny tremblaient contre sa bouche et il adoucit son baiser, ne voulant pas la brusquer. Mais de tout son être, il mourait d'envie de goûter sa peau, de la sentir, de découvrir ses courbes douces. Il rêvait du contact de ses mains et de sa langue sur lui.

Pour cela, il allait procéder avec lenteur, amener Jenny à se détendre et à oublier pendant un moment pourquoi elle était venue dans cet endroit perdu.

— Jenny, attends. Crois-moi si je te dis qu'en ce moment, j'ai envie de te faire l'amour plus que tout au monde. Mais je ne suis pas préparé. Je n'ai même pas de préservatif chez moi car je n'en ai plus utilisé depuis des années, longtemps avant que Margaret…

Jenny se serra contre lui.

— Tout va bien, Cam. Je prends la pilule, même si je n'en ai plus besoin depuis la fin de ma dernière relation. Maintenant, je suis contente d'avoir continué.

Elle appuya ses lèvres sur les siennes, et lorsque la langue de Cam se glissa dans sa bouche, elle frissonna de plaisir. C'était délicieux. C'était l'homme qui avait volé son cœur alors qu'elle ne savait même pas si elle en avait encore un. Maintenant, elle voulait le connaître complètement.

La matinée avait été éprouvante. Pourtant, il avait été là pour elle, avec elle, et tout avait été plus simple.

Désormais, elle ne continuerait pas à revivre l'année précédente. Elle serait dans le futur.

Leurs deux corps étant enlacés, le désir de Cam pour elle était manifeste. Glissant une main entre eux, elle fit courir ses doigts sur le tissu de son short.

Cam laissa échapper une exclamation et accrocha son regard. Lorsqu'il insinua les mains sous sa chemise pour caresser sa peau, elle se crut au nirvana. Le désir embrasait son corps tout entier : oui, elle était prête pour Cam.

Ce fut elle qui prit l'initiative de le déshabiller, faisant coulisser son short et libérant son sexe dur et chaud.

Elle le voulait en elle, tout de suite.

— Déshabille-moi, chuchota-t-elle contre son oreille.

— Tu ne veux pas prendre ton temps ? demanda-t-il d'une voix rauque tout en exauçant sa demande.

— J'ai déjà perdu des semaines.

La prenant dans ses bras, il la déposa sur l'herbe.

L'enlaçant par le cou, elle l'attira contre elle.

— Cam, je… *t'aime.*

Les mots se perdirent dans la vague de désir et de chaleur qui les balayait. Glissant une main entre ses cuisses, il la caressa et elle poussa un gémissement de volupté, l'appelant en elle. Comme il cédait à sa prière, elle souleva les hanches pour l'accueillir et se mit à bouger sous lui de plus en plus vite. Tous deux succombèrent bientôt au plaisir qui les emportait.

Cam avait aidé Jenny à se retrouver tout entière. En étant avec elle pendant cette journée si spéciale, et en prenant possession de son corps. Il avait été Cam, tout simplement — gentil, prévenant, aimant et fort à la fois.

Elle le tenait encore serré dans ses bras quand il fit un mouvement pour s'écarter.

— J'aime te sentir en moi, murmura-t-elle. Je voudrais que tu restes toujours ainsi.

Il s'appuya sur les coudes pour la contempler. De nouveau, il avait ce regard à la fois trouble et intense qui l'avait souvent chamboulée.

— La prochaine fois, ce sera lent et long, répondit-il en lui caressant la joue.

Elle éclata de rire.

— Ah oui, vraiment ?

— Tu peux me croire. J'explorerai le moindre recoin de ton corps délectable avec ma langue, et tu me supplieras de conclure. Ce sera lent et long, répéta-t-il avec un sourire sexy qui la fit frissonner.

— Je suis déjà impatiente.

Cam l'embrassa sur les lèvres avant de se retirer lentement et de s'asseoir.

— Où est passée la Jenny si calme, si retenue ?

— Je la garde pour les jours de pluie. Et aujourd'hui, le soleil brille.

12.

Suivis par deux de leurs amis, Marcus et Andrew sortirent en courant de la maison d'Amanda au moment où la voiture de Cam s'engageait dans l'allée.

— Les voilà !

— Youpi ! On va rentrer à la maison.

Jenny sortit la première. Elle était exténuée alors qu'elle avait dormi pendant presque tout le trajet du retour.

Les garçons se précipitèrent sur elle avec enthousiasme.

— Jenny, tu es revenue !

— On croyait que tu étais partie pour toujours.

Elle sentit son cœur se serrer et, se sentant coupable de les avoir laissés, elle se tourna vers Cam qui regardait ses fils avec une expression tendue.

— Bien sûr qu'on est de retour, dit-il. C'était bien ce qui était prévu.

Amanda les rejoignit avec d'autres enfants.

— C'est aussi ce que je leur ai dit. Ça va, Jenny ? demanda-t-elle en lui jetant un coup d'œil inquiet.

Hochant la tête, Jenny chercha une réponse, mais ce que les jumeaux venaient de dire l'avait ébranlée alors qu'elle commençait à peine à trouver un équilibre. Marcus et Andrew avaient craint qu'elle ne revienne pas. C'était donc qu'ils avaient cru qu'elle resterait là quelque temps — voire plus.

— La journée a été longue, dit Cam. Merci beaucoup de t'être occupée des garçons, Amanda.

Il semblait préoccupé, et elle ne pouvait pas l'en blâmer.

Elle avait toujours su qu'avant toute chose, il ne voulait pas que ses enfants souffrent.

Marcus donna une bourrade dans l'épaule d'un de ses copains.

— Je t'avais dit qu'on allait avoir une nouvelle maman ! On a vu papa l'embrasser.

Il y eut un brusque silence. Ce fut Cam qui le rompit.

— Marcus, Andrew, montez dans la voiture. Tout de suite.

Amanda serra Jenny dans ses bras.

— Passe me voir demain, on prendra un café.

Demain. Un tout nouveau jour. Il lui faudrait décider de ce qu'elle ferait ensuite. Mais les jumeaux venaient de lui prouver que certaines choses étaient impossibles.

Elle devait s'en aller avant qu'ils s'attachent davantage à elle. Tout ce qu'elle pouvait espérer, c'était qu'elle n'ait pas causé de dommage permanent.

Un peu plus tard, une fois les garçons couchés, elle alla prendre une douche pour faire disparaître tous les miasmes de la journée — la sueur, le sexe, l'épuisement. Quand elle en ressortit, vêtue de son maxi T-shirt et de la robe de chambre de Cam, ce dernier avait préparé des mugs de thé.

— Cam, à propos des garçons…

— La journée a été longue et chargée en émotions. On en parlera demain.

Avait-il besoin de temps pour réfléchir à ce qu'il lui dirait, à la façon dont il lui expliquerait qu'elle devait partir pour le bien de ses fils ?

« Crois-moi, Cam, j'ai compris. Je m'en vais, et c'est pour de bon. »

Son regard se posa sur les mains de Cam qui levait sa tasse pour la porter à ses lèvres. Ces mains lui avaient fait l'amour. Elle avait tant voulu les sentir sur son corps, ne serait-ce qu'une fois. Et elle les avait senties à deux reprises à Kahurangi, mais ce n'était pas encore assez. Pourtant, c'était tout ce qu'elle aurait.

Elle ne pouvait plus rester. Elle n'était pas la mère des enfants, ne pourrait jamais la remplacer, ne saurait pas répondre à leurs besoins. Certes, elle les aimait, et elle aimait leur père. Mais un jour, elle ne correspondrait pas à leur attente et ils lui diraient : « Tu n'es pas notre mère. Tu n'as pas à nous dire ce qu'il faut faire. Ce n'est pas ton rôle. » Cam serait forcé de se ranger de leur côté, et elle aurait de nouveau le cœur brisé.

De toute façon, n'était-elle pas en train de brûler les étapes ? Cam n'avait probablement jamais compté qu'elle reste au-delà de la guérison de sa cheville. Il ne lui avait jamais déclaré son amour.

Prenant une profonde inspiration, elle chercha son regard.

— Aujourd'hui, j'ai pu voir la mort d'Alison sous un angle différent. J'ai compris que ce n'était pas ma faute. Et… mon séjour chez vous m'a apporté énormément, j'ai commencé à me retrouver. Mais à présent, je ne suis pas sûre de ce qui m'attend et j'ignore ce que je ferai une fois que j'y verrai plus clair. Je ne sais même pas si je veux retourner aux urgences, ou même reprendre la médecine.

Cam hocha la tête d'un air compréhensif.

— Pourtant, n'y a-t-il pas toujours un médecin en toi ? Rappelle-toi la petite fille à l'hôpital de Wairau, à qui tu as sauvé la vie. Ou encore Amanda, la petite Lily et Haydon. Tu as été très bien avec eux.

— Il ne s'agit plus de culpabilité, à présent, répondit-elle. Je ne sais plus très bien qui je suis et ce que je veux. Tant que je ne serai pas plus sûre de moi, je ne peux pas rester. Ce n'est pas juste envers toi, et encore moins envers les jumeaux. Et si je repartais au bout de quelques semaines, ou même de quelques mois ? Ils ont déjà connu ça avec leur mère.

Elle aurait voulu lui dire aussi qu'elle l'aimait, et qu'elle aimait les garçons. Comme elle devait encore lui annoncer son départ, il valait sans doute mieux qu'elle reste muette sur ce point.

Mais la douleur était bien là. Elle lui lacérait le cœur et lui tordait l'estomac au point qu'elle en avait la nausée. En quelques petites semaines, Cam avait fait davantage pour elle qu'elle-même en un an d'interrogations sur sa vie.

— Les garçons… Il faut que tu leur parles de leur mère, moi, je ne peux pas.

— Tu as raison, dit-il avec un sourire empreint d'une tristesse qui s'ajouta à la sienne.

Elle avait perdu Alison de façon soudaine. Se détacher de Cam serait lent et difficile, mais la douleur identique. C'était étrange si l'on considérait qu'elle avait aimé Alison depuis le jour de leur naissance alors qu'elle connaissait Cam depuis à peine plus de deux semaines.

Il se leva et étira les bras au-dessus de sa tête.

— Nous sommes tous les deux fatigués. Va te coucher, nous en reparlerons demain.

Cam avait raison : elle était épuisée, autant émotionnellement que physiquement. Il ne lui restait plus qu'à espérer qu'elle réussisse à trouver le sommeil.

Cam regarda Jenny se diriger vers la chambre qui était devenue la sienne. Une partie de lui aurait voulu la suivre, se glisser près d'elle dans le lit, et peut-être lui refaire l'amour. Ou même, simplement la serrer contre lui. Il caresserait sa peau satinée, respirerait son parfum…

Tout en rinçant les mugs dans l'évier, il regarda les photos de Marcus et Andrew épinglées sur le panneau en liège. Ils se tenaient de chaque côté de Jenny et souriaient à l'objectif, l'air heureux. C'était grâce à elle.

En repartant, elle risquait de briser leurs petits cœurs. Peut-être partirait-elle demain, ou dans un mois, ou une année. Même s'il avait envie de croire qu'il saurait la garder ici et qu'elle y serait heureuse, un élément de doute subsistait : apparemment, Jenny ne tenait pas en place. Cela, l'expédition de la journée ne l'avait pas changé et, d'ailleurs, elle ne l'avait pas caché. Alors, si elle devait s'en aller, le plus tôt serait le mieux pour les garçons.

Son cœur se serra. Non seulement elle avait aidé ses fils, mais elle avait changé le regard qu'il portait sur la vie. Il avait le pas plus léger et espérait de nouveau dans le futur. Avec elle, il avait presque goûté à ce qu'il avait toujours voulu : avoir une famille complète. Jenny était parfaite pour lui, il en était certain.

Mais il ne pouvait pas prendre le risque de voir ses enfants souffrir de nouveau. Il ne voulait pas augmenter leur angoisse en commettant une erreur avec Jenny, quelles que soient les conséquences pour lui-même. Dans leur petite famille, il passait en second.

Cette nuit, il savait déjà qu'il ne dormirait pas. Demain, il parlerait avec Jenny puis la regarderait s'en aller. C'était la meilleure solution pour les garçons.

Mais il avait encore une chose à lui demander avant qu'elle franchisse le seuil de sa maison pour la dernière fois.

— Tu ne peux pas partir sans dire au revoir à Andrew et Marcus, dit Cam en entrant dans la cuisine où Jenny buvait son thé.

Il n'avait jamais eu un ton aussi dur, nota-t-elle. Pas même quand il était exaspéré par les garçons.

— Les randonnées, c'est un prétexte. En fait, tu es dans une fuite perpétuelle, ajouta-t-il. Et lorsque mes questions te gênent, tu fais comme si tu ne m'avais pas entendu.

Pourquoi était-il soudain devenu aussi agressif ?

— Ces deux dernières semaines, j'ai répondu à davantage de questions que je ne l'ai fait en un an, répliqua-t-elle. Je t'ai raconté beaucoup plus de choses sur ma vie qu'à n'importe qui d'autre.

Elle aurait dû appeler un taxi et partir cette nuit. Elle avait préféré passer de longues heures sans sommeil dans l'obscurité pour pouvoir revoir Cam une dernière fois.

Mais il n'y aurait pas d'adieux polis et joyeux, comprit-elle en regardant le visage tendu et fatigué de Cam.

— Il faut que tu expliques aux jumeaux ce que tu vas faire et pourquoi, insista-t-il. Je ne veux pas qu'ils croient que tu pars parce qu'ils ont fait quelque chose de mal.

Il ne pensait qu'à protéger ses enfants, et elle ne l'en admira que plus.

— Je ferai en sorte qu'ils comprennent que cela n'a rien à voir avec eux, répondit-elle.

Mais lorsque les garçons déboulèrent dans la cuisine en criant gaiement bonjour, elle ne fut plus sûre de rien. Elle n'avait fait que penser à l'homme qu'elle allait laisser et avait le cœur serré.

— Jenny, tu n'as pas oublié qu'il y aura des chants de Noël à la marina la semaine prochaine, hein ? dit Andrew en s'arrêtant devant elle.

Ce fut comme si elle avait reçu un coup au cœur.

— Et tu n'oublieras pas de porter le bonnet de Père Noël que j'ai fait exprès pour toi ? ajouta Marcus. Pourquoi il y a ton sac dans l'entrée ?

Andrew se retourna pour regarder dans le couloir.

— Où tu vas ? On peut venir avec toi ?

Une boule dure dans la gorge empêchait Jenny de parler. Cam s'éclaircit la voix.

— Les garçons, Jenny doit rentrer chez elle aujourd'hui.

Elle le remercia mentalement pour son intervention, tout en notant au passage sa voix éraillée avec un sentiment de culpabilité.

— Je suis désolée, Andrew, Marcus. Il est temps que je rentre chez moi, dit-elle avec effort.

C'était un mensonge. Elle n'avait pas de « chez-moi ». Cette maison qu'elle allait quitter était ce qu'elle avait connu de plus proche d'un foyer, à tel point qu'aucun autre endroit ne trouvait grâce à ses yeux.

Comme les garçons ouvraient déjà la bouche, elle s'empressa de continuer.

— Je suis restée le temps que ma cheville aille mieux. Maintenant, il faut que je trouve un travail et que j'aille voir mes parents.

Finalement, c'était ce qu'elle avait de mieux à faire, se dit-elle. Elle allait retourner à Dunedin et renouer des liens avec sa mère et son père avant de décider de la suite.

— Mais on ne veut pas…

— Que tu t'en ailles.

Des larmes coulaient maintenant sur les petits visages consternés des enfants.

— Il le faut, répondit-elle, le cœur brisé.

Un jour, ils comprendraient qu'elle avait agi pour le mieux. Elle tendit les bras pour les serrer contre elle, mais ils se réfugièrent près de leur père.

— Dis-lui, papa !

— Elle ne doit pas partir !

Il posa ses mains sur leurs épaules.

— Désolé, mais Jenny s'en va.

Le regard que Cam lui jeta la glaça jusqu'aux os.

D'un pas hésitant, elle alla chercher son sac et, sans savoir comment, se retrouva dans l'allée qui menait à l'arrêt du bus. Elle se retourna et regarda Cam une dernière fois, s'efforçant de graver dans sa mémoire chaque trait de son beau visage.

— Au revoir, Cam. Au revoir, Marcus. Au revoir, Andrew, murmura-t-elle, la gorge serrée.

Après avoir regardé le bus de Jenny s'éloigner, Cam avait vécu une des plus longues semaines de sa vie. Avec elle, il avait eu l'impression d'être complet. Après son départ, ses fils et lui redevenaient ce qu'ils avaient été auparavant : un trio.

Sortir Jenny de sa tête et de son mode de fonctionnement s'était révélé impossible. Elle lui manquait tant que c'était une véritable souffrance.

« Tu n'as qu'à l'appeler. Dis-lui exactement ces mots-là. »

Bien sûr. Cela marcherait peut-être… Jusqu'au jour où elle repartirait. Les garçons ne s'en sortaient guère mieux, errant comme des âmes en peine dans la maison. Tous semblaient avoir perdu leur ressort.

Même l'approche de Noël ne suffisait pas à les exciter.

— Papa…

— Oui ? dit-il en refermant les couvercles des boîtes de déjeuner des garçons.

Il avait oublié de les préparer la veille en rentrant du dîner chez Amanda, comme il le faisait habituellement. *Oublié…* Cela n'était encore jamais arrivé.

— Tu crois que Jenny va bien ? demanda Andrew.

— Elle nous manque, ajouta Marcus.

Il s'éclaircit la gorge.

— A moi aussi.

Bien plus qu'il ne l'aurait cru.

— Jenny a beaucoup de soucis en ce moment.

— Est-ce que tu lui as demandé de rester ? dit Andrew.

— Non.

« J'avais peur que vous souffriez un jour. »

Mais lui avait-il jamais fait part de ses sentiments pour elle ? Pas une fois.

— Les garçons, il faut que vous compreniez que l'on ne peut pas retenir quelqu'un s'il ne le veut pas.

— Comment tu peux savoir si elle le voulait, si tu ne lui as pas demandé ?

Depuis quand Marcus était-il aussi malin ?

— Je…

« Je ne sais pas. Jenny était résolue à partir et j'étais résolu à vous protéger, si bien que je n'ai jamais envisagé la possibilité de trouver une solution qui arrange tout le monde. »

— Mais elle sera où à Noël ? demanda Andrew.

— A l'école, on lui a fabriqué une boîte rien que pour elle.

— On peut la mettre dans du papier cadeau ?

Cam se laissa tomber sur le tabouret. Ils avaient fait une boîte pour Jenny. Ils n'avaient donc pas perdu l'espoir qu'elle revienne.

« Mais toi, si. Tu avais renoncé avant même qu'elle soit

partie. Comme avec Margaret. Mais cette fois-ci, tu as l'impression d'avoir perdu plus que la mère de tes enfants. Il te semble… que c'est la moitié de toi qui a disparu. »

— C'est une très bonne idée, cette boîte, dit-il d'un ton faussement enjoué. Nous allons trouver un moyen de la lui faire parvenir.

« Je vais tout faire pour ça, et, en prime, je mettrai mon cœur à l'intérieur afin qu'elle sache combien elle compte pour moi. »

Une fois ses fils au lit, Cam s'assit dans le séjour avec son téléphone portable et composa le numéro de Jenny. Son cœur se serra quand il entendit sa voix sur le répondeur, avec son léger accent du Sud. Il laissa un message, lui demandant de rappeler.

Une heure plus tard, après avoir vérifié une douzaine de fois que son portable était bien chargé, il alluma son ordinateur et envoya un e-mail.

> Comment vas-tu ? Le compte à rebours de Noël a commencé pour les garçons.
> Tu nous manques.
> Cam, Andrew et Marcus.

A 1 heure du matin, fatigué d'attendre, il alla se coucher. Le matin au lever, il essaya de nouveau. Sans résultat. A midi : toujours rien.

Alors, il prit une décision. Il voulait que Jenny revienne dans sa vie. Il était prêt à tout risquer — même un rejet de sa part — pour la reconquérir.

> Ma très chère Jenny,
> Je t'aime. Je crois que je n'ai jamais cessé de t'aimer, depuis le moment où je t'ai vue écroulée par terre, devant mon portail. Tu étais si belle, même lorsque tu grimaçais de douleur. J'avais envie de laisser courir mes doigts dans tes cheveux

soyeux. Si j'avais pu te débarrasser instantanément de cette souffrance, crois-moi, je l'aurais fait.

En fait, dès cet instant, mon cœur s'est emballé. Tu avais déjà commencé à te frayer un chemin jusqu'à lui. J'ai eu envie de mieux te connaître, de passer du temps, de parler et rire avec toi.

Et maintenant, tu me manques tellement. C'est comme si j'avais été coupé en deux. Je ne suis pas complet. Tu es à la fois drôle, sérieuse, vraie, humaine. Tu t'es même mise à apprendre à cuisiner pour nous.

Il s'interrompit, le temps d'essuyer son front moite.

Il y a une place pour toi ici, à mon côté, dans ma vie et dans mon cœur, avec mes fils.

Il y a aussi une place pour toi à Havelock, à en juger par le nombre de fois où l'on m'arrête pour me demander de tes nouvelles. As-tu de la place pour nous dans ton cœur ? Pour nous rejoindre ? Pour *me* rejoindre ? Pour toujours ?

Je comprends que la vie est difficile pour toi depuis l'accident d'Alison, et je voudrais continuer à t'aider. J'espère que, bientôt, tu te rendras compte que tu as commis une erreur en nous quittant.

De nouveau, il s'essuya le front. Mettre ainsi son cœur à nu n'était pas chose facile. Mais au moins il avait essayé, et c'était tout de même moins dur que de s'exprimer à voix haute.

Jenny, je t'aime. Je t'en prie, reviens.

Il tapa sur « Envoi ».

Pendant un long moment, il resta assis, immobile, devant l'ordinateur. Il l'avait fait : il avait avoué ses sentiments à Jenny. Tout ce qu'il lui restait à faire, c'était attendre. Peut-être ne répondrait-elle jamais, mais il avait essayé et y avait mis tout son cœur.

— Papa, on s'ennuie…

— En voilà, un scoop !

Cam se leva de sa chaise. Il avait son après-midi libre et pouvait en profiter pour faire quelque chose avec les garçons. Cela ferait défiler les heures plus vite. Des heures qu'il allait passer à espérer une réponse de Jenny.

— Et si on allait choisir notre sapin de Noël dans la forêt de pins ?

— Ouais !

— Cool !

Au moins, ses fils étaient contents.

13.

Un petit sourire aux lèvres, Cam admirait l'arbre de Noël abondamment décoré qui se dressait dans un coin du salon. Les deux garçons avaient rivalisé d'esprit créatif, si bien qu'il n'y avait plus une aiguille de pin qui ne soit recouverte d'une babiole ou d'une guirlande.

Ils avaient déposé le seul cadeau déjà prêt : celui de Jenny. La boîte qu'ils avaient assemblée avec amour et peinte à l'école.

La gorge de Cam se serra de nouveau. Jenny avait kidnappé les trois cœurs de ce foyer.

D'ailleurs, s'il n'avait pas bientôt de ses nouvelles, il était décidé à contacter ses parents à Dunedin afin d'obtenir d'eux ses coordonnées. Cette fois, il n'abandonnerait pas sans rien faire.

— On peut avoir du poisson et des frites ce soir ? demanda Marcus. J'en ai assez des hamburgers.

— Pourquoi pas ? répondit-il. Je vais téléphoner à Diane pour passer commande.

— On peut aller les chercher ? demanda Andrew.

— Tout seuls ?

— Bien sûr.

La boutique n'était qu'à quatre cents mètres de là, et Havelock, où tous les commerçants connaissaient les enfants, n'était pas à proprement parler un repaire de brigands.

— Entendu.

Après leur départ, Cam entreprit de s'attaquer au désordre accumulé pendant la journée. Avec Jenny, tout se passait si facilement. Ses fils avaient-ils cherché à l'impressionner favorablement en rangeant pour qu'elle reste plus longtemps ?

Encore et toujours, des questions qui n'avaient pas de réponses.

« Où es-tu, Jenny ? A Dunedin ? Ou bien de nouveau sur la route, dans un autre bus ? »

Il faudrait bien qu'elle revienne chercher sa voiture, un jour, et il espérait être là.

Il alla prendre une bière glacée dans le réfrigérateur et s'installa sur la terrasse, d'où il jeta un coup d'œil sur le jardin qui se trouvait presque à l'abandon.

« Où est-elle ? »

La porte d'entrée s'ouvrit avec fracas.

— Papa, on a le poisson-frites !

Ils se ruèrent sur la terrasse.

— Et on a vu Jenny à la boulangerie !

Son cœur se mit à battre très fort. Voilà qu'ils recommençaient. Cette fois, ce n'était plus leur mère qu'ils voyaient, mais Jenny.

Il leur tendit les bras en secouant la tête.

— Non, non. Jenny est partie. Il faut que vous l'acceptiez.

— Non, papa, c'est vrai.

— On l'a vue.

— Ils n'ont rien inventé. Je suis ici.

Il étouffa une exclamation et tourna la tête, priant pour qu'il ne se mette pas à avoir des hallucinations, lui aussi.

— Jenny ? C'est vraiment toi ?

Qui d'autre avait les cheveux d'un roux si flamboyant qu'il égayait sa journée ? Qui d'autre avait ce sourire à lui faire fondre le cœur ? Et quelle autre femme pouvait être aussi belle sans même en être consciente ?

— Jenny…

— J'ai eu ton e-mail.

D'un seul coup, toute parole devint superflue. Il enlaça cette femme qui lui avait volé son cœur et prit sa bouche. Ils échangèrent un baiser bref mais intense — les garçons étaient là — puis il se recula pour plonger le regard dans ces yeux verts qui avaient hanté ses nuits.

— Tu es venue.

Pour lui ? Pour tous les trois ?… Ou bien pour sa voiture ?

Mais elle portait toujours son plâtre, son sourire était éclatant, et ses yeux étaient brillants — d'amour ? Pour l'en convaincre, il y avait ce baiser…

— Oui, Cameron, je suis revenue. Ton e-mail m'a touchée. Tu ne m'en avais pas dit le dixième lorsque je t'ai annoncé que je partais.

— Je n'ai jamais été très bon pour les discours.

— Je sais, dit-elle, souriant plus que jamais. Un homme ne dit pas à une femme qu'il l'aime, il le lui montre. J'aurais dû relire le mode d'emploi avant de partir. Mais moi non plus, je ne t'avais pas dit combien je t'aimais.

Emu, il lui caressa la joue. Mais elle n'avait pas terminé.

— Tu m'as aussi dit des choses qui ne m'ont pas fait plaisir, mais sur lesquelles j'avais moi-même commencé à réfléchir. Tu avais raison, c'était une fuite. Je fuyais la meilleure chose qui me soit arrivée — toi et les garçons. Une famille. Un homme qui m'aime, sans se soucier de ce que j'ai été ou de ce que je serai. Un homme qui a eu la patience de m'accompagner au bout de mon voyage, et qui m'a ouvert les yeux.

Cam sourit à son tour. Il avait entendu ce qu'il voulait entendre : Jenny était de retour.

Alors qu'il se penchait de nouveau sur ses lèvres, les garçons se manifestèrent.

— Papa, Jenny va rester ?

— Jenny, tu voudras bien nous refaire la cuisine ? On est fatigués des hamburgers.

— Et des saucisses.

— Tu restes pour Noël ?

Le baiser devrait attendre.

Cam soupira.

— Ce sont les joies de la vie de famille… Pas d'intimité.

Des tas d'interruptions. Crois-tu que tu pourras le supporter à plein temps ?

— Essaie de m'en empêcher.

— Bonne réponse, dit-il en souriant.

Marcus et Andrew poussèrent un cri de joie en se tapant dans la main.

— Elle reste ! Quel soir de la semaine allons-nous choisir pour le bœuf Stroganov ?

Jenny éclata de rire. Il ne restait plus qu'à souhaiter qu'Amanda l'aide à concocter d'autres plats pour qu'elle leur en fasse la surprise.

— Papa, le poisson-frites refroidit !

— Alors, allez manger, répondit-il.

Son regard était toujours accroché à celui de Jenny.

— Tu as faim ?

— Pas encore. Mais un verre de vin serait le bienvenu.

Cam sentit une vague d'émotion le gagner.

— Merci d'être revenue. J'avais décidé de te poursuivre sans trêve si tu ne l'avais pas fait.

— En partant d'ici, je suis rentrée chez mes parents et j'ai passé quelques jours avec eux, dit Jenny. Nous avons beaucoup parlé d'Alison et de l'accident. En fait, nous avons eu la conversation que nous aurions dû avoir il y a un an.

— A l'époque, cela aurait été beaucoup plus dur. Il vous a fallu du temps, à toi et à tes parents, pour vous remettre du choc de la perte d'Alison.

Le sourire de Jenny se fit tendre.

— Ils ont été fantastiques. Je leur ai parlé de toi et des garçons, et ils sont impatients de faire votre connaissance.

Il fronça les sourcils.

— Attends… Tu veux dire que tu avais l'intention de revenir nous voir, même si je ne t'avais pas envoyé d'e-mail ?

Elle se mit à rire de nouveau.

— En discutant avec maman et papa, j'ai réfléchi à nous deux. Puis j'ai repris l'avion hier et suis allée à l'hôpital de Blenheim voir Angus qui m'a présentée au chef du service des urgences.

Cam retint sa respiration.

— Je commence à travailler le 1ᵉʳ février, trois jours pleins par semaine, car le reste du temps, je tiens à faire vraiment partie de votre vie. J'ai encore besoin de leçons de cuisine, et il y aura une maison à tenir avec trois hommes à gérer. Je crois que je vais avoir un emploi du temps bien rempli.

Cette fois, il se laissa gagner par l'émotion et ses yeux se remplirent de larmes.

— Bienvenue à la maison, murmura-t-il.

La maison. Un simple mot qui emplit Jenny de chaleur et d'amour. Elle regarda le jardin et soupira. Un jour, il faudrait qu'elle commence à créer des plates-bandes et à planter ses fleurs préférées afin qu'il y ait de la couleur partout.

Qui aurait cru que ses voyages s'achèveraient à Havelock ? Alison aurait été heureuse pour elle, c'était certain. Chacune d'elles avait toujours souhaité pour l'autre tout le bonheur et tout l'amour possibles.

Cam lui tendit une coupe de champagne.

— Nous allons fêter ton retour comme il se doit, ma chérie.

Les jumeaux étaient revenus.

— Jenny, tu as vu notre arbre ?

— On l'a décoré aujourd'hui.

Cam lui prit la main et l'entraîna dans le salon où elle admira les décorations.

— Demain, on a encore du shopping à faire pour Noël. Tu viendras avec nous ?

— Avec plaisir.

Le cœur de Jenny débordait. Comment avait-elle pu penser qu'elle serait capable de partir ? Cette dernière semaine avait été un enfer, mais elle était de retour dans le lieu auquel elle savait maintenant appartenir.

— Papa, on va être en retard pour les chants de Noël !

Cam se frappa le front.

— C'est la faute de Jenny, elle m'a complètement perturbé. En route pour la marina ! Tu nous accompagnes ?

Son regard sur elle était intense.

— Je vous préviens, si je chante, je risque de faire fuir tout le monde…

Après, ils rentreraient, songea Cam, et une fois que les garçons seraient couchés…

La marina était bondée et les jumeaux avaient du mal à contenir leur excitation. Ils rejoignirent les enfants d'Amanda, et cette dernière la serra affectueusement dans ses bras.

— Heureuse que tu sois de retour chez toi.

— J'étais donc la seule à n'avoir pas compris où était ma place ? demanda Jenny, amusée. Je te préviens, tu vas avoir une élève en cuisine pour un certain temps.

Amanda se mit à rire.

— Si tu veux faire plaisir aux enfants, je peux t'apprendre une recette très simple pour Noël.

Cam tendit à chacun une bougie avant de les allumer.

— Les enfants, faites très attention. Je n'ai pas envie que quelqu'un se brûle.

— Oui, papa.

— Oui, papa.

— Oui, Cam, ajouta Jenny en riant.

Cam tendit à Jenny un dernier paquet à disposer sous l'arbre. Puis elle vida le carton rempli de cadeaux qu'elle avait achetés la veille à Blenheim pour les trois hommes les plus importants de sa vie.

— Cela me rappelle mon enfance et les moments passés autour du sapin, murmura-t-elle.

L'entendit-il soupirer ? Cam lui entoura les épaules de son bras et l'attira contre lui.

— Il n'est pas trop tard pour demander à tes parents de se joindre à ma famille pour le Noël à la ferme, dit-il.

Elle chercha son regard.

— Vraiment ? Que va penser ta mère ? Sa maison est déjà pleine.

— Elle sera ravie, et papa aussi. Au fait, ils ont vraiment hâte de te connaître.

Cam semblait avoir une très bonne relation avec sa famille. Et elle aussi, avec la sienne. Quand elle était arrivée chez son père et sa mère, ils lui avaient ouvert les bras et l'avaient longuement serrée contre leur cœur…

Elle s'empressa d'appeler chez eux puis rejoignit Cam dans le séjour.

— Papa va m'envoyer les détails de leur vol demain, par e-mail, annonça-t-elle en lui tendant la main pour l'aider à se relever. Qu'est-ce que tu fais assis ici ?

Il se leva et leurs lèvres se rejoignirent.

— Au lit. Vite, ajouta-t-elle.

Le lendemain matin, elle fut réveillée par les garçons qui lui apportaient une tasse de thé au lit.

— Merci, tous les deux, dit-elle en étirant les doigts de pied dans le grand lit de Cam.

— Tu as vu tous les cadeaux sous l'arbre ? demanda Andrew, l'air ravi.

— Il y en a des tas et des tas, renchérit Marcus.

— C'est très excitant, commenta-t-elle. Où est votre papa ?

— Il prépare le petit déjeuner.

Plus tard dans la matinée, la cuisine se transforma en véritable champ de bataille avec de la farine partout, Jenny, heureuse au-delà des mots, supervisant la fabrication par les jumeaux de cookies au chocolat selon la recette d'Amanda.

— Bienvenue dans le monde réel, dit Cam en les rejoignant.

Enfin, elle réussit à enfourner les gâteaux, et, après s'être lavé les mains, les garçons se précipitèrent vers le sapin et les cadeaux.

— Hé ! Laissez-les pour le jour de Noël, dit Cam.

— On doit donner notre cadeau à Jenny maintenant, dit Marcus.

— Elle en aura besoin le plus tôt possible, ajouta Andrew.

Intriguée, Jenny prit le paquet qu'ils lui tendaient.

— Merci, Andrew, merci, Marcus, dit-elle en déposant un baiser sur leur front.

Très soigneusement, elle défit l'emballage rouge et vert. Une jolie boîte de bois apparut, dotée d'une minuscule serrure en bronze avec une clé et peinte d'un vert vif.

— C'est vous qui l'avez faite ? Pour moi ? demanda-t-elle d'une voix étranglée par l'émotion. Elle est très belle.

— C'est pour mettre ton mojo dedans.

— On n'a pas envie que tu le perdes encore.

Elle sentit ses jambes flageoler et dut s'appuyer au comptoir.

— Merci, murmura-t-elle, les yeux noyés de larmes.

Délicatement, elle tourna la clé et souleva le couvercle.

— Merci, merci…

La main chaude de Cam se posa sur son épaule.

— Est-ce que ça va ? demanda-t-il.

— Très, très bien. Tu as les deux garçons les plus merveilleux du monde.

— Je te le confirme.

— On est contents de t'avoir trouvée dans la boutique, dit Marcus.

— Tu vas rester pour toujours ? demanda Andrew.

Levant les yeux vers Cam, elle esquissa un sourire tremblant.

— Je l'espère.

— Vous allez vous marier, comme les parents de Toby Sorenson ? Ce serait cool…

— C'est bien mon intention, les garçons, dit Cam en souriant.

Jenny en resta sans voix. Elle ouvrit la bouche, mais aucun son n'en sortit. Puis une vague de chaleur et d'amour la submergea, et elle inspira profondément.

— Oui, nous allons nous marier, murmura-t-elle.

— Super…

— Cool !

— Je t'aime, lui dit Cam.

— Et je vous aime tous les trois.

Alors qu'elle essuyait des larmes de bonheur, Cam l'embrassa avec tendresse.

— Je t'aime, murmura-t-il encore, avant de l'embrasser de nouveau.

Et pour une fois, les garçons se retinrent de parler.

Ce n'était qu'un bref répit, Jenny ne l'ignorait pas, mais c'était sa famille et elle l'aimait.

Cam sourit en s'écartant de Jenny. Il se sentait heureux comme il ne l'avait encore jamais été.

« N.B. : Ne pas laisser passer un seul jour sans te rappeler à quel point tu aimes cette femme. »

ANNIE CLAYDON

Une inexplicable attirance

COLLECTION *Blanche*

HARLEQUIN

Cet ouvrage a été publié en langue anglaise
sous le titre :
SNOWBOUND WITH THE SURGEON

Traduction française de
F. JEAN

© 2014, Annie Claydon.
© 2015, Traduction française : Harlequin.
83-85, boulevard Vincent-Auriol, 75646 PARIS CEDEX 13.
Service Lectrices — Tél. : 01 45 82 47 47

www.harlequin.fr

1.

Trente pas pour arriver au portail — Neve les compta un par un. Ensuite, dix pas pour remonter l'allée. Finalement, il en fallut onze parce qu'elle dérapa sur la glace, agrippa la rampe du porche pour rétablir son équilibre, et se tordit l'épaule quand sa lourde trousse médicale tomba sur le sol.

Elle agita la main devant le détecteur de la lampe du porche, mais rien ne se produisit. L'électricité n'était toujours pas rétablie, apparemment, mais, à l'intérieur, le poêle en fonte de la cuisine devait dispenser une douce chaleur. A cette idée, Neve se sentit encore plus impatiente de rentrer.

Elle s'apprêtait à glisser sa clé dans la serrure de la porte d'entrée quand son téléphone sonna. Zut… Allait-il falloir qu'elle reparte sur la route, avec cette neige ?

Si jamais c'était le cas, elle s'y résignerait. Elle ferait demi-tour, et redescendrait l'allée au risque de se rompre le cou. Avec un peu de chance, il ne lui faudrait pas vingt minutes, cette fois, pour faire démarrer la voiture ! Oublié, son rêve de boisson chaude, sirotée les pieds nus devant le poêle afin de réchauffer ses orteils gelés…

— Oui, Maisie. Qu'est-ce que tu me réserves ?

— Une bonne nouvelle.

— C'est vrai ?

Ouvrant le battant, Neve entra dans le hall. Il n'y faisait guère chaud, mais, devant elle, la porte de la cuisine était fermée, isolant la pièce contre le froid qui régnait dans le reste de la vieille ferme.

— Est-ce que je peux enlever mon manteau ?

— Tu es rentrée chez toi ?

— Oui, à l'instant. Il m'a fallu plus d'une heure pour rentrer, après ma dernière visite. Dans Cryersbridge, la route était bloquée par une voiture qui avait dérapé, et j'ai dû attendre qu'on la remorque.

— Tu dois être frigorifiée ! Es-tu au chaud maintenant, ma chérie ?

Maisie Johnstone était la femme du partenaire senior du cabinet médical du Yorkshire que Neve avait intégré huit mois plus tôt. Parfois, elle ne pouvait s'empêcher de materner Neve, que cela ne dérangeait nullement, en particulier en ce moment précis où elle avait bien besoin de réconfort.

— Au chaud ? Presque. Ne quitte pas…

Laissant tomber son sac, elle se dirigea vers la cuisine, ses chaussures éparpillant des éclats de glace sur la moquette. Quand elle ouvrit la porte, la chaleur l'enveloppa telle une couverture douce et accueillante. Elle gratta une allumette pour allumer les bougies sur la table, puis ôta son manteau, et s'assit. Retirant ses chaussures d'une main, elle pressa avec l'autre le téléphone contre son oreille.

— Dis-moi tout, Maisie — surtout s'il s'agit d'une bonne nouvelle.

Au bout du fil, son amie gloussa.

— Plusieurs cabinets médicaux de la région se sont rapprochés des autorités de la Santé pour monter un groupe de volontaires, équipé de 4x4. L'idée, c'est d'aider les médecins et les infirmières qui ont du mal à se rendre chez les patients. Pour demain, tu auras ton escorte personnelle.

— Génial ! Qui est-ce ? Quelqu'un du coin ?

— Il habite à Leminster, mais il vient du Canada, alors je suppose qu'il s'y connaît en matière de neige !

— Ça s'annonce bien, alors.

— Plutôt. Joe est un gentil garçon qui aime la vie au grand air. Il s'est installé ici juste avant Noël, l'année dernière. Il se déplaçait avec des béquilles, mais ça n'a duré que deux mois. L'été dernier, il a construit un porche pour

148

Edie Wilcox, avec une rampe pour qu'elle ne tombe pas en rentrant ou en sortant de chez elle.

— Qui est Edie Wilcox ? demanda Neve.

Maisie, qui avait toujours vécu dans la région, semblait connaître la vie de tous les habitants dans un rayon de cinquante kilomètres.

— Elle habite à Leminster. Elle avait épousé ce vieux Stan Wilcox, et ils se sont disputés sans arrêt pendant trente-sept ans jusqu'à ce que Stan meure subitement d'une crise cardiaque. Elle ne s'en est pas remise et, pendant deux ans, elle n'est plus sortie de chez elle…

— Et maintenant ?

— Ça va ! Cette histoire remonte à une vingtaine d'années. C'est un personnage avec un sacré caractère, et avec elle, il ne faut pas se laisser intimider. Elle refuse que les assistantes sociales viennent la voir, mais avec Joe, c'est différent. Elle a dû se prendre d'affection pour lui parce qu'il a pu apporter quelques modifications chez elle afin qu'elle puisse plus facilement se déplacer.

Neve commençait à s'y perdre. Maisie l'avait énormément aidée à s'installer et à être acceptée par les gens du coin, mais elle déversait toujours un tel flot d'informations…

— Donc, le garçon avec le 4x4 s'appelle Joe ?

— Oui. Joe Lamont. Il voulait te rendre visite ce soir, juste pour prendre contact, mais il a dû te rater si tu viens de rentrer. Il n'a pas laissé de message ?

— Non, je n'ai rien eu.

— Dans ce cas, je vais lui téléphoner pour lui dire que tu es joignable.

— Ne te dérange pas, je vais l'appeler tout de suite…

Neve trouva un stylo et nota sur le dos de sa main le numéro que récitait Maisie.

— Ça va aller chez toi, j'espère ? poursuivit celle-ci. Tu sais que tu peux toujours venir chez nous.

— Ça ira très bien. Merci. J'ai tout ce qu'il me faut.

Elle avait de la nourriture, de la chaleur, et une bonne quantité de bougies. La cuisine de la ferme, qui occupait toute la largeur de l'arrière de la maison, permettait de loger sans difficulté une table et des chaises près de la cuisinière, plus un canapé-lit à l'autre bout de la pièce, à côté de la vieille cheminée en pierre. En cet instant précis, justement, elle rêvait de s'allonger.

— O.K. Je t'appellerai demain matin. Reste bien au chaud ! ajouta Maisie avant de raccrocher.

Une tasse de thé, pensa Neve, ensuite, un coup de fil à cet homme et, enfin, elle pourrait se coucher.

Elle remplit la bouilloire, et elle venait de la poser sur le poêle quand il y eut un bruit à la porte d'entrée, comme si quelque chose de lourd l'avait heurtée. Neve envisagea d'aller voir ce que c'était, puis y renonça. Si la toiture du porche s'était effondrée sous le poids de la neige, elle le verrait demain matin, cela pouvait bien attendre.

Mais deux nouveaux coups résonnèrent, puis l'écho indistinct d'une voix. Il y avait quelqu'un. Prenant une bougie, Neve s'aventura dans l'entrée.

Un mouvement et une lumière devant elle la firent sursauter. Quelle idiote ! C'était juste son reflet dans la glace de l'entrée ! Avec la flamme tremblotante de la bougie, elle avait l'air sortie d'un film d'horreur : son visage était blanc de craie avec des cernes noirs sous les yeux. Agacée, elle s'adressa une grimace et passa sa main libre dans ses boucles blondes en désordre dans un effort pour se rendre vaguement présentable.

— Qui est là ?

— Joe Lamont. Je cherche le Dr Harrison.

Quand Neve ouvrit la porte, une bouffée d'air glacial éteignit la flamme de la bougie, et elle ne vit devant elle qu'une grande silhouette sombre.

— Entrez. J'allais justement vous appeler.

— Merci…

La silhouette tapa ses grosses bottes contre le seuil, puis entra, et referma la porte derrière elle.

— Votre sonnette ne marche pas.

— Panne d'électricité, expliqua Neve. Attendez ici

une minute. Je vais ouvrir la porte de la cuisine. Ça nous donnera un peu de lumière…

Soudain, le faisceau d'une lampe torche faillit l'aveugler, et une main gantée saisit la sienne.

— Tenez. Prenez ça.

Tout ce que Neve put enregistrer, ce fut un parfum agréable, le genre de parfum produit par la peau et le savon, et non par un liquide sorti d'un flacon.

Le visiteur lui plaça sa lampe torche dans la main et se recula aussitôt, comme pour lui laisser de l'espace.

— Merci, dit-elle.

Intriguée, elle eut envie de diriger la lumière en direction de Joe, mais elle y résista et, se détournant, se dirigea vers la cuisine.

— Venez par ici.

Elle referma derrière eux la porte de la cuisine puis regarda Joe ôter ses gants et baisser la fermeture Eclair de son épaisse veste. Il était grand, avec ce qui lui sembla des épaules larges, mais peut-être était-ce seulement dû à l'épaisseur de ses vêtements.

— Vous vous débrouillez, ici, toute seule ? demanda-t-il.

Il possédait une voix grave, avec une trace d'accent canadien. C'était le genre de voix qui devait rassurer si on avait des problèmes, et Neve commençait presque à regretter de ne pas en avoir…

— Bien. J'ai du chauffage et de la lumière.

Elle éteignit la lampe torche et, dans la lumière de la bougie, les traits du visage de Joe parurent plus doux.

— Et pour les provisions ?

— Il m'en reste quelques-unes. Je vais faire du thé. Est-ce que vous en voulez ?

Joe parcourut rapidement la pièce du regard, l'air un peu sceptique, puis il hocha la tête.

— Oui, merci. Ce serait bien.

— Asseyez-vous. Si vous enleviez votre manteau ? Vous allez avoir trop chaud ici.

Il jeta le vêtement sur le dossier d'une chaise puis s'assit, passant distraitement la main sur le chêne abîmé de la table.

— Vous faites chauffer de l'eau sur le poêle ?

— Oui. Il y a des coupures de courant de temps en temps, alors j'ai fait installer un poêle à mazout.

Apparemment, l'interrogatoire n'était pas terminé, mais cela ne dérangeait pas Neve : elle avait toutes les réponses.

Un sourire malicieux releva les commissures des lèvres de Joe.

— Je vous agace peut-être avec ma sollicitude de voisin ?

— J'apprécie, mais, effectivement, elle n'est pas nécessaire.

Dissimulant son amusement derrière la porte du garde-manger, Neve prit la boîte à biscuits et la posa sur la table à côté de la théière.

— Servez-vous.

Joe la remercia d'un hochement de tête, et saisit le mug de thé qu'elle faisait glisser dans sa direction. Il avait l'air… tendu ? Non, ce n'était pas le mot. Attentif à tout ce qui se trouvait autour de lui, plutôt. Et Neve regretta de ne pas avoir eu le temps de replier le canapé-lit, ce matin… Mais avec un peu de chance, un éventuel sous-vêtement oublié dessus passerait inaperçu dans la faible lumière de la bougie.

— Vous n'êtes pas d'ici ?

Joe regardait Neve avec attention, et, par réflexe, elle remit rapidement de l'ordre dans ses cheveux.

— Du Sud ? reprit-il.

— Londres.

Il parut satisfait.

— Je fais des progrès. Quand je suis arrivé dans ce pays, je trouvais que tout le monde avait le même accent.

— Et vous, vous venez du Canada ?

Le sourire qu'il afficha rehaussa encore son physique superbe.

— Cela s'entend !

— En fait, Maisie me l'a dit… Vous devez avoir bien plus d'expérience que moi en matière de conduite sur neige, alors.

Il valait mieux revenir au travail. Ce sourire, et cette attitude à la fois détendue et attentive, c'était si troublant…

— Un peu. Là-bas, c'est quand même différent.

— La neige, c'est toujours de la neige, non ?

— Ma grand-mère inupiak ne serait pas d'accord avec vous sur ce point. Elle vivait dans le Grand Nord quand elle était enfant, et elle pourrait écrire un livre sur les différents types de glace.

Cela expliquait son physique, pensa Neve — des cheveux noirs qui effleuraient le bord du col de son épais chandail, des yeux noirs, et des pommettes bien dessinées.

— Mais comment avez-vous atterri ici ?

— Mon autre grand-mère était originaire de cette région. Sa famille a émigré au Canada quand elle était petite, mais elle me racontait souvent des histoires sur l'Angleterre, alors j'ai décidé de venir voir le pays et, finalement, j'y suis resté… Et puis, c'est une bonne base pour voyager en Europe.

— Vous voyagez beaucoup ?

— Un peu. J'ai vu une bonne partie de l'Europe. De l'Afrique et de l'Asie aussi, répondit-il, évasif, comme si tout cela n'était presque rien. Depuis combien de temps vivez-vous ici ? reprit-il.

— Huit mois.

— Le coup de foudre ?

— Pardon ?

Soudain, elle eut l'impression qu'elle tombait dans les profondeurs de ce regard sombre. Cet homme-là avait vraiment quelque chose…

— Je veux dire : vous êtes tombée amoureuse de cet endroit. Comme moi.

Ce n'était pas tout à fait le cas, pensa Neve. Le Yorkshire avait seulement représenté pour elle une sorte de refuge, loin de Londres.

— J'apprécie de plus en plus. Maisie a été très gentille avec moi.

— C'est un personnage, n'est-ce pas ? Quand elle m'a

appelé pour me demander de l'aide, il n'était pas question de refuser…

— Mais je croyais que vous étiez volontaire ?

— Maintenant, oui.

Neve ressentit un pincement au cœur.

— Donc, Maisie vous a convaincu d'assurer cette mission. Ecoutez, si vous ne voulez pas…

— Tout va bien. Je tournais en rond chez moi, à ne rien faire, et je cherchais un moyen de me rendre utile. Maisie m'a juste rendu service. Sur mon SUV, j'ai des pneus hiver qui permettent d'affronter n'importe quel temps, et des chaînes, en cas de problèmes. Vous serez en sécurité.

— Je n'en doute pas.

Joe n'avait pas besoin de la rassurer puisque Maisie l'avait recommandé, mais, de toute façon, il avait quelque chose de spécial. Par ailleurs, leur brève conversation incitait Neve à lui faire confiance.

— Maisie m'a dit qu'on vous a attribué la partie nord du secteur du cabinet médical…

Il sortit une carte de la poche de sa veste, et l'étala sur la table.

— Cette zone…, ajouta-t-il, décrivant une boucle avec le bout du doigt.

— C'est exact. Nous avons partagé la clientèle en trois, et chacun de nous couvre un secteur. Nous organisons aussi temporairement des consultations dans des salles paroissiales pour les gens qui ont du mal à venir au cabinet médical. Cela réduit nos déplacements.

Joe regardait pensivement la carte.

— J'imagine que vous êtes quand même très occupée. Vous n'avez pas eu de chance en tirant à la courte paille certains des coins les plus difficiles. N'auriez-vous pas pu échanger avec un médecin possédant plus d'expérience de la région ?

Neve se raidit. Elle n'aimait pas qu'on lui dise ce qu'elle pouvait ou ne pouvait pas faire : c'était une des raisons pour lesquelles elle était venue là.

— Chacun a pris le secteur le plus proche de son lieu de résidence. Je suis capable de faire face.

Il lui adressa un sourire désarmant.

— Mais je n'en doute pas le moins du monde ! A quelle heure voulez-vous que je vienne, demain ?

« A 6 heures, avec une tasse de café et un croissant chaud… », répondit mentalement Neve.

Elle chassa ce fantasme, le trouvant tout à fait déplacé.

— Si rien d'urgent ne se présente, je commencerai à Leminster à 9 heures demain. Je peux conduire jusque là-bas pour vous rejoindre…

Il replia la carte et se leva.

— Non. Je passe vous prendre ici à 8 h 30. Maintenant, il faut que je me sauve. Je vais en ville, au supermarché.

— A cette heure-ci ?

— J'ai promis à une personne de faire des courses pour elle. Avez-vous besoin de quelque chose ?

De la main, il désignait le bocal largement entamé qui trônait sur le comptoir de la cuisine.

— Du beurre de cacahuètes, par exemple ?

Un peu insistant, pensa Neve. Mais, effectivement, elle allait se trouver à court de certaines denrées…

— Eh bien… peut-être une chose ou deux — si ça ne vous dérange pas.

— Pas du tout. Donnez-moi une liste.

2.

Un bol de porridge bien chaud, une banane qui avait connu des jours meilleurs, du café, du pain grillé et le beurre de cacahuètes qui restait… Voilà qui devrait suffire pour tenir toute la matinée. Vers 8 h 20, Neve avait replié le canapé-lit, et elle se demandait s'il était sage de ranger sa couette dans la chambre glaciale de l'étage quand elle entendit le bruit d'une voiture dans l'allée. Abandonnant la couette, elle s'aventura dans l'entrée et jeta un coup d'œil en direction du jardin.

Les arbres étaient couverts de neige fraîche tombée pendant la nuit. Le ciel était bleu clair, et les champs, d'un blanc étincelant. Le paysage possédait une beauté rude.

Et à propos de beauté rude…

Joe venait de descendre de son SUV blanc. Le haut châssis et les grandes roues semblaient tout à fait aptes à affronter le terrain difficile de ce jour-là, tout comme Joe. Après avoir observé pendant quelques instants le ciel et la route au loin, il jeta sur son épaule un grand sac en toile avant de se diriger vers la maison. Le portail, gainé de neige et de glace, refusa de s'ouvrir, alors il sauta sans effort par-dessus le muret.

Elle ouvrit la porte sans attendre qu'il ait frappé, consciente de trahir ainsi une légère impatience.

— Bonjour ! Vous avez réussi à passer…

Il eut un haussement d'épaules, comme si cela n'avait aucune importance. Ensuite, il ôta ses bottes et entra d'un pas décidé dans la cuisine, où il posa le sac aux pieds de Neve.

— J'espère que c'est bien ce que vous vouliez...

Neve se pencha pour vérifier rapidement. Il y avait tout ce qui était indiqué sur sa liste, et même davantage. Des bananes, des pommes et un petit panier de fraises.

— J'ai vu que votre coupe à fruits était presque vide, dit Joe, désignant l'unique pomme ridée que contenait le saladier.

L'idée qu'il avait tout observé était un peu embarrassante.

— C'est vraiment très gentil de votre part. Merci.

— De rien.

Il plongea la main dans sa poche et en ressortit une note et de la monnaie qu'il posa sur la table.

— Vous avez dû dépenser davantage ! dit Neve.

— J'ai fait plusieurs magasins, et les fraises, quelqu'un me les a données hier.

Qui ? Neve décida de ne pas poser de question. Elle se hâta de ranger les denrées non périssables dans la cuisine puis elle ouvrit la porte du cellier où elle prit une caisse en plastique qu'elle alla poser sur la table.

Joe suivait tous ses gestes du regard, et Neve sentit l'anxiété la gagner. Ce vieux sentiment d'avoir quelque chose à prouver, elle pensait l'avoir laissé derrière elle, quand elle avait emprunté l'autoroute à la sortie de Londres, et mis le cap au nord.

Comme elle s'escrimait en vain sur les attaches de la caisse, Joe intervint.

— Laissez-moi faire.

Sans lui laisser le temps de protester, il tapa sur le couvercle pour en détacher un morceau de glace puis le souleva.

A l'intérieur de la caisse, il y avait un quart de litre de lait et une brique de jus de fruits, tous les deux gelés. Comme Joe ouvrait des yeux étonnés, Neve se sentit agacée par sa question muette.

— Qu'y a-t-il ? demanda-t-elle.

Ayant rangé le reste des courses, elle remit le couvercle en place.

— Rien… Si j'avais su que vous manquiez à ce point de provisions, j'aurais apporté plus de choses.

— Tout va bien — je vous l'ai dit hier soir.

Neve s'entendit parler sèchement, et se rappela que Joe faisait cela par pure gentillesse. Elle devait faire un effort pour se montrer plus agréable.

— Est-ce que nous y allons ?

— Dès que vous m'indiquerez la destination, répondit Joe.

Neve s'assit à la table de la cuisine. Elle réagissait peut-être d'une manière excessive. Ce n'était pas la faute de Joe si la curieuse sensation qui naissait au creux de son estomac chaque fois qu'elle le voyait lui rappelait la promesse qu'elle s'était faite : ne plus jamais se laisser dominer par un homme !

Elle poussa en direction de Joe une feuille de papier posée sur la table.

— Voici ma liste. Nous devons aller d'abord à Leminster, et pour les autres visites, nous pourrons adopter l'ordre le plus facile en termes d'itinéraire.

— Bien.

Joe sortit une carte de sa poche, l'étala sur la table, et désigna du doigt les autres destinations de la liste.

— Donc, si en partant de Leminster, nous roulons vers le nord…

Dessinant un cercle approximatif, il traça quarante-cinq kilomètres de conduite à travers des routes verglacées.

— Ce serait très bien, commenta Neve. Mais est-ce que c'est faisable ?

— Ça, c'est mon problème.

— Dans ce cas, allons-y.

Joe récupéra ses gants sur la table de la cuisine puis replia la carte, semblant soudain pressé de partir. Une lueur pugnace dans ses yeux semblait adresser un avertissement au monde entier : les obstacles n'étaient pas un problème.

Elle saurait bien assez tôt si Joe était à la hauteur. Elle prit un de ses sacs de matériel médical qui attendait, tout prêt, à côté de la porte, et Joe saisit le second.

Pendant qu'il roulait sur le chemin sinueux et dangereux qui menait au village de Leminster, Neve demeura silencieuse. Peut-être se méfiait-elle de lui ?

Joe chassa cette pensée. C'était le genre de femme qui n'avait peur de rien, c'était évident ! Quand il avait vu la lueur résolue de ses yeux bleus, il avait senti tous ses sens se ranimer, lui rappelant qu'il avait longtemps vécu pour le genre de défi qu'elle affrontait maintenant. Son parfum et sa manière de bouger ajoutaient à la tentation... Ces pensées-là, il les chassa aussi.

Joe s'était mis à l'épreuve. Quand il était arrivé dans le village, il avait délibérément évité tout ce qui pouvait avoir un rapport même lointain avec sa vie d'avant, mais, maintenant, l'occasion lui était offerte de combler un besoin. S'il pouvait aider, sans s'impliquer dans l'aspect médical des choses, il franchirait une étape décisive, et rejetterait vraiment son ancienne vie dans le passé.

A Leminster, il s'arrêta devant la salle paroissiale où un dispensaire avait été aménagé pour ceux qui pouvaient se déplacer. A l'extérieur, la neige fraîche était déjà piétinée par le passage des patients. A l'intérieur, le rassemblement s'était transformé en un café du matin improvisé.

A voir le sourire détendu sur le visage de Neve quand elle entra, on n'aurait jamais deviné qu'elle comptait probablement les têtes, se demandant combien de temps elle devrait rester là. D'un pas vif, elle fendit la petite foule bruyante, et tapa dans ses mains.

Aussitôt, le silence se fit. C'était en soi un petit exploit, et Joe se surprit à sourire.

— Qui est venu pour moi ? demanda-t-elle.

A l'entendre, on aurait cru qu'il s'agissait d'une fête, et qu'elle était ravie de voir que tant de gens étaient présents.

Six mains se levèrent. En réponse, elle afficha un sourire lumineux.

Elle possédait des manières agréables. D'expérience,

Joe savait que si on voulait connaître un médecin, il fallait d'abord regarder ses patients. Et à en juger par les expressions des gens présents, Neve était un excellent médecin — doté d'un style incontestablement différent du sien ! Avec les patients, elle se comportait d'une manière plus familière et moins cavalière que lui, mais ce n'était pas une mauvaise chose...

Joe se rappela mentalement à l'ordre. Il était là pour lui servir de chauffeur. Point.

— Qui est le premier ?

— Fred Hawkins ! répondit une voix.

Le patient en question, assis dans un coin de la pièce, prit sa canne pour se lever.

— Finissez tranquillement votre thé, Fred, il me faut deux minutes pour m'installer.

Neve adressa un sourire à Joe puis se dirigea vers l'intendant qui la guida jusqu'à une des petites pièces au fond de la salle.

En organisant une consultation dans cet endroit, Neve n'avait pas l'intention de mener une enquête sur Joe Lamont, mais beaucoup d'informations surgirent. Pendant qu'elle auscultait la poitrine de Fred Hawkins, celui-ci lui confia que Joe était un « assez bon charpentier ». Lisa Graham parla sans cesse de lui pendant que Neve examinait une grosseur sur la jambe de son fils, et Ann Hawkins, directrice de l'école primaire et épouse d'un cousin de Fred, raconta que Joe avait construit un terrain de jeux pour l'école, quelques mois auparavant.

— Pendant quelque temps, on a beaucoup parlé de lui...

Ann s'interrompit avec une moue de douleur quand Neve ôta le pansement de son doigt enflé, révélant une coupure.

— Est-ce que vous sentez quand je touche ici ? Et là ? demanda-t-elle en palpant doucement la main.

— Oui… C'est un vrai plus pour nous, ce terrain de jeux. Les enfants en sont fous.

— Bien. Je vais poser des points, et je vous prescrirai des antibiotiques par sécurité.

— Merci. Il n'a pas l'air d'avoir quelqu'un. Pourtant, plusieurs jeunes femmes ont tenté leur chance. J'ai dû remettre les pendules à l'heure avec nos aides-enseignantes qui le regardaient par la fenêtre, toutes béates d'admiration au lieu de faire leur travail.

Neve réprima une envie de sourire. Apparemment, le charme de Joe ne se limitait pas aux aides-enseignantes. La directrice de l'école elle aussi avait été atteinte par l'épidémie Joe Lamont, comme, semblait-il, la moitié du village.

— Mais qu'est-ce qu'il fait exactement comme métier ? demanda-t-elle, cédant à la curiosité.

— J'ai entendu dire qu'il avait été militaire, mais je me demande si c'est vrai. Il n'a pas l'air de travailler maintenant — en dehors, bien sûr, de ce qu'il fait tous les soirs sur internet.

Sur internet… Joueur professionnel ? Joe aurait le parfait visage du joueur de poker s'il le voulait. Écrivain ? Cyber-entrepreneur ? Une combinaison des trois, peut-être ?

— Quelques rumeurs ont circulé, mais ce n'étaient que des bavardages, poursuivit Ann. Quand même, les gens se posent des questions.

C'était assez vrai. Le secret, pour garder un secret, c'était de ne jamais laisser personne soupçonner qu'on en avait un ! Neve n'avait jamais parlé à quiconque de son mariage, et donc, personne n'avait eu l'idée de demander pourquoi l'union avait tourné à la catastrophe…

— Attention, ça va piquer un peu.

Ann esquissa une grimace quand Neve nettoya puis désinfecta la plaie.

— Quand il est arrivé, il n'allait pas bien, c'était évident. Vous savez que sa grand-mère est née à Leminster ? Fred se souvient d'elle. Il l'a connue quand il était petit. C'était une jolie femme, paraît-il.

Peut-être était-ce pour cette raison que le village avait pris Joe en affection : le fils prodigue était revenu. Mais Neve savait d'expérience que le respect qu'on obtenait dans ces villages se gagnait en général, et ne s'obtenait pas par rapport à la personnalité d'une grand-mère.

Elle remit à Ann l'ordonnance qu'elle venait de rédiger.

— Bien ! Voilà pour vous. Pouvez-vous aller à la pharmacie aujourd'hui ?

Ann se leva.

— Oui, pas de problème. Vous allez reprendre la route maintenant, je suppose. Vous devez avoir beaucoup de travail.

— Oui, mais avec Joe qui conduit, c'est beaucoup plus facile.

— Mmm… Avec ce temps, vous avez bien besoin de quelqu'un pour vous aider, n'est-ce pas ?

Quand Neve termina sa consultation, on avait persuadé Joe de monter sur une échelle pour fixer des décorations de Noël aux poutres du haut plafond. Auparavant, il avait aidé à déplacer le piano pour faire de la place pour l'arbre de Noël. Aussi, ce fut avec soulagement qu'il remit sa veste avant de regagner la voiture avec Neve.

Celle-ci remarqua qu'il portait une petite boîte en plastique.

— Qu'est-ce que c'est ? demanda-t-elle.

— Du gâteau au chocolat. J'ai dit que c'était un peu tôt pour moi, alors on m'a donné deux grosses parts pour plus tard dans la journée. Il y en a une pour vous.

Neve allait peut-être accueillir cette proposition d'une manière un peu distante…

— Ah, c'est bien… J'aime le gâteau au chocolat.

Décidément, on ne savait jamais à quoi s'attendre avec elle ! pensa Joe, amusé.

*
* *

Le premier véritable problème de la journée se présenta un kilomètre plus loin, sous la forme d'un minibus blanc. Presque invisible dans ce paysage enneigé — seul le logo de couleur vive sur le côté se distinguait nettement —, il bloquait la chaussée devant eux.

Joe ralentit et s'arrêta.

— Une équipe de télévision…

— Comment le savez-vous ?

— J'ai entendu dire qu'elle avait tourné dans le secteur de Leminster — sur les villages en crise, ce genre de chose.

— Apparemment, le village gère mieux la crise qu'eux ! commenta Neve.

— Oui. Ils pourraient peut-être se filmer eux-mêmes !

Dans un bruit de moteur vrombissant, les roues du minibus patinaient.

Joe sortit de la voiture pour se diriger vers le véhicule et interpeller le chauffeur.

— Hé ! Attendez. Ça ne sert à rien, ce que vous faites…

Le moteur s'arrêta brusquement, la portière s'ouvrit, et une femme descendit.

Joe n'eut guère de mal à la convaincre d'accepter son aide. Il revint au SUV, signalant à Neve son exaspération par une moue éloquente, et ouvrit le hayon.

— Qu'est-ce que nous allons faire ? demanda-t-elle en le rejoignant.

Dérapant sur le verglas, elle s'accrocha à Joe pour ne pas tomber.

— Vous devriez peut-être rester dans la voiture, suggéra-t-il.

— Et puis quoi encore ? Me recoiffer ? Retoucher mon maquillage ? répliqua-t-elle.

Son ironie agaça Joe. Comme elle était susceptible… Pourtant, il ne put s'empêcher de sourire — peut-être à cause de la vulnérabilité qu'on sentait sous une dureté apparente, ou peut-être à cause du courage de cette femme que rien ne semblait intimider.

— Si vous utilisez le rétroviseur, n'oubliez pas de le remettre ensuite dans la position où vous l'avez trouvé.

Après un instant d'indignation muette, elle se détendit.

— Excusez-moi. Vous comprenez, cela fait un certain temps maintenant que je me débrouille toute seule…

— Je sais.

Elle s'appuya contre la voiture.

— Qu'est-ce que vous comptez faire ?

— Les tirer de là avec un câble de remorquage. Mais avant, je vais devoir poser des chaînes sur mes pneus.

— Et ça, à quoi est-ce que ça va servir ?

Neve pointait l'index en direction d'un grand sac de litière pour chats qu'il avait posé à côté d'eux dans la neige.

— C'est pour absorber l'eau autour des pneus et améliorer l'adhérence.

Joe saisit la pelle rangée dans son coffre et la déplia rapidement.

— Vous avez un chat ? demanda Neve.

Le plus infime détail l'intéressait ! pensa Joe, amusé.

— Pourquoi est-ce que j'achèterais de la litière si je n'avais pas de chat ?

Il prit le sac et, foulant la neige épaisse, il se dirigea de nouveau vers le minibus immobilisé.

— Si vous avez besoin d'aide, dites-le-moi ! lança Neve.

— Bien sûr. Et si vous ne retrouvez plus votre peigne, dites-le-moi.

Neve s'appuya contre la portière arrière du SUV. Deux hommes étaient sortis du minibus, et Joe avait mis l'un d'eux au travail avec la pelle, pendant que lui-même répandait la litière pour chats autour des roues. Les laissant à leur besogne, la conductrice du minibus s'avança vers Neve.

— Je suis contente que vous soyez arrivés, dit-elle, affichant un large sourire. Votre ami sait s'y prendre, apparemment. Qu'est-ce que vous faites sur la route aujourd'hui ?

— Je suis médecin. J'ai des visites à domicile à effectuer.

— Ah, très bien ! Et lui ? Il est médecin aussi ?

— Non. Bénévole. Il fait office de chauffeur.

— C'est gentil. Pendant que nous sommes bloqués, vous pourriez peut-être m'accorder une interview.

Sans attendre la réponse de Neve, la femme fit signe au deuxième homme qui, debout près du minibus, regardait Joe travailler.

— Je ne crois pas que nous ayons le temps, répondit Neve. Il faut que nous reprenions la route…

— Ça ne prendra qu'une minute. Nous ne vous retarderons pas.

Neve faillit rétorquer qu'ils les retardaient déjà, avec leur minibus en travers de la route.

— J'ai des patients à voir…

— Je vous promets que ça ne prendra que quelques instants. Ou, si vous préférez, vous pouvez les rejoindre et faire semblant de donner un coup de main.

Elle n'allait quand même pas faire semblant d'aider Joe pour la caméra ! D'un pas décidé, elle se dirigea vers le minibus, où Joe, à présent, extrayait de la glace et de la neige de dessous le châssis.

— Nous partons bientôt, je pense ?

Quand il se redressa, Joe aperçut le trépied et la caméra déjà en place.

— Elle vous a demandé une interview, c'est ça ?

— Oui. Mais j'ai répondu que nous n'avions pas le temps, répondit Neve. Il faut que nous reprenions la route…

Joe sourit, sans doute amusé de la voir dans l'embarras — ce qui agaça Neve.

— J'ai peur que ce ne soit pas pour tout de suite. En plus, je travaille mal quand on me regarde, alors ce serait bien que vous détourniez leur attention pendant quelques minutes.

— Merci beaucoup.

— Je croyais que vous vouliez aider.

Ce n'était pas vraiment ce genre d'aide qu'elle avait envisagé ! Tournant les talons, elle retourna vers la caméra.

— Prête ? demanda la femme en souriant. Vous voulez bien enlever votre bonnet de façon qu'on voie votre visage ?

Résignée, Neve se plaça à l'endroit qu'on lui indiquait, ôta son bonnet, et fit un effort pour sourire.

La caméra balaya les collines enneigées puis s'arrêta sur elle.

— Comment faites-vous face à ces conditions difficiles ? demanda la journaliste. Est-ce que vos patients se passent des soins médicaux dont ils ont besoin ?

— Non, nous voyons tout le monde. Nous nous en sortons très bien.

— Mais vos ressources doivent être drastiquement réduites, et proches du point de rupture. Combien de temps pourrez-vous tenir ainsi ?

— Aussi longtemps que nécessaire. Nous nous attendons à avoir de la neige ici pendant l'hiver, alors tout est prévu. Le travail se déroule comme d'habitude.

Neve avait essayé de mettre dans ses propos tout le sérieux de sa profession, ce qui était difficile car une bouffée de vent glacé venait de la gifler, lui coupant le souffle, et lui faisant couler le nez.

Elle se sentit sauvée en entendant les hoquets du moteur qui redémarrait. Assis au volant, Joe faisait lentement avancer le minibus et le sortait du bourbier de neige fondue qu'avaient produit les roues en patinant.

— Excusez-moi, il faut que j'aille aider.

Elle se hâta d'aller chercher le sac de litière vide et la pelle pliable qu'elle rapporta dans la voiture de Joe où elle s'installa. L'équipe de reportage tourna quelques dernières images de Joe regagnant le SUV puis remballa la caméra, non sans quelques difficultés, et repartit.

Joe suivit le minibus qui se frayait un chemin sur la route étroite et enneigée. Comme la chaussée s'élargissait, il actionna ses feux de route, et d'un bref coup d'avertisseur il demanda au chauffeur du minibus de le laisser passer.

Il le dépassa puis accéléra, les roues projetant une gerbe de neige.

— Frimeur ! lança Neve.

Il se mit à rire.

— Vous avez semblé un peu déconcertée par certaines questions de la journaliste.

Il avait remarqué. Pas étonnant : il remarquait tout.

— Enfin, à quoi est-ce qu'ils s'attendaient ? A ce que je dise à la télé que mes patients auraient de la chance si je leur rendais visite la semaine prochaine ?

— C'est probablement ce qu'ils espéraient entendre.

— Eh bien, tant pis pour eux. Nous arriverons à effectuer toutes les visites.

Joe lui adressa un sourire qui la fit fondre.

— Bien sûr !

Onze heures plus tard, dont la moitié passée sur le siège passager, et l'autre moitié à voir ses malades, Neve, resplendissante, ne semblait pas du tout épuisée. D'expérience, Joe savait que cela demandait des efforts.

Quand ils s'arrêtèrent devant la ferme, ce soir-là, elle émit un profond soupir de soulagement.

— Regardez…

Une lumière accueillante brillait sous le porche.

— Le courant est rétabli ?

— Oui. Venez donc boire un thé !

La chaleur d'une cuisine de ferme pleine de coins et de recoins, et la chaleur du sourire de Neve… Dans une vie passée, qui lui paraissait si lointaine, à présent, au point que tout semblait être arrivé à quelqu'un d'autre, Joe aurait accepté sans hésiter.

— Non, merci, il faut que je rentre, répondit-il. A demain, même heure ?

— Demain, c'est samedi. Vous ne prenez pas votre week-end ?

— Et vous ?

Elle eut un haussement d'épaules.

— Pas celui-ci. Je serai en congé le week-end prochain.

Le sourire de Neve fit oublier à Joe les fatigues de la journée.

— A demain matin, alors. 8 h 30.

— Disons 9 heures, si ça vous va. Je crois que nous méritons bien une grasse matinée.

— 9 heures, c'est d'accord.

— Merci pour tout ce que vous avez fait aujourd'hui, Joe. J'apprécie vraiment.

Il l'avait fait avec un grand plaisir. Savoir qu'elle comptait sur lui, et l'avoir ramenée saine et sauve chez elle, avait donné à Joe le sentiment qu'il avait recouvré sa force — peut-être…

Il remonta l'allée avec les sacs de Neve, les posa devant la porte d'entrée, et fit demi-tour aussitôt, avant que la tentation d'un thé devienne trop forte. Réinstallé dans son SUV, il attendit que Neve soit rentrée avant de mettre le moteur en marche et de s'en aller.

3.

— Où allons-nous ? Que dit la liste ?

Depuis trois jours, la « liste » indiquant le nombre de personnes inscrites et leurs adresses constituait le principal objectif de leurs vies. C'était un défi, et une bonne raison pour Neve de passer ses journées avec Joe — qui commençait à adorer la « liste ».

Neve le laissait gérer sa partie : choisir l'itinéraire, conduire et, à l'occasion, déblayer la neige. Mais la liste, c'était sa responsabilité personnelle.

— Plus que quatre patients, dit-elle. Pas mal. Il faut aller à Holcombe Crag, et ensuite, il y aura trois autres visites entre ce village et Leminster.

— Par où commençons-nous ?

Joe laissait toujours Neve fixer les priorités en fonction de l'urgence.

— Ce serait peut-être mieux d'aller à Holcombe Crag tant qu'il fait jour. Qu'en pensez-vous ?

Saisissant le sachet de caramels sur le tableau de bord, elle lui en proposa un, et quand il secoua la tête, elle en prit un pour elle-même qu'elle sortit de son emballage.

— Probablement, mais ne vous inquiétez pas pour ça. Si d'autres patients ont besoin d'être vus en premier…

— Non, ce ne sont que des visites de routine. Ces patients pourraient attendre demain si nous n'avions pas le temps aujourd'hui. Mais Nancy Olsen a un petit bébé, alors j'aimerais la voir cet après-midi.

Approuvant de la tête, Joe mit le moteur en marche.

— Holcombe Crag. C'est parti.

Neve observa les nuages qui envahissaient le ciel.

— Est-ce que nous allons y arriver ? Apparemment, le temps se couvre.

— Nous avons largement le temps d'aller là-bas et de revenir avant la nuit… C'est votre téléphone ou le mien qui sonne ?

— Le mien, je pense.

Neve ouvrit sa veste pour prendre son téléphone dans la poche intérieure, et scruta le petit écran.

— C'est un texto de Maisie.

— Une autre visite à domicile ?

— Non… Elle dit : « Nouvelle de la radio locale. Voiture transportant père et jeune fils trouvée abandonnée dans votre secteur ce matin. Recherches en cours. Ouvrez l'œil. »

Neve envoya un bref accusé de réception à Maisie puis remit son téléphone dans sa poche.

— Avec ce temps, n'importe quelle personne à pied risque de mourir gelée !

— Oui. Espérons qu'ils auront pu trouver un abri, répondit Joe, l'air inquiet. C'est dommage qu'ils ne soient pas restés dans leur voiture.

— J'espère qu'on va bientôt les retrouver.

— En arrivant là-bas, j'inspecterai les alentours. Qui sait ? Avec un peu de chance…

Joe bifurqua pour emprunter la piste qui grimpait en direction de Holcombe Crag. La pente de la colline était raide et, à présent, le verglas et la neige apparaissaient comme des obstacles infranchissables. Mais Joe prenait les choses avec calme et détermination, confiant dans les possibilités de sa voiture sans toutefois lui demander l'impossible.

Quelques minutes plus tard, il s'arrêtait devant une maison de pierre à étage qui se dressait sur la pente, aux trois quarts de la colline.

— Si je monte jusqu'au sommet, j'aurai une bien meilleure vue.

Joe sortit des jumelles du coffre de la voiture — que Neve considérait de plus en plus comme une caverne d'Ali Baba remplie d'objets utiles.

— Pour combien de temps en aurez-vous ?

Elle consulta sa montre.

— Disons ici dans une demi-heure, si ça vous convient ?

Il acquiesça de la tête et lui confia son trousseau de clés. D'ordinaire, il portait toujours ses trousses médicales jusqu'à la maison du patient, et Neve se sentit perturbée par ce soudain manquement à ce qui était devenu entre eux un petit rituel confortable. Il devait être inquiet…

Elle le regarda s'éloigner rapidement. Fort et résolu. Elle essayait de ne pas dépendre de lui car il ne fallait pas qu'un homme influence sa vie, mais Joe devenait pour elle un soutien indispensable dans ce paysage hostile.

Ecartant cette pensée, elle se dirigea vers la maison.

Quand Nancy ouvrit la porte et l'invita à entrer, Neve fut accueillie par une appétissante odeur de pain tout chaud.

— Merci d'être venue, docteur. Je suis vraiment confuse de vous avoir fait faire toute cette route, mais je m'inquiète pour Daniel…

Neve posa une main sur le bras de la jeune mère.

— Vous avez bien fait d'appeler. Allons voir ce bébé.

Neve prenait son temps avec chaque patient car étant donné les conditions du moment, elle ne pouvait guère demander aux gens de revenir la voir plus tard au cabinet médical si leur état s'aggravait. Après un examen complet, elle conclut que Daniel ne souffrait que d'un petit rhume. Après avoir rassuré Nancy, elle se laissa tenter par du pain frais et de la confiture de fraises.

— Vous voulez bien le tenir pendant que je branche la bouilloire ? proposa la jeune mère. Je vais faire du thé.

Elle sourit à son fils qui lui rendit son sourire.

Le lien entre eux était tellement précieux, tellement beau, que Neve ne put réprimer un pincement d'envie.

Daniel émit un gloussement de joie quand Nancy déposa un baiser sur son front avant de l'installer dans les bras de Neve.

— Sois sage, mon trésor…

Les tout petits doigts de l'enfant saisirent l'index de Neve quand elle lui chatouilla la paume, et il la regarda d'un air sérieux.

A présent, elle n'avait plus besoin de se raidir quand elle se trouvait en présence d'un bébé. Le chagrin avait peu à peu cédé la place au regret de ce qui aurait pu être, et quand elle sourit à Daniel, elle se sentit soudain en accord avec le monde entier.

— Est-ce que vous apercevez Joe ? demanda-t-elle.

Pour mieux voir par la fenêtre, Nancy se pencha au-dessus de l'évier.

— Non. Il était en haut de la colline il y a quelques minutes de cela, mais il doit être en train de redescendre vers nous, maintenant. Je n'arrête pas de penser à ces gens dehors. J'espère que quelqu'un va bientôt les retrouver.

— Est-ce que vous avez entendu des hélicoptères de recherche ?

— Oui, j'en ai entendu passer un, une demi-heure avant votre arrivée. Quand j'ai entendu l'appel à la radio, j'ai appelé Daryl et je lui ai dit d'ouvrir l'œil.

On se passait le mot de femme à mari, d'ami à ami… Tout le monde dans la région devait être en alerte.

— On va les trouver, dit Neve.

— Je l'espère. Il recommence à neiger, et il va bientôt faire nuit.

Comme son téléphone sonnait, Neve le sortit de sa poche.

— Oui, Joe ?

— Je les vois. L'homme marche. Je me dirige vers eux.

Joe respirait fort, comme s'il courait.

— Où êtes-vous ? Je vais vous rejoindre.

— Non… J'ai besoin que vous restiez là-bas.

— Je suis médecin ! Je peux aider ces gens…

— Raison pour laquelle il faut que vous organisiez les choses. Vous ne pourrez pas les rejoindre avant moi, et la priorité, c'est de les mettre au chaud. Je vous les amène…

Il avait raison. Neve n'aimait pas beaucoup les ordres, mais ce n'était pas le moment de se chamailler.

— O.K. Nous allons tout préparer pour les recevoir ici. Appelez quand vous les rejoindrez et dites-moi dans quel état ils sont.

Un acquiescement confus résonna au bout du fil, puis Joe raccrocha. Il devait consacrer toute son énergie à rejoindre l'homme et son fils.

Nancy prit le petit Daniel dans les bras de Neve pour le remettre dans son transat.

— Qu'est-ce que je peux faire ?

— Nous avons besoin d'un endroit chaud pour eux.

— O.K. Le mieux, ce sera le salon. Il y a du feu dans la cheminée.

— Parfait… Avez-vous des couvertures ou un duvet que nous pourrions utiliser ?

— Oui, bien sûr. Pourquoi pas un bain chaud ?

— Pas avant que nous ayons évalué leur état.

Si l'homme et son fils étaient restés dehors un certain temps, le garçon risquait d'être en hypothermie, son petit corps étant moins résistant que celui d'un adulte aux températures glaciales. En le réchauffant trop vite, on l'exposerait à un état de choc ou à des problèmes cardiaques.

Neve aida Nancy à préparer des couvertures et à remplir des bouillottes.

L'attente d'un nouvel appel devenait insupportable quand son téléphone sonna de nouveau.

— Joe ?

— Je suis avec eux. Le garçon a des frissons et il est somnolent, mais conscient. Son père est capable de marcher.

C'était laconique, mais Neve n'avait pas besoin d'en savoir

davantage. Si le garçon avait des frissons, cela signifiait que son corps luttait encore pour maintenir sa température.

— C'est bien. Est-ce que vous pouvez revenir ici avec eux ?

— C'est ce que je compte faire.

— Parfait. Il faut que vous portiez le garçon, mais avec précaution pour lui éviter tout choc. C'est important.

Avec un peu de chance, le froid n'avait pas provoqué de lésions internes, mais sans avoir examiné l'enfant, Neve ne pouvait être sûre de rien.

— Bien reçu… Je veux que vous fassiez quelque chose pour moi.

— Oui ?

— Nous sommes à environ un kilomètre et demi de vous, à l'ouest par rapport à vous. Il faudrait que vous tourniez ma voiture dans cette direction et que vous allumiez les phares. Ne raccrochez pas, je vous entends dans mon oreillette. Allez-y maintenant.

— O.K. Tout de suite.

Pourquoi cette décision ? Peu importait. Enfilant en hâte sa veste, elle prit les clés de la voiture, et précisa à Nancy qu'elle revenait dans cinq minutes.

Elle laissa échapper un soupir de soulagement quand la voiture démarra au premier essai. Prudemment, elle manœuvra pour la placer perpendiculairement à la maison, espérant que c'était à peu près la bonne direction.

— Joe… Joe ?

— Je vous vois. Déplacez-vous de dix degrés environ vers votre droite…

Elle fit avancer puis reculer la voiture de nouveau. A présent, elle voyait la raison de cette demande. La tempête qui menaçait était sur eux et il neigeait à gros flocons. Comme Joe ne devait pas voir la maison, les feux de croisement lui servaient de repère.

— Qu'en dites-vous ?

— C'est bon ! répondit Joe.

A en juger par sa respiration, il s'était déjà mis en marche. Chaque pas le rapprochait.

— Une chose encore…

— Oui, Joe ? Je vous entends.

— Si nous ne réussissons pas à rentrer, je veux que vous restiez où vous êtes. Vous ne pourriez pas nous retrouver avec ce temps, et vous vous perdriez aussi. Vous avez appelé les secours ?

— Oui, j'ai joint Maisie. Elle est en liaison avec eux.

— Bien. Restez là et attendez-les… Nous sommes en route, à un kilomètre et demi de la voiture, dans la trajectoire des phares. Est-ce que vous avez tout compris ?

Neve ne put répondre. Comment lui promettre qu'elle le laisserait là où il était s'il ne revenait pas ?

— Est-ce que vous avez compris ? insista-t-il.

— Compris, Joe.

Cela n'arriverait pas. Un kilomètre et demi — il parviendrait à marcher sur cette distance, et malgré ces conditions difficiles.

— Bien.

Il y eut une autre pause : Joe reprenait son souffle.

— A bientôt, conclut-il.

— Oui… A très vite.

L'émotion faillit submerger Neve, mais la détermination reprit le dessus.

— Ne coupez pas, Joe. Je vais continuer de vous parler.

— Oui… Bonne petite…

— Bonne petite ?

Malgré son angoisse, elle sourit.

— Je vous ferai regretter ça, Joe Lamont. Revenez tout de suite, et je vous montrerai…

Elle lui montrerait à quel point elle était femme.

— Oui, madame.

— Taisez-vous et marchez.

Nancy était allée chercher Daryl, son mari, dans l'atelier qui se trouvait à une dizaine de mètres derrière la maison, mais il ne pouvait rien faire d'autre qu'attendre. Neve l'envoya à l'intérieur avec Nancy, avec la consigne de rester à côté du téléphone pour tenir Maisie au courant. Elle resta dans la voiture, parlant à Joe tout en guettant un signe de lui dans la nuit qui s'épaississait.

Il commençait à faiblir. Elle l'entendait dans les quelques mots qu'il parvenait à articuler, d'une voix tremblante à cause du froid et de l'effort. Neve consulta sa montre. Il devait approcher. Peut-être, si elle se plaçait en lisière du faisceau lumineux, parviendrait-elle à l'apercevoir.

Joe lui avait dit — lui avait ordonné — de rester là, et elle lui avait obéi ! Quand les choses avaient-elles basculé ?

Mais qu'importaient les conséquences inévitables de cette pente dangereuse ? Retenant sa respiration, elle scruta la neige qui tourbillonnait et, lentement, les silhouettes de deux hommes se dessinèrent. La veste de Joe enveloppait la forme qu'il portait et qui devait être l'enfant. Accroché à son épaule, un homme l'accompagnait, la démarche trébuchante.

— Je vous vois, Joe !

Sans répondre, il continua d'avancer. Neve se hâta d'ouvrir la portière et se dirigea vers lui. Daryl, qui était sorti de la maison, courait aussi vers le petit groupe et ils l'atteignirent en même temps. Daryl se chargea de l'inconnu dont il plaça le bras sur ses propres épaules pour le soutenir et Neve vit que Joe semblait se redresser, soulagé de son fardeau. Quelque chose l'empêcha de lui prendre l'enfant. Il l'avait porté sur plus d'un long et pénible kilomètre, et il méritait d'être celui qui l'emmènerait à l'abri.

Quand Nancy les fit entrer dans le vestibule, il déposa son précieux chargement dans les bras de Neve.

— Charlie… Quatre ans. Son p-père… Michael.

Neve évalua de son mieux la situation. Le chandail de Joe était trempé et il tremblait de froid et d'épuisement. Michael, lui, portait une grosse veste qui l'avait protégé, mais il semblait sur le point de s'écrouler. Quant à Charlie, il frissonnait contre elle.

— Daryl, emmenez Michael dans le salon. Nancy,

vous voulez bien aider Joe, s'il vous plaît ? Il doit ôter ces vêtements mouillés.

Neve suivit Daryl et, ensemble, ils allongèrent Charlie sur les couvertures étalées devant la cheminée.

Avec précaution, elle débarrassa l'enfant de son manteau et de ses bottes en caoutchouc. Par miracle, Charlie était sec. Mais ce miracle avait des noms : son père qui devait l'avoir porté sur des kilomètres, et Joe qui l'avait enveloppé dans sa veste pour le protéger de la tempête de neige.

Daryl aida Michael à ôter sa veste et l'installa dans un fauteuil devant le feu.

— Daryl, vous voulez bien vérifier que les vêtements de Michael ne sont pas humides ? Je viendrai le voir dans une minute, dit Neve.

— Non… Occupez-vous de Charlie. S'il vous plaît, dcmanda Michael d'une voix étranglée.

— C'est ce que je fais. Restez où vous êtes et reposez-vous.

Neve avait déjà sorti de son sac le matériel médical dont elle avait besoin, et l'avait disposé sur la table. Elle contrôla rapidement le pouls et les réactions de Charlie. Les résultats n'étaient pas si mauvais. Le thermomètre indiquait trente-deux degrés, et c'était beaucoup mieux qu'elle ne l'aurait espéré.

Par prudence, elle suivit la procédure des cas graves. Elle enveloppa les bouillottes préparées par Nancy qu'elle plaça sous les aisselles et au niveau de l'aine de l'enfant. Ensuite, elle enveloppa Charlie dans le duvet, ne laissant libres que ses bras et ses jambes.

Comme une larme s'échappait sous les paupières closes du garçon, Neve se pencha sur lui pour le calmer et le réconforter.

— Tout va bien. Reste tranquille, mon cœur.

4.

Neve avait effectué sur l'enfant un examen complet. Il n'y avait aucun signe de gelures, et la température interne commençait à remonter un peu. Michael la laissa contrôler rapidement son pouls et ses réactions, avant de la renvoyer auprès du petit Charlie.

Nancy apparut, seule, sur le seuil du salon.

— Est-ce que Joe va bien ? demanda Neve.

Elle avait réprimé son envie de le voir car Charlie et Michael représentaient ses priorités.

— Oui. Je lui ai prêté un des pulls de Daryl et il m'a expulsée de la chambre. Il est timide, sûrement, répondit Nancy, malicieuse.

Neve retint un sourire, s'efforçant de ne pas penser au corps dénudé de Joe.

— Allez frapper à la porte, s'il vous plaît. Demandez-lui s'il va bien, et dites-lui de venir ici, près du feu.

— Entendu. Daryl, peux-tu aller jeter un coup d'œil à la soupe sur le poêle ?

Nancy disparut, et Daryl se leva de son siège improvisé sur l'accoudoir du canapé, laissant Neve seule avec Michael et Charlie.

— Michael, je vais vous enlever vos chaussures pour jeter un coup d'œil à vos orteils.

Elle se pencha, mais Michael retira ses pieds.

— S'il vous plaît… Allez plutôt voir Charlie.

— Il est là, Michael, et je l'ai déjà examiné de près.

— Non. Je ne veux pas. Allez le voir.

178

Au plan légal, elle ne pouvait pas faire grand-chose. Michael était peut-être stressé, mais il était en état de prendre ses décisions.

— Je vous assure que j'ai fait tout mon possible pour lui.

— Je connais la loi. Vous posez un seul doigt sur moi, et je porte plainte pour agression.

Les yeux de Michael lançaient des éclairs, et Neve savait que toute la science médicale ne pourrait rien pour lui s'il ne l'autorisait pas à le toucher.

Joe se sécha avec une serviette-éponge et enfila le T-shirt et le chandail que Nancy avait posés sur le lit. Les frissons avaient pratiquement cessé, mais la sensation de froid qui le gelait douloureusement jusqu'aux os mettrait du temps à disparaître.

Il s'assit sur le lit, résistant à la tentation de s'enrouler dans les couvertures, et de dormir. Peut-être y avait-il quelque chose à faire pour aider Neve.

Quand il était dans la neige, luttant pour voir les feux de la voiture, elle ne lui avait laissé aucun répit. Elle ne lui avait pas murmuré de doux mots d'encouragement ! Au contraire, elle l'avait poussé à continuer, d'une voix plus forte et plus irrésistible que la tempête. Avait-elle vraiment envisagé de mettre à exécution les menaces qu'elle lui avait adressées ? Cette idée le faisait sourire quand on frappa à la porte.

— Neve veut savoir si vous allez bien, dit Nancy. Je prépare une boisson chaude !

Neve pensait à lui ! Cette idée le fit instantanément se lever.

— Merci, Nancy. J'arrive tout de suite.

Il approchait du salon quand il entendit la voix forte et paniquée de Michael, et celle, plus calme, de Neve.

— Je connais la loi. Vous posez un seul doigt sur moi, et je porte plainte pour agression.

Michael pointait l'index en direction de Charlie, insistant pour que Neve retourne s'occuper de lui. Le respect de Joe pour cet homme s'en trouva renforcé.

— Neve, si vous alliez voir Charlie ? dit-il, entrant dans la pièce. J'aiderai Michael à ôter ses chaussures.

En l'entendant, Neve se retourna, et le scruta, visiblement sceptique quant à ses capacités.

Elle lui fit signe de s'approcher.

— Il faudra faire très attention. S'il a des gelures, vous risquez de lui abîmer les orteils. Ne lui frottez pas les pieds pour les réchauffer.

— Je sais comment il faut se comporter avec des lésions dues au froid. J'ai déjà vu des gelures.

— O.K. Mais tenez-moi au courant. Décrivez-moi ce que vous voyez, et laissez-moi prendre les décisions sur le traitement.

— Compris. C'est vous la patronne.

Affichant un sourire décontracté, Joe se dirigea vers Michael.

— Pas de chance, Michael : c'est moi qui vais vous aider.

— Excusez-moi…

— Vous n'avez pas d'excuses à me faire.

Joe enviait presque Michael. Le genre d'amour qui avait soutenu ce dernier sur des kilomètres de terrain gelé, et qui l'avait ensuite poussé à refuser les soins de Neve pour qu'elle s'occupe de Charlie, cet amour-là était très spécial.

Ce genre de sentiment, Joe en avait rêvé, mais il y avait renoncé.

— Neve… Je regrette, je n'aurais pas dû m'en prendre à vous.

— Ce n'est pas grave, Michael. Charlie a de la chance d'avoir un papa aussi aimant, répondit-elle, son regard exprimant une tendresse qui impressionna Joe.

— Nous avons tous les deux de la chance que vous ayez été là, vous et Joe, reprit Michael.

— Si nous enlevions ces chaussures, maintenant ? proposa Joe.

Comme Michael ne protestait pas, Joe défit les lacets et desserra les chaussures au maximum avant de les ôter. Il fit de même pour les chaussettes. Ensuite, il demanda à Neve d'examiner les orteils puis il les enveloppa dans une couverture avant de reporter son attention sur les doigts de Michael.

— Les deux derniers doigts de la main gauche sont gonflés et rouges, froids et durs au toucher. Pas d'ampoules.

Il savait qu'il s'agissait de gelures, mais il garda pour lui son avis, se contentant de rendre compte de ce qu'il voyait, sans poser de diagnostic.

— O.K., dit-elle, sortant son téléphone de sa poche. Je ne veux pas essayer de les réchauffer sans avoir la certitude que nous pouvons le faire. Je vais appeler Maisie, pour savoir où en sont les secours.

— J'aurais dû rester à ma voiture, dit Michael, le regard fixé sur Charlie.

— Rétrospectivement, c'est toujours facile de savoir ce qu'il aurait fallu faire, répondit Joe pour ne pas culpabiliser Michael davantage.

— Tout ça est ma faute…

— Arrêtez. Vous avez porté votre fils sur des kilomètres, alors ne sous-estimez pas l'importance de ce que vous avez fait.

— Je n'aurais pas dû m'engager sur la route.

Neve venait de raccrocher, et elle posa son téléphone sur le parquet, à côté du lit improvisé de Charlie.

— J'ai entendu dire que votre voiture avait quitté la chaussée.

— Oui, nous avons dérapé sur une plaque de verglas, et atterri dans le fossé. Comme nous n'avons plus d'électricité à la maison, mon portable était déchargé… Nous sommes restés un moment dans la voiture, mais personne ne passait, j'ai cru que je pourrais marcher jusqu'au prochain village, et je me suis perdu. C'est tellement bête…

— L'accident a dû vous secouer, sûrement ?

Neve avait posé la question d'un ton dégagé, mais Joe comprit où elle voulait en venir.

— Oui. Je n'avais plus les idées claires… mais ce n'est pas une excuse !

— Vous étiez probablement en léger état de choc. C'est fréquent après un accident de voiture, dit Joe, intervenant pour appuyer le point de vue de Neve. Vous avez agi par instinct, et cet instinct visait à mettre Charlie en sûreté.

Michael se tut. Même s'il n'était pas d'accord avec cette vision des faits, au moins, il y réfléchissait. Joe croisa le regard de Neve qui lui sourit.

— Qu'a dit Maisie ? demanda-t-il.

— Les secours arrivent — deux voitures, dont une ambulance qui pourra emmener Michael et Charlie à l'hôpital. Apparemment, l'hélicoptère ne peut pas venir.

— Oui. Trop peu de visibilité pour se poser.

Joe s'aperçut que Neve posait sur lui un regard intrigué. Il avait encore laissé tomber une partie du masque, involontairement cette fois.

— C'est bon à savoir, dit-elle. Donc, nous allons commencer à réchauffer les doigts de Michael. Il nous faut un bol d'eau chaude.

— Entre trente-sept et trente-neuf degrés centigrades. Pendant trente minutes.

Cette fois, Joe la taquinait en étalant délibérément ses connaissances. Ou bien peut-être essayait-il juste de lui montrer qu'il était compétent, et qu'elle avait eu raison de lui faire confiance.

— De l'aspirine ? reprit-il.

— Oui. Il y en a dans mon sac. Inutile de vous rappeler la liste des contre-indications ? dit-elle, mi-amusée, mi-agacée.

Quand les secours arrivèrent, Charlie était éveillé et vif, apparemment peu affecté par sa mésaventure. Michael semblait avoir repris des forces dès qu'il avait vu que son fils se remettait, et sous l'œil vigilant de Neve, ils avaient réussi tous les deux à avaler un peu de soupe.

— Ils s'en sortiront ?

Avec émotion, Nancy déposa un baiser sur le front de Charlie avant que le petit garçon, sous des couvertures, parte pour l'hôpital.

— J'appellerai demain matin pour m'en assurer. Ils sont sauvés maintenant, répondit Neve, lui tapotant la main.

Joe reprit sa veste.

— Je pense que nous devrions nous mettre en route, nous aussi… Nous ne vous remercierons jamais assez, Nancy.

Elle eut un haussement d'épaules.

— C'était un privilège.

Neve partageait ce point de vue. Maintenant que c'était fini, elle éprouvait l'envie de se réfugier dans un coin — ou, encore mieux, contre l'épaule de Joe — pour pleurer en pensant à tout ce dévouement qui avait abouti au miracle du jour.

Elle donna une rapide accolade à Nancy, et s'écarta avant que l'émotion la submerge.

— Merci pour tout. Je vous appellerai dans la matinée.

Soudain, la porte s'ouvrit, et Daryl entra en trombe, apportant une bouffée d'air froid.

— Je crois que vous n'irez nulle part ce soir, dit-il, laissant tomber dans la paume de Joe les clés du SUV. J'ai déneigé la voiture, puis j'ai voulu mettre le moteur en marche pour actionner les essuie-glaces. La batterie est à plat !

Neve porta la main à ses lèvres. C'était sa faute. Soulagée de voir Joe et Michael émerger de la tempête et pressée de les mettre à l'abri, elle avait oublié d'éteindre les phares.

— Joe… Je suis vraiment désolée…

Il allait être fâché. Qui à sa place ne le serait pas ?

Mais il réagit par un haussement d'épaules.

— Ce n'est pas grave. J'ai un jeu de câbles de démarrage. Daryl, si vous pouvez m'aider à démarrer, j'irai faire rouler la voiture pour recharger la batterie, et ensuite, je reviendrai chercher Neve.

— Sûrement pas ! protesta Nancy. Je vais préparer un dîner et vous restez tous les deux ici ce soir. Daryl peut mettre la batterie à recharger dans le garage.

— C'est trop de dérangement…

Neve se sentait mortellement embarrassée : elle ne voulait pas que Joe sorte seul par ce temps, mais, d'un autre côté, Nancy et Daryl avaient déjà tellement aidé !

— Pas du tout, répondit Daryl en souriant. Si vous dites à Nancy que vous voulez partir, vous allez avoir des problèmes !

— Pendant que je prépare le dîner, vous pouvez aller à l'atelier de Daryl, reprit Nancy. Il brûle d'envie de montrer ses derniers dessins…

Daryl était depuis un moment dans son atelier avec Joe, et quand Neve, à la demande de Nancy, était allée les chercher pour dîner, ils étaient en pleine conversation devant les meubles que fabriquait Daryl avec un succès croissant.

Après le dîner, Nancy montra la chambre d'amis à Neve, et un lit fut préparé pour Joe dans le salon. Nancy et Daryl leur souhaitèrent une bonne nuit, et les laissèrent assis devant le feu.

— Je pense que je devrais aussi aller me coucher, dit Neve.

Pourtant, elle n'était pas fatiguée, et les événements de la journée se bousculaient encore dans sa tête. Mais maintenant qu'elle était seule avec Joe, elle ne savait pas comment poser les questions qui l'avaient intriguée tout l'après-midi.

— Ah bon ? En ce qui me concerne, je vais veiller encore un peu.

Joe était enfoncé dans un fauteuil, les jambes allongées devant lui.

— Est-ce que vous souffrez ?

— Pourquoi est-ce que je me sentirais mal ?

— J'ai remarqué que vous… boitiez légèrement.

— Quand avez-vous remarqué ça ?

Joe avait posé la question doucement, mais avec une pointe de contrariété.

— Quand je marchais derrière vous, en quittant l'atelier de Daryl. Vous vous appuyiez davantage sur votre jambe droite. Je suis médecin, alors je remarque ce genre de chose.

— C'est une vieille blessure qui me fait encore boiter un peu quand je suis fatigué. Rien de grave.

— Vous en êtes sûr ? Je peux jeter un coup d'œil…

Là, devant le feu, « un coup d'œil » risquait de ne pas rester strictement professionnel, pensa Neve. Ce n'était peut-être pas une bonne idée. Mais en fait, les vraies raisons de la proposition n'étaient pas strictement professionnelles, elles non plus.

— Je vais bien. Très bien.

Le silence de la pièce les enveloppa, doux et chaud, comme s'ils étaient blottis ensemble sous une épaisse couverture.

Joe eut un sourire paresseux.

— Mes jambes vous intriguent. Vous n'arrêtez pas de les regarder. Fracture comminutive du fémur gauche.

Elle regardait ses jambes ? Neve sentit qu'elle rougissait.

— On m'a mis un clou intramédullaire en titane, ajouta-t-il. Ça remonte à dix-huit mois. J'ai bien récupéré.

— Vous… avez dû beaucoup souffrir.

— Oui. Mais on m'a bien réparé.

Il y avait des ondes étranges qui flottaient dans l'air entre eux, et que Neve n'arrivait pas bien à définir. Peut-être était-ce un effet de la fatigue, rien de plus.

Elle se leva et chancela légèrement.

— Je devrais aller dormir. A demain matin.

— Oui. Moi, je vais rester là un moment.

Etait-ce une invitation, ou juste un fait ? Il était difficile de savoir ce que pensait Joe.

— Bonne nuit, alors.

— Neve…

— Oui ?

— Merci pour…

Il s'interrompit, fixant sur le feu un regard pensif.

— Merci pour les mots que vous m'avez dits, au téléphone. *Tous* les mots.

Neve sentit ses joues s'empourprer davantage.

— Je… regrette, je…

— Ne vous excusez pas. A un moment, je portais pratiquement Michael et Charlie, et je pensais que je n'irais pas loin comme ça. Ensuite, vous m'avez dit de me bouger les…

— J'ai dit ça ?

— Oui. Et je pense même que vos mots exacts, c'était…

Elle attendit, au supplice.

— J'ai oublié vos mots exacts, ajouta-t-il.

Il était vraiment temps de s'esquiver ! pensa Neve.

— Dormez bien, Joe.

Il lui adressa un large sourire.

— Bonne nuit.

Joe entra dans la cuisine et remplit un verre d'eau qu'il but à grandes gorgées. Cela faisait peut-être trop longtemps qu'il menait une vie tranquille. Cette journée lui avait ramené le goût de son ancienne vie — les défis, et l'exaltation de les relever. Seulement, il y avait une différence. Avant, il se battait pour un principe, pour l'idée abstraite de sauver le monde. Aujourd'hui, c'était vers Neve qu'il était revenu, c'était son visage qu'il avait imaginé devant lui dans la neige.

Regagnant le salon, il prit le couvre-lit et l'étendit sur le parquet devant la cheminée. Ensuite, il ôta son jean et son chandail avant de s'asseoir. Depuis un an, il faisait cela presque chaque soir pour être plus calme et s'endormir plus facilement.

Fermant les yeux, il massa doucement les muscles noués de sa jambe. Puis il étira ses bras et ses épaules, laissant son esprit et son corps se détendre en une routine bien éprouvée. Et il parvint… presque à chasser de ses pensées le visage de Neve.

5.

Assise sur le lit de la chambre d'amis sur lequel Nancy avait déposé une chemise de nuit, Neve entendit Joe se déplacer tranquillement dans la cuisine, puis le silence régna.

Allant à la porte, elle regarda le couloir, incapable de réprimer le sentiment qu'il se passait quelque chose entre elle et Joe. La porte du salon, entrouverte, laissait passer un rai de lumière qui l'attira instinctivement.

Au lieu de frapper à la porte, comme elle en avait l'intention, elle s'arrêta net. Joe était assis, les jambes croisées, devant le feu, seulement vêtu d'un boxer et d'un T-shirt. Sous la fine étoffe, elle pouvait voir rouler les muscles de son dos et de ses épaules au rythme des mouvements lents qu'il s'imposait.

Malgré sa stature imposante, il était souple, et Neve se demanda si sa propre colonne vertébrale pourrait supporter un tel degré de rotation. Elle avala sa salive avec difficulté, essayant de ne pas penser à la force et à la grâce de ce corps.

Ce fut alors qu'elle vit les cicatrices. Sur la jambe, comme elle s'y attendait — une longue cicatrice chirurgicale, avec une estafilade déchiquetée à l'endroit où la fracture avait dû se produire. Mais le bras gauche, lui, offrait une vision frappante. Une large marque sombre montait au-dessus du coude et disparaissait sous la manche du T-shirt. Une autre, plus mince celle-là, et portant des traces de suture, marquait l'avant-bras.

Retenant sa respiration, Neve se mordit la main pour réprimer un sanglot.

Elle ferait mieux de partir, d'aller pleurer ailleurs pour lui…

— Pourquoi n'entrez-vous pas ? demanda-t-il sans la regarder.

— Excusez-moi, murmura-t-elle. Je ne voulais pas… vous interrompre.

Il tourna les épaules et la tête dans sa direction.

— Vous ne m'avez pas du tout dérangé. Je faisais quelques étirements, mais j'ai terminé.

Elle ne pouvait plus partir. Entrant dans la pièce, elle referma la porte derrière elle.

Au lieu de s'asseoir sur le canapé, où elle aurait regardé Joe de haut, elle s'assit en face de lui, sur la vaste courtepointe.

— Cela vous fait du bien ? Votre jambe…

— Oui.

— C'est… une mauvaise blessure. Une fois qu'on sort de l'hôpital, les soins postopératoires sont…

Elle s'arrêta, cherchant désespérément que dire.

Joe passa les doigts le long de son bras en appuyant fort, comme pour ôter les cicatrices.

— Vous pouvez me poser des questions. Ou peut-être savez-vous déjà…

Neve faillit protester qu'elle ne savait rien, qu'elle n'avait pas réfléchi à la question et tiré de conclusion, mais Joe n'était pas stupide.

— Vous êtes médecin, n'est-ce pas ? Vous étiez dans l'armée et… vous avez été blessé.

Joe eut une moue d'approbation.

— Médecin militaire dans l'armée canadienne. Comment avez-vous trouvé ça ?

— J'ai entendu quelqu'un dire que vous étiez dans l'armée, avant.

— Potins de village ?

— Oui. Et vous avez des connaissances médicales, et… je ne peux pas l'expliquer, mais j'ai compris en voyant comment vous vous y preniez avec Michael et Charlie.

Joe secoua la tête comme s'il avait redouté d'entendre ces mots.

— On ne peut pas se défaire de ces choses-là, apparemment.

— Pourquoi vous en déferiez-vous ?

Neve ne pouvait pas imaginer de se défaire d'un passé de médecin. C'était pour son métier qu'elle se levait le matin. C'était la seule partie de son identité que son ex-mari n'avait pas réussi à lui arracher.

— Je n'exerce plus.

— Pourquoi ? demanda Neve.

Joe parut exaspéré. Allait-il lui dire de s'en aller et de s'occuper de ses affaires ?

Son regard se radoucit.

— Mon contrat avec l'armée a expiré deux semaines après ma blessure, et je n'ai pas rempilé. Il m'a fallu du temps pour me remettre, et entre-temps, j'ai réfléchi.

Cela ne répondait en aucune manière à sa question, pensa Neve. Elle en posa une autre.

— Comment avez-vous été blessé ?

— Une embuscade. Je ne me rappelle pas tous les détails.

— Vous avez eu d'autres blessures ?

— Eclatement de la rate, lésions à un rein. Eraflures, lacérations… Trois doigts fracturés.

Joe énonçait la liste d'un ton dégagé que Neve connaissait. Ce détachement était censé mettre la souffrance à distance.

Quand il leva la main droite et plia les doigts, Neve remarqua que l'un d'eux était incliné suivant un angle légèrement différent des autres. Curieusement, ce doigt tordu rendit presque palpable l'horreur des autres blessures, et Neve ressentit une légère nausée.

Elle lutta pour refouler ses larmes.

— C'est courant, je pense, de ne pas arriver à se rappeler ce genre de chose, dit-elle.

Avant qu'elle ait pu réagir, il essuya du bout des doigts une larme qui coulait le long de sa joue.

— Ne pleurez pas, voyons, ou d'une minute à l'autre je vais m'apitoyer sur mon sort.

— Et vous ne voulez pas ?

— Non. C'est incroyable, ce que peut faire la médecine moderne. Ce n'est pas très esthétique, mais tout fonctionne.

Neve ne sut que répondre. Elle avait parlé des centaines de fois de cicatrices à des patients. Mais là, c'était différent, elle n'était pas au travail.

— Les cicatrices ne sont pas ce que je vois en premier chez vous.

Joe eut un sourire incrédule.

— Merci…

Si seulement elle pouvait lui dire ce qu'elle voyait en lui. Une tête au port altier, un corps qui avait survécu à tant d'épreuves et qui était pourtant resté harmonieux et fort. N'importe quelle femme le désirerait…

Elle chassa cette pensée.

— Vous avez vraiment été très bien avec Michael aujourd'hui.

— Oh ! j'ai juste donné un coup de main ! C'est vous qui avez géré la situation.

— Et je vous ai dit ce qu'il fallait faire ! Je me sens un peu bête maintenant.

— Il ne faut pas. Michael et Charlie étaient vos patients, alors c'était normal. De plus, comme je l'ai dit, je n'exerce plus.

Il n'y avait aucune raison physique à cela. Peut-être une raison émotionnelle ? Syndrome dépressif post-traumatique ? Neve n'arrivait pas à croire que Joe ne veuille plus être médecin : durant l'après-midi, il avait semblé renaître.

— C'est ma décision, Neve, reprit-il.

— Je la respecte.

— J'apprécierais que vous n'en parliez à personne.

— Bien sûr. Ce n'est pas à moi de le faire… Je devrais aller me coucher, et vous laisser dormir un peu. Je suis contente que vous alliez bien. Je m'inquiétais pour votre jambe.

Elle mourait d'envie de le toucher, mais Joe était trop fier — et trop fragile en cet instant — pour accepter un geste qui pouvait ressembler à de la pitié.

— Attendez.

Ce fut lui qui lui tendit la main.

Il n'avait pas l'intention de lui faire comprendre ses décisions. Tout ce qu'il savait, c'était qu'elle était une femme, et qu'il était un homme. Qu'elle était belle dans la lueur des flammes et qu'il la désirait. Ce n'était pas plus compliqué que cela.

Elle eut l'air surpris, mais quand il posa un baiser sur ses doigts fins, elle ne résista pas. C'était la vision qu'il avait gardée en tête, celle qui l'avait aidé à avancer en portant le poids de Charlie.

— Il faut vraiment que je m'en aille, dit-elle — sans bouger d'un pas.

— Oui, vous devriez.

Joe l'emprisonna entre ses bras. Comme elle sentait bon… Ses cheveux soyeux frôlaient sa joue mal rasée.

Elle leva le visage vers lui, et attendit. N'y tenant plus, il l'embrassa.

Son corps contre le sien, sa douceur, tout semblait parfait pour lui. Et ses lèvres aussi. Après leur baiser, elle sourit, et ses beaux yeux bleus pétillèrent. Elle le taquina quelques instants encore puis lui donna ce qu'il voulait : un autre baiser.

— Ce n'est pas l'endroit…, murmura-t-elle, lui caressant doucement la joue.

— Non, en effet, répondit Joe avant un nouveau baiser.

— Ni le moment…

Elle l'embrassa encore.

— C'est vrai.

— Et il existe une centaine de raisons pour lesquelles je devrais regagner ma chambre.

Le petit soupir de regret dont Neve ponctua sa phrase fit vibrer les sens déjà enflammés de Joe.

— Bonne nuit, dit-il.

Un désir presque douloureux le taraudait. Neve était le genre de femme qui pourrait faire réagir une pierre, et il la laissait s'en aller !

Un dernier regard ému de ses beaux yeux, et la porte se referma doucement sur elle. Joe bascula sur le dos devant le feu, les mains sur le visage. Qu'allait-il faire maintenant ?

Neve entendit les voix à l'extérieur et se retourna dans le lit, couvrant sa tête avec l'épais et chaud duvet. Juste quelques instants encore. Deux minutes pour se convaincre qu'elle pourrait encore sentir le goût des baisers de Joe sur ses lèvres.

Entre ses moments d'insomnie, elle avait rêvé de lui la tenant contre lui, l'embrassant. Puis ces rêves avaient tourné au cauchemar — des images de Joe avec des fractures et des plaies sanguinolentes. Aussi, quand elle se glissa hors du lit pour regarder par la fenêtre, ce fut presque une surprise pour elle de le voir en pleine forme, et occupé à ôter la neige de sa voiture avec la force et la grâce qui caractérisaient tous ses gestes.

Quand elle arriva dans la cuisine, elle apprit que la batterie avait été remise en place sous le capot, et que la voiture démarrait. Le petit déjeuner était prêt, et Neve nota avec satisfaction que la toux du petit Daniel se calmait. Ils remercièrent Daryl et Nancy puis prirent congé.

Dans la voiture, tout se passa comme si rien n'avait changé. Joe était le genre de gentleman à l'ancienne qui ouvrait les portes et portait les sacs. Et il ne dit pas un mot de leurs baisers de la veille !

— Si nous passons chez vous maintenant, je pourrai ensuite vous emmener à Leminster pour votre consultation.

Je rentrerai chez moi, et vous pourrez me rejoindre quand vous aurez terminé.

— Oui, merci. Je changerais volontiers de vêtements avant de commencer ma matinée. Et je prendrais bien un autre café.

— Je vais en faire.

Joe referma la porte d'entrée de son cottage et ôta sa veste qu'il jeta sur le canapé. Il n'avait pas beaucoup dormi la nuit précédente, et au petit matin, les faibles rayons du soleil avaient mis en lumière une situation qu'il entrevoyait déjà.

Il avait cru qu'il pourrait rester détaché de la médecine. Mais Neve, belle et dévouée, lui rappelait toutes les raisons pour lesquelles il était devenu médecin. A présent, il voulait revenir dans ce monde-là. Et il voulait Neve.

Si une jambe cassée et quelques cicatrices avaient représenté le seul obstacle, cela aurait été assez facile. Il aurait pu surmonter le traumatisme émotionnel et physique. Mais la terrible culpabilité après qu'une femme était morte sur sa table d'opération, c'était une autre affaire. Après ce genre d'erreur, on ne méritait plus le titre de médecin.

Gravissant les marches deux à deux, il gagna sa chambre.

— Tu sais que tu n'as pas le droit d'entrer ici.

Il adressa un regard sévère à la petite chatte noire blottie sur le lit, mais Amande n'en tint aucun compte.

Comme il lui caressait le cou, elle roula sur l'autre flanc.

— Tu veux ton petit déjeuner, je suppose.

Dans la cuisine, Joe lava les bols d'Amande, les remplit de nouveau d'eau et de pâtée, et les posa sur le parquet avant de regagner l'étage.

Dans la salle de bains, il ôta ses vêtements et braqua un œil désapprobateur sur son reflet dans le miroir.

— Imbécile…

Derrière lui, un miaulement lui répondit. Le petit animal avait l'habitude de le suivre partout où il allait.

— Pas toi, Amande… L'idiot, c'est moi.

Un idiot qui avait la migraine à force de penser à toutes les choses qu'il ne pourrait pas avoir…

Comme il faisait couler le robinet de la douche, Amande battit en retraite derrière un drap de bain suspendu au porte-serviettes.

Comment avait-il pu penser que Neve voudrait de lui ? Quand il se tournait, son miroir lui montrait la sombre cicatrice qui lui zébrait l'épaule et le dos, et les balafres sur son côté et son bras. Et aussi la courte entaille irrégulière de sa tempe, habituellement cachée sous ses cheveux. Et la liste n'était pas close. Il était une marchandise abîmée.

La douche pouvait attendre. Neve n'arriverait pas avant deux heures, ce qui lui laissait du temps pour évacuer ces idées stupides. Ce qu'il lui fallait, c'était de l'exercice physique bien épuisant. Et il fallait aussi qu'il arrête de penser au sourire irrésistible de Neve.

6.

Le cottage de Joe se trouvait au bout de la rue principale.

Quand la porte d'entrée s'ouvrit, un petit chat noir sortit, posa une patte hésitante sur le verglas, puis battit en retraite contre la jambe de Joe. Celui-ci se pencha pour saisir l'animal qui enfonça ses griffes dans son sweat-shirt sombre à capuche et se mit à ronronner.

Les joues de Joe étaient rasées de près, ses cheveux coiffés en arrière, et encore un peu humides. Le petit chat blotti contre lui accentuait la largeur de ses épaules.

— Entrez.

La porte d'entrée s'ouvrait directement sur un salon petit et confortable où, d'un geste, Joe invita Neve à entrer.

C'était une jolie pièce. Au plafond, de vieilles poutres contrastaient avec le ton pâle de la peinture. Il y avait une petite cheminée en brique, une télévision placée dans l'angle et cernée de piles de livres, un fauteuil de couleur vive, et un vieux canapé en cuir.

— Comment s'appelle-t-il ? demanda Neve.

Au lieu de toucher Joe, comme elle en mourait d'envie, Neve replia l'index et le tendit au chat qui le renifla avant de se laisser caresser le cou.

— *Elle* s'appelle Amande.

Joe sourit. Sa manière de bouger, ses cheveux humides et une légère odeur de savon prouvaient qu'il avait fait de l'exercice avant de prendre une douche. Neve imagina des muscles tendus, une peau luisante de sueur…

— Avons-nous le temps de déjeuner ? Je meurs de faim, dit-il, dissipant la vision.

— Oui. J'ai appelé Maisie et il n'y a pas de visites à faire cet après-midi. Apparemment, le club de tout-terrain local s'implique dans la conduite, donc, les autres médecins pourront facilement couvrir le reste de la journée : nous avons notre après-midi.

Joe hocha la tête. Il n'était visiblement pas pressé de la ramener chez elle.

— Nous pouvons déjeuner, alors.

Il avait conduit Neve dans la cuisine, située dans une extension à l'arrière de la maison, et il inspectait l'intérieur du réfrigérateur quand le téléphone sonna. Braquant sur l'appareil un regard contrarié, il décrocha et prononça sèchement son nom, ce qui était clairement une invitation à être bref.

— Edie ? Que se passe-t-il ? Du sirop pour la toux ? Oui, bien sûr, j'irai en acheter, mais vous ne croyez pas que vous feriez mieux de voir le médecin ?

Il se raidit et éloigna le téléphone de son oreille, pendant qu'un flot de paroles incompréhensibles s'échappait de l'appareil.

— On verra bien, Edie. J'amène le médecin pour qu'il vous examine… Non, vous n'avez pas le choix. Positivez, et supportez le mieux possible.

Visiblement amusé, il raccrocha.

— Qui était-ce ? demanda Neve. J'ai bien entendu le mot « médecin », je crois ?

— Oui. Ça m'ennuie vraiment, mais c'est Edie Wilcox. Elle dit qu'elle tousse beaucoup, et elle n'a pas l'air bien, mais elle ne veut pas voir le médecin.

— Donc nous allons là-bas.

Joe afficha un large sourire.

— Oui. Merci.

Il prit deux barres énergétiques dans le réfrigérateur, en donna une à Neve, et mordit dans l'autre en enfilant sa veste. Ensuite, il saisit le sac à main de Neve et tint la porte ouverte pour elle.

— Après vous, docteur Harrison.

Neve devait hâter le pas pour ne pas se faire distancer par Joe.

— J'ai entendu dire que vous faisiez des travaux pour Edie.

— Oui. Elle peut être terrible. L'astuce, c'est de ne pas montrer sa peur.

Ils atteignirent le porche, bordée d'une solide rampe de sécurité.

Edie mit du temps à répondre au coup de sonnette, et quand elle ouvrit, chaussée de pantoufles, elle portait un épais manteau sur une chemise de nuit. C'était une petite femme au physique d'oiseau, avec des yeux vifs et enfoncés, et des joues rouges.

— Je… n'ai pas besoin…, protesta-t-elle quand Joe s'avança.

— Je sais.

Il passa un bras protecteur derrière le dos d'Edie, sans la toucher, pour parer une éventuelle défaillance. Avec Neve, ils entrèrent dans le petit séjour impeccable, et la vieille dame se laissa tomber dans un fauteuil.

— J'ai juste besoin de sirop pour la toux. Et d'un peu de cognac, ajouta-t-elle d'un air de défi.

Mais Neve nota que ses yeux racontaient une autre histoire. Fixés sur Joe, ils le suppliaient presque de rester.

— Bien sûr. Mais faites-moi plaisir et laissez le médecin vous examiner d'abord, vous voulez bien ?

— Tu te tracasses trop.

— Vous connaissez le Dr Harrison, Edie ?

— Non.

Neve affronta un regard hostile, et se souvint des mots de Joe. Ne pas se montrer intimidée.

Elle s'avança et tendit la main.

— Bonjour, madame Wilcox. Je m'appelle Neve.

— Enchantée, docteur Harrison.

Se redressant de toute sa taille, Neve posa sur la vieille dame un regard assuré.

— J'aimerais examiner votre poitrine, si cela ne vous dérange pas.

Edie croisa les bras, refermant son manteau.

— Si vous le dites, docteur.

— Je vais faire du thé, intervint Joe.

— Ne mets pas de désordre dans ma cuisine !

Edie avait parlé d'une manière autoritaire, mais son visage s'était adouci.

— Je rangerai chaque chose à sa place ! répliqua Joe depuis le couloir.

Neve ferma la porte derrière lui.

— C'est vous, ce docteur que Joe conduit partout, dit Edie.

— Oui. Je ne m'en serais pas sortie sans son aide, ces derniers jours.

— Avant-hier, il m'a apporté mes courses à 20 h 30 !

Neve réprima un sourire.

— Nous n'avons terminé qu'à 19 heures, ce soir-là.

Edie eut un petit hochement de tête.

— C'est un homme bien.

Elle desserra suffisamment son manteau pour que Neve puisse l'examiner, mais elle regarda le stéthoscope comme s'il s'agissait d'un instrument de torture.

— J'espère que vous allez réchauffer ça. Le Dr Johnstone ne le fait jamais !

Neve savait que son gentil collègue médecin senior du cabinet médical réchauffait toujours le diaphragme de son stéthoscope avant de le poser sur la peau d'un patient. Mais peu désireuse de contrarier la vieille dame, elle lui tendit l'instrument.

— Tenez. Réchauffez-le dans votre main pendant que je vérifie votre température.

Joe prit tout son temps pour préparer le thé. L'obstination d'Edie pouvait parfois être sans limites, mais Neve possédait un sourire irrésistible, alors il ne donnait pas cher des chances d'Edie…

Ni des siennes, d'ailleurs. Il avait envisagé de trouver une excuse pour ne plus accompagner Neve, mettant ainsi un point final à leur relation, mais il avait fait une promesse et il ne reviendrait pas dessus. De toute façon, l'idée qu'un autre volontaire le remplace lui était insupportable.

Que cela lui plaise ou non, il assumerait donc cette mission jusqu'au bout !

Il plaça des tasses et des soucoupes sur un plateau, mais ne versa pas l'eau bouillante dans la théière afin que le thé n'infuse pas trop longtemps. Ensuite, il trouva des biscuits dans l'office, et tenta de se distraire en les disposant joliment sur une assiette.

Neve entra, affichant un large sourire.

— Edie veut savoir ce que vous faites. Elle dit que votre grand-mère serait horrifiée par votre manière de préparer le thé.

— J'en conclus qu'elle est en pleine forme. Sa poitrine ?

— Elle a pris froid, mais, dans quelques jours, tout ira bien. Il vaudrait quand même mieux surveiller ça.

— Elle a une fille au village. Je l'appellerai.

Neve reporta son attention sur le thé.

— Edie m'a dit de vous rappeler de chauffer la théière. Je vous laisse faire. Moi, je vais me laver les mains.

De toute évidence, Neve avait eu tort de laisser traîner son stéthoscope dans le salon, car quand Joe y revint, Edie, les embouts dans les oreilles, auscultait la poitrine de son vieux chat. De toute évidence, elle se sentait mieux, et son intérêt pour la vie refaisait surface.

Joe posa le plateau et tapota l'épaule de la vieille dame.

— Si vous posez l'embout à cet endroit, tout ce que vous allez entendre, c'est Errol en train de digérer son petit déjeuner. Que pense le médecin de votre cœur ?

Edie lui décocha un regard noir. Les gens disaient que certains de ses regards pouvaient les figer sur place, mais Joe y semblait insensible, peut-être parce qu'il possédait le même sens de l'humour que son amie.

Celle-ci reposa le stéthoscope.

— Le docteur dit que tu te tracasses pour rien. Assieds-toi, tu fais désordre, là, debout.

Joe s'assit. Edie ne demandait aucune pitié, et n'en accordait aucune. Elle n'avait jamais fait la moindre allusion aux blessures de Joe, mais elle possédait un cœur d'or.

— Gentille jeune femme. Gentille, et jolie… As-tu chauffé la théière ?

— Oui.

— Alors, le thé sera peut-être buvable, commenta Edie, un éclair malicieux dans ses yeux bleu pâle. Mais je ne prendrai pas de biscuits afin de ne pas gâcher cette jolie assiette avant que le docteur l'ait vue.

En sortant de chez Edie, Joe avait proposé à Neve d'aller déjeuner avec lui au pub, et elle avait accepté aussitôt.

Pendant le repas, et plus tard, quand Joe la raccompagna chez elle, ils n'abordèrent que des sujets anodins. Joe préférait sûrement qu'entre eux cela se passe ainsi, pensa Neve. Ils se trouvaient dans un *no man's land* entre amitié et amour, sans vouloir retourner en arrière, et sans oser avancer.

— A demain, alors, dit-elle quand la voiture s'arrêta devant chez elle.

— Oui. 8 heures ?

— Ce serait super, merci.

Un instant, Neve se dit qu'il allait peut-être lui tendre la main. Elle rêvait en permanence qu'il la prenne dans ses bras, qu'il brise sa porte d'entrée, et l'emmène à l'étage pour faire d'elle tout ce qu'il voudrait…

— Bien.

Il descendit de la voiture et sortit du coffre les sacs qu'il porta jusqu'au porche. Neve suivit, indécise, attendant qu'il fasse le premier geste, et se demandant si elle ne devrait pas le faire elle-même…

Mais il déposa les sacs sur le seuil et, pivotant sur ses talons, regagna sa voiture d'un pas décidé.

7.

La sonnerie de la porte d'entrée retentit en même temps que les bips de 8 heures à la radio. Joe avait-il attendu dehors pour arriver exactement à l'heure ? Neve décida de ne pas le lui demander : il n'aimait pas les questions.

Ce matin-là, visiblement plus détendu et moins inquiet, il lui adressa un bonjour chaleureux. Ensuite, ils prirent la route sinueuse de Cryersbridge, traversèrent le village, et se dirigèrent vers la maison de retraite. Là, ils s'arrêtèrent dans la large allée enneigée.

Joe resta assis au volant.

— Vous devriez entrer, dit Neve. J'en aurai pour un moment car j'ai plusieurs personnes à voir, et j'ai promis d'effectuer certains soins à la place de l'infirmière du secteur. Si vous restez là, vous allez geler sur place !

Acquiesçant de la tête, il sortit de la voiture.

La directrice de la maison de retraite vint leur ouvrir.

— Docteur Harrison... Merci d'être venue. On m'a prévenue de votre visite, mais je ne vous attendais pas si tôt.

— J'ai eu de l'aide. Voici Joe Lamont, qui est mon chauffeur depuis une semaine. Joe, je vous présente Jane Matthews.

Le sourire de Joe rendit instantanément la directrice plus chaleureuse.

— On sert encore le petit déjeuner dans la salle à manger. Allez prendre un thé et installez-vous dans le salon si vous voulez, monsieur Lamont.

L'invitation n'était pas seulement un geste d'hospitalité.

Neve supposa que les résidents n'avaient pas reçu beaucoup de visites les jours précédents : un nouveau visage serait apprécié.

— Oui, merci, répondit Joe, visiblement heureux de cette proposition.

— Est-ce que nous avons terminé ? demanda Neve.

Elle avait vu six résidents. Elle avait refait le pansement d'un ulcère à la jambe, et s'était assurée qu'un œil qui pleurait et divers hématomes et problèmes respiratoires ne présentaient aucun caractère de gravité, et pouvaient être soignés sur place.

— Il reste Stuart, répondit Jane. D'habitude, c'est le Dr Johnstone qui s'occupe de lui…

— Bien. Je lis sur sa fiche : « résident depuis peu, très déprimé quand il est arrivé ». Le Dr Johnstone l'a mis sous antidépresseur. Comment va-t-il ?

— Beaucoup mieux, répondit Jane. Maintenant, il prend part à certaines activités. Il est encore renfermé, mais c'est peut-être par choix. Il a de bons et de mauvais jours, mais au final, les bons deviennent plus fréquents.

— O.K. Je vais trouver un coin tranquille pour avoir une petite conversation avec lui.

— C'est bien. Merci.

Jane ramena Neve dans le salon principal, et depuis le seuil, elle parcourut du regard les visages présents.

— Hallie, est-ce que tu as vu Stuart, ma chérie ?

La fille adolescente de Jane avait apparemment été priée de participer au service car la maison manquait de personnel, et elle distribuait le thé et les biscuits qui attendaient sur une table roulante.

— Dans le petit salon, je pense. Avec le nouveau. Qui est-ce ?

En voyant le large sourire de Hallie, Neve comprit aussitôt qu'elle parlait de Joe.

— M. Lamont. Il s'en va bientôt. Il a juste amené le Dr Harrison.

L'adolescente esquissa une moue, et dirigea vers Neve un regard d'envie.

Il faisait bon dans le petit salon baigné de lumière où de hautes fenêtres captaient le soleil du matin qui faisait briller la neige. Joe était assis dans un fauteuil, à côté d'un homme âgé à la tenue soignée. Celui-ci était maigre, et son visage buriné attestait d'une vie passée à l'extérieur.

— Et alors, qu'est-ce que vous avez fait ? demanda Joe avec un intérêt évident.

Neve s'arrêta sur le seuil pour étudier la réaction de Stuart.

— Je l'ai sortie de là avec un tracteur. Mais cette route est toujours comme ça, en hiver. Sûrement à cause du vent. La neige arrive par là et s'accumule.

Le vieil homme se pencha en avant et passa le doigt sur la carte posée devant eux.

Joe indiqua un autre point, environ un kilomètre et demi plus au sud.

— Et si je passais par ici ?

— Ça dépend, répondit Stuart.

Sa voix exprimait la colère et l'incertitude. Son dossier signalait qu'il souffrait d'une légère démence sénile, d'où sa réaction typique : il se montrait agressif pour ne pas admettre que sa mémoire était défaillante.

Joe n'insista pas — comme tout médecin soucieux de ménager son patient, pensa Neve.

— Oui. Il vaut probablement mieux ne prendre aucun risque. Je pense que le mieux, c'est de passer par là. C'est plus long, mais moins exposé.

Stuart examinait la carte avec attention. On ne pouvait pas dire s'il suivait vraiment l'idée de Joe, mais peu importait. Joe avait esquivé le problème de mémoire du vieil homme qui, ainsi, ne se sentait pas diminué.

— Oui. Par là, c'est moins exposé. C'est mieux par là.

— Bien. Merci, Stuart. C'est bon à savoir.

— Soixante-dix ans sur le terrain, par tous les temps, ça vous en apprend. Je vous conduirais bien moi-même, mais…

— Vous avez fait votre part, j'imagine ? dit Joe.

— Ça, c'est sûr. Ce truc, là-bas, il est tordu.

Stuart changeait brusquement de sujet, comme si dans sa tête, différentes pensées luttaient pour émerger.

Joe suivit son regard, dirigé vers le sapin de Noël placé dans un coin de la pièce.

— L'arbre ?

— Non, l'étoile en haut. Elle est trop haute pour les filles…

Joe comprit le sous-entendu, et alla redresser l'étoile.

— C'est mieux ?

— Ça ira.

— Qui est-ce ?

Joe se retourna et aperçut Neve.

— Le médecin. Apparemment, il faut que je m'en aille.

Il prit sa carte sur la table basse et échangea une poignée de main avec Stuart.

— Merci pour tous vos conseils.

— Pas de problème. Je suis toujours ici maintenant, alors si vous avez besoin d'un autre renseignement…

— Merci. Je saurai où vous trouver.

Joe avait fait ce pour quoi Neve était venue : amener Stuart à parler, sans montrer que c'était pour évaluer son humeur et sa mémoire.

Elle s'assit à côté du vieil homme.

— Je suis venue pour bavarder un peu. Si vous restiez un moment, Joe ?

Elle avait accompagné sa proposition d'un regard appuyé. Si Joe pouvait parler encore un peu avec Stuart, elle écouterait, et en tirerait toutes les informations sur l'état du patient. Mais de toute évidence, Joe voyait les choses autrement car il secoua la tête.

— Il faut que j'aille déneiger la voiture… et que je donne quelques coups de pied dans les pneus, n'est-ce pas, Stuart ?

— Mmm… Qu'est-ce que vous avez comme pneus ?

— Des pneus neige à haute teneur en silice. Au Canada, presque tout le monde roule avec ça.

Stuart gloussa.

— C'est un tracteur qu'il vous faut, mon garçon ! Ça passe partout.

— Sûrement. Mais c'est un peu frisquet pour les passagers, quand même.

Joe lui adressa un dernier sourire avant de sortir.

Neve était fâchée, cela se voyait. Elle avait eu du mal à avancer dans soixante centimètres de neige, mais avec ses joues rosies par l'effort et ses lèvres pincées, elle était superbe. Essayant de penser à autre chose, Joe tourna la clé de contact. Le moteur hoqueta puis se tut.

— Merci bien, marmonna-t-il.

Il exprimait par ces mots son amertume envers la traîtrise du destin. Une nouvelle tentative noierait le moteur, et il fallait donc attendre un peu. Les prochaines minutes s'annonçaient interminables.

Il sortit de la voiture et ouvrit le hayon de façon que Neve puisse ranger son sac à l'intérieur.

— La voiture ne veut pas démarrer ?

Elle leva vers lui ses jolis yeux bleus, et leur éclat donna à Joe une brusque envie de l'embrasser.

— Laissez-lui une minute, et elle va se décider.

— O.K.

Ouvrant la portière du passager, elle monta dans la voiture. Joe donna un coup de pied dans un pneu afin de gagner du temps puis, sans se hâter, il alla reprendre sa place au volant.

Les poings fermés sur les genoux, Neve regardait fixement devant elle, et Joe envisagea de ressortir pour aller nettoyer une fois de plus le pare-brise.

— Vous auriez pu rester avec Stuart et moi, marmonna-t-elle.

Oui, il aurait pu. Mais il ne faisait plus ce genre de chose.

— Il fallait que je sorte pour faire démarrer la voiture.

Il fut bouleversé par le regard brillant de colère qu'elle tourna vers lui.

— Bon. Démarrez, alors.

— Pas tout de suite. Je ne veux pas noyer le moteur… Ecoutez, c'est vous, le médecin de Stuart. Il aurait été mal venu que je reste.

— C'était à moi d'en juger, vous ne croyez pas ? Je ne vous demandais pas d'effectuer une évaluation complète, mais seulement de le faire parler encore un peu.

— Vous n'êtes pas capable de parler avec lui ?

— Si, bien sûr que je pouvais lui poser des questions.

Les questions habituelles, destinées à évaluer les patients atteints de démence sénile. Stuart avait déjà dû subir cet interrogatoire-là, et il s'en souvenait peut-être. S'il ne parvenait pas à répondre cette fois, il pouvait ressentir un sentiment d'échec et d'humiliation.

— Et vous ne l'avez pas fait, c'est ça ? Vous savez, je ne crois pas savoir moi-même quel est le nom du Premier ministre ici, en Angleterre…

Dans l'habitacle, la tension monta d'un cran.

— Arrêtez de faire l'idiot. Evidemment que je n'ai posé aucune question. Mais la carte, et les routes de la région, c'était un excellent moyen d'évaluer sa mémoire.

Joe n'avait jamais eu cette intention — il s'était juste mis à bavarder avec Stuart. Il avait agi en être humain, et non en médecin. Mais Neve avait raison, et cela le remplissait de remords.

— Ecoutez, nous avons tous les deux une mission à remplir, répliqua-t-il. Nous ne sommes pas obligés d'en être enchantés, mais nous avons besoin l'un de l'autre. Alors continuons, vous voulez bien ?

Neve s'empourpra.

— Ah bon ! Alors comme ça, j'ai besoin de vous. Et vous avez besoin de moi ? Je ne vois pas très bien comment…

Joe ne le savait pas davantage, mis à part le fait que l'air semblait rare et presque irrespirable quand elle n'était pas là.

Soudain, on frappa avec insistance à la vitre embuée.

Joe la descendit, dévoilant Hallie qui frissonnait dans sa veste et son chemisier.

— Stuart dit de pomper avec l'accélérateur, et de démarrer en seconde.

Sans attendre de réponse, l'adolescente tourna les talons, et regagna en courant la chaleur de la maison.

Joe savait comment démarrer, mais il ne voulut pas priver Stuart de son moment de gloire. Saluant de la main la silhouette debout derrière la fenêtre, il tourna la clé de contact, et quand le moteur démarra, il leva les pouces à l'intention du vieil homme.

— Prochaine destination ? demanda Joe alors que la voiture quittait le parking.

— Traversez le village et prenez la deuxième à gauche. Il y a une maison environ deux cents mètres plus loin.

8.

Le silence avait cédé la place à une froideur polie. Quand ils s'arrêtèrent devant chez elle, Neve se sentait épuisée.

Elle se dit qu'elle ne pouvait pas laisser Joe s'en aller sans dénouer la situation.

— J'ai réfléchi…

— Mmm ?

Laconique, pensa-t-elle.

Il se carra dans son siège, allongeant ses jambes autant que le lui permettait l'espace restreint.

— J'étais en colère.

— Je crois que je m'en étais aperçu, dit Joe, amusé.

— Excusez-moi.

— Inutile : vous aviez raison. Je n'exerce pas, mais rester pour discuter un peu avec Stuart, n'importe qui l'aurait fait.

De toute évidence, il avait réfléchi, lui aussi, conclut Neve. Et il s'était rapproché de la façon dont elle-même voyait les choses. Voilà qui était nouveau.

— Venez prendre un thé.

— Vous êtes fatiguée, objecta Joe.

Son regard prouvait qu'il se posait la même question qu'elle : le thé n'était-il pas un simple prétexte ?

— J'aimerais bien un peu de compagnie, ajouta-t-elle.

Il lui prit la main, et quand il lui ôta son gant, elle eut l'impression qu'il la déshabillait. Alors que leurs doigts s'entremêlaient doucement, Neve se pencha, et ses lèvres effleurèrent celles de Joe.

210

Il se débarrassa très vite de la ceinture de sécurité pour approfondir son baiser.

— Entrez. Ce sera plus facile, murmura Neve.

Dès qu'ils eurent refermé la porte d'entrée derrière eux, Neve passa les bras autour du cou de Joe, et l'attira à elle pour un nouveau baiser. Aussitôt, il la prit par les hanches pour la soulever et la plaquer contre lui. Ce qui balayait tous les doutes et annonçait clairement ce qui allait se passer ensuite.

A travers les couches de duvet grand froid et de textile imperméable, Neve ne sentait pas vraiment le corps de Joe, mis elle percevait sa force. Il la soulevait et la serrait contre lui à lui couper le souffle.

Elle interrompit brièvement leur baiser.

— Ma chambre… à l'étage, murmura-t-elle.

— Je veux te déshabiller, vêtement par vêtement.

— Et ensuite ?

— Et ensuite, je veux te caresser, chuchota-t-il, son souffle taquinant l'oreille de Neve.

C'était trop. S'il n'arrêtait pas ce petit jeu, elle allait s'évanouir…

Se dégageant, elle le prit par la main pour l'entraîner dans sa chambre où régnait un froid glacial. Elle allait allumer la lampe quand Joe lui saisit le poignet et lui déposa un baiser sur les doigts. Dans l'obscurité, elle sentit qu'il lui ôtait son manteau et son gilet matelassé puis il l'obligea à reculer jusqu'à ce qu'elle tombe sur le lit. Se penchant, il lui retira ses chaussures puis ses épaisses chaussettes de laine, et l'air froid la fit frissonner.

Dans la lumière du couloir qui filtrait par la porte entrouverte, elle put voir que Joe retirait son blouson et ses bottes puis son chandail. Revenu près d'elle, il déboutonna l'épais cardigan qu'il fit glisser sur ses épaules juste avant de la débarrasser du sweater qu'elle portait dessous.

— Joe…

Elle tira sur la chemise qu'il fit passer par-dessus sa tête. Les doigts de Neve défaisaient déjà le bouton de son jean qu'il enleva lestement.

— Des préservatifs. Dans le tiroir…, murmura-t-elle.

— Plus tard. Je veux prendre mon temps pour toi, ma chérie.

Elle sentit qu'il déposait des baisers sur ses cuisses à mesure qu'il lui retirait doucement son pantalon.

— Et toi…

Il la réduisit au silence en posant une main sur son sein, en caressant la pointe, et elle eut l'impression que du feu liquide se mettait à couler dans ses veines.

— Toi d'abord.

D'une main, il dégrafa le soutien-gorge avec une rare dextérité puis elle sentit le coton doux du T-shirt de Joe lui frôler le ventre.

— Attends, Joe.

Elle dut faire appel à toute sa volonté pour le repousser, et il s'écarta immédiatement.

— Qu'y a-t-il, chérie ?

— Pas comme ça.

Ce fut un choc pour Joe. Il n'avait même pas pensé à ce rejet instinctif parce qu'il avait un corps brisé et abîmé.

Le laissant étendu sur le lit, Neve roula sur elle-même pour se lever et gagner la fenêtre d'un pas décidé pour tirer les rideaux. Ensuite, elle prit les allumettes posées sur la cheminée à côté de quatre bougies devant un grand miroir encadré. Quand elle les alluma, la lumière glissa sur les contours de son corps et en caressa les courbes. Elle était époustouflante. Des membres fins, des seins magnifiques… De quoi mettre un homme à genoux.

— C'est mieux comme ça, non ?

— Comme tu es belle, répondit-il, soulagé d'avoir fait fausse route.

Cette voix enrouée par l'émotion ne lui ressemblait pas du tout.

— Et toi…

D'un pas léger, elle revint vers le lit.

— Tu ne vas pas t'en tirer comme ça, ajouta-t-elle.

L'obligeant à rouler sur le dos, elle s'assit à califourchon sur lui, le remplissant d'un délicieux sentiment d'anticipation. Elle se pencha sur lui et, du bout de la langue, elle lui caressa le bord de l'oreille, puis elle tira sur son T-shirt.

— Qu'est-ce que tu croyais ? Que je ne voulais pas te voir ? Ou est-ce que tu pensais me faire crier de plaisir en premier, avant d'enlever ça pour que je ne voie pas trop ?

Il la serra contre lui. Elle avait tout deviné !

— Pas mal pensé. J'aime particulièrement le passage où tu cries…

Elle pouffa. De toute évidence, elle aimait cette idée, elle aussi.

— De toute façon, je ne crie pas dans le noir. C'est triste, l'obscurité.

Soudain, Joe eut envie qu'elle le voie, tout entier, comme il était. Et, peut-être, qu'elle l'accepte un peu…

— Nous avons de la lumière. Que faisons-nous maintenant ?

Elle aurait peut-être le courage qu'il n'avait pas…

Neve ouvrit d'une main le tiroir de la table de nuit et en sortit des ciseaux dont les lames brillèrent dans la lumière.

— Enlève-le, Joe.

— Et si je ne le fais pas ? demanda-t-il, glissant les mains sous sa nuque.

— J'espère que ce n'est pas ton plus beau T-shirt.

Elle tira sur le bas du vêtement, et donna un premier coup de ciseaux. Avec ce bruit, Joe eut l'impression que toutes ses inhibitions s'envolaient. Ensuite, il y eut la première longue entaille, et il sentit l'acier froid sur son ventre.

— Doucement…

Il savait qu'elle ferait attention, mais, de toute façon, cela lui était égal. Seul comptait l'espoir né en lui. D'un regard, elle pouvait le détruire.

— Tu me fais confiance ?

Elle glissa la main sous le T-shirt avec un sourire qu'il trouva incroyable.

— Oui. Entièrement confiance, chérie.

Lentement, Neve découpa le T-shirt puis marqua une pause pour déposer des baisers sur le torse dénudé. Elle aimait ce qu'elle voyait, et voulait que Joe le sache. De toute façon, son propre corps ne pouvait pas mentir : ce qu'elle voyait l'excitait. Joe la caressa, et elle frissonna, lâchant les ciseaux qui tombèrent avec fracas sur le carrelage.

Elle tira sur le boxer de Joe qui souleva les hanches pour qu'elle puisse l'ôter.

— Très prometteur, murmura-t-elle, l'embrassant sur les lèvres.

Il referma les mains sur sa taille fine.

— C'est à cause de toi, répondit-il.

— Regarde…

Elle l'obligea d'une pression à tourner la tête, et il s'aperçut qu'il y avait un autre miroir dans la chambre, sur la coiffeuse. En allant allumer les bougies, elle devait l'avoir orienté en direction du lit.

— Qu'est-ce que tu vois, Joe ?

— Toi et moi…

Elle lui sourit dans le miroir.

— Seulement ?

— Seulement…

Rien d'autre que deux corps, à la fois tendus et tremblants, prêts l'un pour l'autre. Les cicatrices étaient toujours là, mais, en cet instant, elles n'avaient aucune importance.

Joe l'attira à lui pour embrasser ses seins. Il l'entendit soupirer, alors il continua…

Bientôt, le désir devint insoutenable.

— Maintenant, Joe, s'il te plaît… tout de suite, murmura Neve.

— Je me demande où j'ai la tête, lui chuchota-t-il à l'oreille. J'adore tellement sentir ta peau contre la mienne…

Sans effort, il la fit basculer sur le dos. Il lui enleva sa

214

petite culotte, et le bruit excitant du tissu qui se déchirait prouva leur hâte.

Quand Neve sentit les doigts de Joe descendre le long de son ventre, elle faillit s'évanouir de désir, et son corps réagit immédiatement à sa caresse légère et habile.

Proche de l'orgasme, elle chercha en vain les préservatifs dans le tiroir. Ce fut Joe qui les trouva. Il vida la boîte sur la table de chevet, et saisit un des petits paquets.

Quand il enfila le préservatif, Neve ne le remarqua même pas parce qu'il lui murmurait à l'oreille ce qu'il s'apprêtait à faire. Puis, lentement, il vint en elle. Comme elle ondulait doucement, il l'immobilisa sous lui.

— Pas si vite, chérie. Je ne tiendrai pas longtemps si tu continues comme ça.

Elle se délecta en regardant sa peau mate, les muscles de ses épaules et de ses bras. Il marquait une pause avant chaque caresse, la lui laissant anticiper avant de la recevoir.

Puis, d'une pression, il lui souleva un peu plus les jambes et les plaça autour de sa taille.

— Neve, murmura-t-il d'une voix étranglée.

Quand il s'enfonça plus profondément en elle, Neve laissa échapper un cri de plaisir. Jamais elle n'aurait imaginé éprouver des sensations aussi incroyables.

En la voyant s'abandonner à la jouissance dans un long frissonnement, Joe eut l'impression qu'un picotement électrique descendait le long de son dos, comme si, par une sorte d'osmose, leurs âmes fusionnaient, et qu'il pouvait comprendre ce qu'elle ressentait. Ensuite, tout se brouilla dans un délicieux vertige.

Encore submergé par l'émotion, il dut faire un effort pour ne pas s'allonger sur elle. Lentement, il bascula sur le côté, l'entraînant avec lui, et la couvrit de la couette.

Il émit un soupir de pure satisfaction en la sentant se blottir contre lui. La plus belle femme du monde le trouvait attirant ! Cela pourrait peut-être marcher. Peut-être pourrait-il tenter de s'installer et d'assembler le puzzle de sa vie. Jusque-là, il avait pour seul projet de ne faire aucun projet… Et si tout changeait ?

9.

Neve dormit un moment, la tête contre son épaule marquée de cicatrices qu'elle ne sembla même pas remarquer à son réveil.

Il se leva, non sans avoir déposé un baiser sur une douce épaule arrondie, et descendit au rez-de-chaussée, où il trouva dans le réfrigérateur de quoi confectionner des sandwichs au bacon.

Revenu dans la chambre, il passa l'assiette devant le nez de Neve qui ouvrit les yeux.

— Tu es un ange, Joe…

Ils mangèrent et parlèrent. Burent du café et parlèrent encore, enlacés dans la tiédeur du lit de Neve.

Comme il lui avait demandé d'où provenait ce lit aux montants en laiton, elle lui expliqua qu'elle avait meublé sa maison avec des meubles d'occasion restaurés et cirés qui se mariaient bien avec le style de la vieille ferme.

— Mais alors, tu as jeté tout ton mobilier d'avant ?

Elle, qui ne parlait jamais de son passé, raconta Londres, sa famille, son enfance, et ses études de médecine, mais s'en tint là.

— J'ai habité six mois chez mes parents avant de m'installer ici, conclut-elle, tirant la couette sur elle comme si, soudain, elle avait froid.

— Et avant de retourner chez eux ?

Neve avait un problème avec ce qui s'était passé juste après ses études, c'était évident : on aurait dit un animal pris au piège. Mais c'était trop tard, pensa Joe. Il avait posé la question, et le malaise ne s'effacerait pas s'il changeait de sujet. Mieux valait l'aider à répondre.

— Je suppose que tu as vécu avec quelqu'un ?

Elle acquiesça de la tête sans le quitter des yeux.

— J'étais mariée… Et pendant deux ans, il n'y a eu que lui.

— Un homme jaloux, c'est ça ? J'ai un aveu à te faire : moi aussi, dit-il, d'un ton volontairement trop solennel.

— Oui ?

— Toi non plus, tu n'es pas ma première.

Comme il l'avait espéré, elle se mit à rire, libérée. Son passé, c'était de l'histoire ancienne, et ce soir, c'était lui, Joe, qui la tenait dans ses bras.

— Tu veux dire que tu ne t'es pas gardé pour moi ? Je suis déçue ! répliqua-t-elle, malicieuse.

— Non. J'ai eu une amie avant… Deux, peut-être.

— Des centaines, je suppose.

Elle lui caressait le torse en un geste possessif, et il s'aperçut qu'il adorait cela.

Il feignit de compter sur ses doigts.

— Des centaines ? Pas tout à fait autant.

— Et jamais… marié ? demanda Neve, s'efforçant d'adopter un ton dégagé.

— Non. J'ai beaucoup bougé.

Joe n'avait jamais manqué de compagnie féminine, mais il avait toujours fait passer sa carrière avant. Et quand tout s'était effondré, il avait tout perdu.

De nouveau, il attira Neve contre lui, trouvant quelque chose de rassurant dans le contact de sa peau.

Elle lui saisit le poignet pour consulter sa montre.

— Tu as faim, chérie ?

— Un peu.

— Je vais te préparer quelque chose si tu veux.

— Tu fais la cuisine ?

— Bien sûr : je mange ! Tu peux me croire : une fois que tu auras goûté ma crème brûlée, je ferai ce que je veux de toi.

— A ta place, je ne m'avancerais pas autant.

— Tu n'aimes pas la crème brûlée ?

— Si, mais personne ne fait ce qu'il veut de moi.

Apparemment, elle avait pris sa boutade au sérieux. Joe lui prit la main et déposa un baiser dans le creux de sa paume.

— Je m'en souviendrai. Mais je ne suis pas sûr que toi, tu ne feras jamais ce que tu veux de moi.

— A propos de règles de base…

— C'est ce que nous sommes en train d'établir ?

Elle se redressa et s'enveloppa dans un angle de la couette.

— Je ne suis pas du genre collant. J'aime beaucoup être avec toi, mais je ne te demanderai pas de passer tout ton temps avec moi. Tu n'es pas obligé de te sentir responsable de moi.

Joe se sentit déçu. N'était-ce pas ce qu'il voulait ? De toute façon, comment pourrait-il faire la moindre promesse ? Il ignorait où il serait et ce qu'il ferait dans six mois ! En même temps, cela l'attristait. Il aimait beaucoup Neve, et souhaitait prendre soin d'elle, bien au-delà de deux nuits divines par semaine passées à faire l'amour.

— Cela implique que je ne peux pas faire la cuisine pour toi ?

— Non, évidemment. Je ne veux pas que tu me croies dépendante de toi… Enfin, tu comprends ce que je veux dire.

Non, il ne comprenait pas vraiment. Jamais il n'aurait imaginé une telle chose. Neve était d'une indépendance farouche, une qualité évidente chez elle et qu'il respectait.

— Tu t'inquiètes pour rien, chérie. Est-ce que les choses ne sont pas très bien comme elles sont ?

Elle se pencha pour l'embrasser, et la conversation qu'ils venaient d'avoir perdit soudain tout intérêt.

— Nous allons manger ?

— O.K.

Maintenant, il fallait qu'elle aille travailler — mais la ruée vers la douche et le petit déjeuner avalé à toute vitesse,

c'était quand même bien plus amusant quand Joe était là ! Et quand Maisie appela pour lui donner la liste des visites de la journée, Neve ne se préoccupa nullement de la longueur du trajet car cela signifiait que Joe allait rester avec elle.

Très différent de son ex-mari, Joe n'était pas jaloux, ne contrôlait pas ses faits et gestes, et n'éprouvait pas le besoin de régler le moindre détail de sa vie… Mais, en fait, Matthew n'était pas ainsi quand elle l'avait rencontré, et elle s'était souvent demandé quel rôle elle avait joué dans ce changement catastrophique qui les avait menés au divorce.

Cette fois, en tout cas, il fallait qu'elle fasse mieux. Elle poserait dès le début des règles de base, et s'y tiendrait, pour ne pas donner à Joe de raisons de changer.

Pour l'instant, en tout cas, rien ne pourrait ternir son bonheur présent, ni ce sentiment de se réveiller après un demi-sommeil qui avait duré trop longtemps. Les questions délicates attendraient.

— Donc, nous avons terminé ? Veux-tu aller manger quelque chose ? proposa Joe alors qu'ils rentraient au cabinet médical.

— Je viens de recevoir un message de Maisie. Nous avons une visite supplémentaire.

Il acquiesça en silence, gardant pour lui la déception qu'il devait éprouver à l'idée du dîner encore une fois reporté. C'était une autre différence avec Matthew. Celui-ci aurait téléphoné en avance pour réserver une table dans un restaurant, et si quelqu'un avait contrarié ses projets, il aurait été furieux.

Neve suivit Joe jusqu'à la voiture et consulta son téléphone pour lire les détails concernant son prochain patient.

— Tatouage infecté.

— Où ?

— Je ne sais pas, Maisie ne me l'a pas dit. Mais, apparemment, c'est très enflé et la plaie commence à suppurer.

Joe leva les yeux au ciel.

— Je veux dire : où est la maison, pas le tatouage ! Moi, je conduis, je te le rappelle.

Neve lui sourit. La séparation des rôles était devenue entre eux un sujet de plaisanterie.

— A trois kilomètres d'ici seulement. Voici l'adresse.

Neve et Joe attendirent longtemps sous le grand porche avant que la porte s'ouvre sur un jeune homme vêtu d'un pantalon de pyjama. Apparemment, il venait de se réveiller, et semblait surpris de trouver quelqu'un sur le seuil.

Neve lui sourit.

— Dr Neve Harrison. Je viens voir Andrew Martin.

— Ouais. C'est moi.

— Est-ce que nous pouvons entrer ? demanda Joe.

Acquiesçant d'un haussement d'épaules, Andrew se détourna pour les précéder, et Neve ouvrit de grands yeux. Sur l'omoplate du patient, le tatouage, enflé, était à présent brouillé par des croûtes suintantes. Elle adressa un rapide coup d'œil à Joe qui soutint le patient jusque dans le salon, où il l'installa sur un canapé en cuir. Andrew s'affaissa sur lui-même, la tête sur les genoux, pendant que Neve enfilait des gants chirurgicaux. Elle en tendit une autre paire à Joe qui les prit sans les mettre.

— Qu'en penses-tu ? demanda Joe, restant en retrait, comme d'habitude.

— Il se pourrait que ce soit une réaction à l'encre. On distingue du rouge et du bleu, les couleurs les plus susceptibles de provoquer une réaction allergique. Ou bien, plus vraisemblablement, il y a infection.

Neve tapota doucement la joue du jeune homme.

— Andrew... Andrew.

— Ouais...

— Quand avez-vous fait faire ce tatouage ?

— La semaine dernière. Moi et mes copains, on est allés en ville, et on s'est tous fait tatouer.

— Y a-t-il quelqu'un d'autre ici, Andrew ?

— Non. Mes parents sont partis en vacances, répondit-il.

Son haleine sentait l'alcool… Par signes, Neve demanda à Joe d'aller inspecter la cuisine.

Andrew se crispa quand elle palpa doucement la grosseur.

— Aïe !

— Ça a l'air très douloureux.

— Plutôt, ouais, répondit-il avec une ironie nonchalante.

— O.K. Qui a appelé le cabinet médical ?

— Ma copine. Elle travaille dans un bar. Il a fallu qu'elle aille au boulot.

Neve rejoignit Joe qui était apparu sur le seuil de la pièce.

— La cuisine est pleine de bouteilles de bière, de boîtes de pizzas, et de cendriers. Et ça sent la marijuana.

— Ou bien il a trop fumé, ou il a trop bu, ou il fait une infection. Les trois, probablement.

— Il faut l'hospitaliser ?

— Oui, nous ne pouvons pas le laisser ici, répondit Neve en sortant son téléphone.

— Nous allons l'emmener.

— Ça ne te dérange pas ? Ce sera probablement plus rapide. Les services d'urgences sont encore débordés.

— Oui… S'il vomit sur ma banquette arrière, j'enverrai la note à ses parents !

Joe se dirigea vers Andrew.

— Venez, mon vieux, réveillez-vous. Nous allons faire un tour.

Neve appela Maisie et envoya Joe chercher des vêtements pour Andrew. Le garçon protesta quand elle voulut poser un pansement temporaire sur la grosseur, et Joe réapparut pour l'immobiliser avec douceur. Ensuite, il lui fit enfiler ses vêtements et, avec l'aide de Neve, il le soutint jusqu'à la voiture. Là, Neve l'installa aussi confortablement que possible sur la banquette arrière pendant que Joe le sanglait dans sa ceinture de sécurité.

— Prêt ?

— Oui. En route.

A l'hôpital, on examina le jeune homme dès que Neve eut mis au courant l'infirmière chargée du tri des patients.

Ensuite, elle rejoignit Joe dans la salle d'attente des urgences, où il lisait une revue sur les machines agricoles.

— Où en est-on ? demanda-t-il.

— Ils le gardent ce soir, vu son état psychologique troublé. Et il y a un début de septicémie.

— Bon. Des nouvelles de Maisie ?

— Oui, elle a réussi à joindre la mère d'Andrew sur le numéro de mobile d'un dossier médical de la famille. Ses parents rentreront de Londres demain matin.

Il posa la revue sur la chaise voisine et étira ses bras.

— Donc, nous avons terminé ?

— Oui, mais si ça ne te dérange pas, est-ce que nous pourrions faire un saut au bureau ? J'aimerais bien regarnir ma trousse médicale, et comme nous sommes tout près…

— Aucun problème. Je pourrai prendre une tasse de thé avec Maisie. Je veux la remercier de m'avoir nommé chauffeur du plus beau médecin de la ville.

— Tu ne feras pas une chose pareille !

— Tu as honte de moi ? demanda Joe avec un sourire un peu triste.

Neve s'avança entre ses jambes allongées pour lui déposer un baiser sur la joue, sous les regards indifférents des patients présents.

— Non. Je veux seulement que tu restes mon petit secret pendant quelque temps, murmura Neve.

— Un *petit* secret ?

Elle sentit les mains de Joe sur sa taille.

— Un grand et beau secret.

— Oui. C'est mieux.

Il lui déposa un chaste baiser sur la joue, et se leva.

— Comme nous sommes en ville, nous pourrions acheter quelques provisions et faire d'autres achats si tu veux. Les magasins restent ouverts tard cette semaine.

— Le shopping de Noël ! Il ne reste qu'une semaine, c'est vrai.

— La plupart de mes cadeaux sont déjà en route vers le Canada, mais il me manque encore un parfum pour Edie. Sa fille m'a écrit un nom sur un bout de papier, très gênée parce qu'il s'agit d'un parfum luxueux, mais j'ai insisté : Edie a été très gentille avec moi, et avec sa petite retraite, elle ne peut jamais s'offrir ce genre de chose. Et toi ? As-tu des achats à faire ?

— Oui. Une perceuse pour mon père.

— Super... Je serai ravi de visiter un magasin de bricolage. Surtout avec toi.

10.

Le dégel avait commencé. Quand Neve se réveilla, le lendemain matin, elle vit, par la fenêtre de Joe, que la neige avait presque disparu dans la rue principale de Leminster. Ensuite, dans la campagne, ils trouvèrent des chaussées dégagées.

Le soir, ils terminèrent vers 17 heures. Le lendemain serait un samedi. Neve dit à Joe qu'elle avait besoin de sommeil et il ne fit aucun commentaire, esquissant simplement une moue de déception.

— Le cinéma demain après-midi, alors, peut-être ? Est-ce qu'il y a un film qui te tente ?

— Oui, deux films, même. Si tu venais déjeuner avant ?

Pour Neve, il y eut ensuite le rituel de descendre de la voiture et de laisser Joe porter ses sacs jusqu'à la porte, puis un baiser sur les lèvres, léger, comme pour éviter une trop grande tentation.

— Bonne nuit, chérie.

Cela faisait plus de soixante heures d'affilée qu'ils étaient ensemble et, pour le quitter, Neve eut plus de mal qu'elle l'aurait cru.

— Bonne nuit, Joe.

La maison était propre, il y avait un bouquet de fleurs posé sur la table de la cuisine, et les pommes de terre attendaient dans une casserole, sur le poêle.

A midi pile, on sonna à la porte d'entrée. Neve abandonna le couteau qu'elle venait d'utiliser pour éplucher deux oignons et courut ouvrir.

— Bonjour ! dit Joe, lui adressant un large sourire.

Ce sourire lui avait manqué, comme ce corps chaud couché près d'elle dans le lit. Le canapé-lit de la cuisine, qui avant lui semblait si confortable, ne lui convenait plus du tout maintenant.

— Bonjour.

Il se pencha pour ramasser le courrier sur le paillasson et le lui tendit puis il entra dans la cuisine. Sans un baiser.

Mais dès qu'elle eut déposé les lettres sur la table, il la prit dans ses bras et la serra contre lui.

— Tu m'as manqué hier soir, dit-il.

— Ah bon ? Je croyais que tu dormirais comme un bébé…

— Non. Je pensais à toi.

— Et plus précisément ?

En réponse, il l'embrassa. Elle aussi, elle y avait pensé.

— Je me demandais ce que tu allais me préparer pour le déjeuner d'aujourd'hui.

Elle se dégagea doucement, se dirigea vers la cuisinière, et saisit la poêle à frire.

— Saucisses-purée.

— Tu es vraiment mon genre de femme, répondit Joe, hilare. Une sauce à l'oignon pour accompagner ?

— Je pensais que tu t'en chargerais.

Neve se dirigea vers la table et regarda son courrier : deux factures, qu'elle mit de côté, et plusieurs enveloppes colorées.

— Pourquoi ne les ouvres-tu pas ? demanda Joe, désignant de la tête le manteau de la cheminée déjà encombré de cartes de vœux.

Elle sourit et entreprit de décacheter les enveloppes.

— Ah… C'est bien. Ma tante Maureen.

Joe prit la carte qui représentait une scène de Noël.

— Est-ce que tu as un sapin ? demanda-t-il.

— Pas encore. Je n'ai pas eu le temps.

— Veux-tu que je t'en procure un ? Je pourrais y aller lundi, si tu n'as pas besoin de moi pour tes visites.

— Tu n'auras pas à m'emmener. Nous pensons reprendre la rotation normale lundi prochain, alors je serai au cabinet médical. Et je ne ferai peut-être pas d'arbre cette année étant donné que je rentre à Londres pour Noël.

— Pour trois jours, mais Noël dure plus longtemps que ça !

— D'accord, alors, si ça ne te dérange pas… Merci.

Neve déchira la dernière enveloppe. Elle contenait une carte épaisse, lourde, et à la fois sobre et artistique, comme une carte envoyée par une entreprise.

Quand elle l'ouvrit, son sourire disparut instantanément.

« Joyeux Noël

Je t'ai vue à la télé l'autre jour, et j'ai compris que je t'aime plus que jamais.

Je voudrais te revoir.

Matthew »

Neve referma la carte puis, d'un geste aussi désinvolte que possible, elle la déchira en deux avant de s'en débarrasser dans la poubelle de la cuisine. Ensuite, pour faire bonne mesure, elle jeta par-dessus les pelures d'oignons restées sur la planche à découper.

— Je ferais mieux de préparer tout de suite le déjeuner si nous voulons arriver à l'heure au cinéma.

Le regard perplexe, Joe ne répondit pas, et Neve se concentra sur les oignons qu'elle coupa en deux.

Elle n'entendit pas Joe traverser la cuisine, et sursauta quand il passa les bras autour de sa taille et déposa un baiser sur sa nuque.

— Il y a quelque chose dont tu veux parler ?

— Pas vraiment.

Il lui ôta le couteau de la main et le posa sur la table puis il obligea Neve à se retourner, et d'un doigt, lui essuya la joue.

— Et ça, c'est à cause des oignons, je suppose ?

— Exactement.

La carte de Matthew l'avait surprise et troublée. Rien de plus. Pour lui, il ne lui restait ni larmes ni amour, et s'il tentait de nouveau de la joindre, elle le lui dirait.

— Alors tu ne veux pas me dire qui t'a envoyé cette carte.

— Mon ex-mari, répondit Neve, se décidant. Je ne savais même pas qu'il avait mon adresse.

— Tu ne lui as pas dit où tu habitais ?

— Quand j'ai quitté Londres, j'ai voulu tourner la page, mais Matthew m'a sûrement vue à la télé dans cette stupide interview, et il n'a pas dû avoir trop de mal à me trouver.

— Il t'a fait tant de mal que ça ?

— C'est de l'histoire ancienne.

— Oui, mais parfois, le passé laisse des traces…

— Je n'aurais pas dû te parler de ça.

— Tu n'as rien à te reprocher. C'est arrivé, c'est tout. Parfois, je me réveille en pleine nuit et je me crois là-bas.

— Mais… tu m'as dit que tu ne te souvenais pas…

— Quand on est blessé, dans son corps ou dans ses sentiments, le choc reste en soi. On se croit guéri, on a l'air guéri, mais il faut du temps avant que les émotions suivent…

— Il est peut-être temps que j'en parle.

— Si je préparais une tasse de thé ?

En s'activant, Joe laissa à Neve du temps pour réfléchir, et dès qu'il s'assit, les mots jaillirent.

— Quand j'ai épousé Matthew, j'avais vingt-trois ans, et je n'avais pas encore terminé mes études. Il était intelligent et charmant. Il avait gagné beaucoup d'argent quand il était très jeune, et il voulait tout me donner.

— C'était un bon début.

Joe prit la théière et remplit deux tasses.

— Oui, je le croyais, moi aussi. Ensuite, Matt a commencé à avoir des sautes d'humeur que j'attribuais au stress parce qu'il travaillait très dur. Assez vite, il s'est mis à décider de tout : où nous vivions, qui nous voyions, quel genre de vêtements et quel parfum je devais porter…

228

— Et tu l'as quitté.

— Non. J'aurais dû le faire, je sais, mais je voulais que notre mariage marche. Je pensais que tout était ma faute.

Une larme coula sur la joue de Neve, et un soupçon s'incrusta dans la tête de Joe, lui donnant la nausée.

— Est-ce qu'il t'a fait du mal ?

Voyant Neve hésiter, Joe lui prit les mains par-dessus la table.

— Nous pouvons gérer ça ensemble.

Leurs regards se mêlèrent, et Neve inspira profondément.

— J'étais enceinte. Ce n'était pas prévu, mais j'étais folle de joie. Je pensais que Matt serait aussi content que moi, mais il a déclaré que ce n'était pas le moment. Il valait mieux que j'attende quelques années, que je sois mieux installée dans ma carrière et, ensuite, *il* y penserait. J'ai compris depuis qu'il mourait de peur que l'enfant prenne sa place et devienne ma priorité… Dans mon cœur, je savais que notre foyer n'était pas l'endroit idéal pour élever un enfant, mais j'ai tenté de convaincre Matt. Les discussions ont duré des semaines mais, pour une fois, je n'ai pas cédé. Et puis un soir, je lui ai dit que je le quittais. Il m'a frappée en plein visage.

Un accès de rage secoua Joe. Il fallait qu'il trouve ce type ignoble… Mais exploser de colère parce qu'il ne pouvait pas corriger la brute qui avait fait du mal à Neve était la dernière chose dont elle avait besoin.

Lentement, il lui caressa la joue.

— Que s'est-il passé ensuite ?

— Je me suis enfuie, mais il m'a rattrapée. J'ai pourtant réussi à me dégager, et je me suis sauvée en voiture. Je n'aurais pas dû conduire, mon œil commençait à enfler, mais…

— Tu protégeais ton enfant.

— En tout cas, je le croyais. Je tournais dans la rue de mes parents quand un adolescent à moto a surgi de nulle part. En faisant un écart pour l'éviter, j'ai heurté une voiture venant en face.

— Tu as été blessée ?

— Je ne roulais pas très vite et l'airbag m'a sauvée. Mais comme je saignais du visage, quelqu'un a appelé une ambulance qui m'a emmenée à l'hôpital. Ma mère leur ayant expliqué que j'étais enceinte, on m'a examinée et on m'a dit que tout allait bien… Mais deux jours plus tard, j'ai perdu mon bébé.

— C'est affreux, murmura Joe.

Neve lui adressa un sourire tremblant qui le bouleversa.

— Quand Matthew est venu me voir et qu'il a dit que c'était mieux comme ça, que nous pouvions oublier et prendre un nouveau départ, je l'ai jeté dehors. Ensuite, mon père ne l'a plus laissé entrer dans la maison.

— C'est bien que tes parents aient été là pour te soutenir.

— Mais je dois assumer aussi ma part de responsabilité.

— Tu sais bien que l'accident de voiture n'est sûrement pas la cause de ta fausse couche. Au cours du premier trimestre, le bébé n'est pas très bien accroché…

— La question n'est pas là. Si j'étais partie tout de suite, dès que j'ai su que j'étais enceinte…

S'interrompant, Neve secoua tristement la tête.

— Tu peux tourner éternellement en rond avec tes questions.

Joe se surprit à utiliser la formation psychologique qu'il avait reçue. Voilà qu'il se raccrochait à cette profession qu'il avait promis de ne plus jamais exercer…

— Je ne vais pas te laisser croire que c'était ta faute ! Je sais que tu tenais à ton enfant et que tu as fait de ton mieux.

— Mais je ne peux quand même pas oublier…

— Tu ne dois pas oublier… Jamais. Mais le deuil est un processus qui permet de faire la paix avec le passé de façon à aller de l'avant.

— Oui, mais tu connais les deux rêves que j'ai toujours eus : être médecin, et être mère.

— Et pas « être femme » ?

— Oui, une femme aussi, mais je n'ai pas voulu mentionner ça de peur de t'effrayer.

Elle émit un petit rire et, soudain, la tension qui régnait se dissipa.

— Tu ne me fais pas peur ! Et je pense que tu seras une mère formidable. Je sais déjà quel excellent médecin tu es.

En parlant, Joe eut un pincement au cœur. Si Neve avait compris qu'elle devait tourner la page pour trouver l'homme qui serait un bon père pour ses enfants, lui, il savait qu'il n'était pas cet homme-là. Son passé lui avait prouvé qu'on ne pouvait pas lui confier d'autres personnes.

Mais l'espoir sur le visage de Neve était si précieux… Il devrait se concentrer sur lui, et non sur ses propres doutes.

— Merci pour tout ce que tu m'as dit.

— Je t'ai seulement dit ce que je vois.

Elle quitta sa chaise pour venir s'asseoir sur ses genoux, et, heureux, Joe la berça contre son épaule, oubliant tout le reste.

— Puisque je ne te fais pas peur, tu veux bien prendre le risque de déjeuner avec moi ? demanda-t-elle en souriant.

— Mmm… Vivons dangereusement.

11.

Pour Joe, les heures, délicieuses, avaient passé très vite. Il y avait eu le déjeuner, puis ils s'étaient rendus en ville pour aller au cinéma.

Dans la salle obscure, il ne put tenir plus longtemps ses pensées à distance. Quand les lumières revinrent, il avait perdu le fil de l'histoire, mais le scénario qui avait germé dans sa tête était très clair pour lui.

De retour chez Neve, celle-ci lui donna un petit coup de coude dans les côtes alors qu'ils se dirigeaient vers la porte d'entrée.

— Tu es bien silencieux. Tu n'as pas aimé le film ?

— Si, il était bien…, répondit-il sans conviction.

— Moi, j'ai trouvé un peu exagéré le moment où le héros attendait de recevoir les informations sur son ordinateur portable. S'il avait glissé l'ordinateur sous son bras et s'il s'était enfui avec, il aurait été loin quand les soldats sont arrivés.

Joe ne put s'empêcher de sourire. De toute évidence, Neve n'avait pas plus apprécié le film que les autres spectateurs dont il avait entendu les commentaires à la sortie. Mais elle ne laissait jamais les petites choses de la vie l'abattre, elle se contentait d'en sourire… Il ressentit comme un devoir de ne pas étouffer cet irrépressible optimisme.

— Je suppose que le réalisateur devait absolument caser la séquence de poursuite sur les toits, dit-il.

C'était à peu près la seule partie du film dont il se souvenait.

— Tu as dormi, sûrement : ça, c'était après.

Neve sortit ses clés. Ils entrèrent tous les deux, et Joe pénétra derrière elle dans la cuisine.

— C'était quelque chose aussi, cette poursuite sur les toits, reprit-elle. Il aurait dû se briser une jambe en atterrissant sur le trottoir après une chute pareille. Au lieu de ça, il s'est relevé, et il est parti en courant...

Elle s'interrompit, et Joe sut qu'elle avait perçu son malaise.

— Tu n'enlèves pas ta veste, Joe ?

Il décida de se montrer prudent. Neve était vulnérable, et elle n'avait rien à voir dans cette affaire. C'était son problème à lui, et à lui seulement.

— Je... ne vais pas rester.

Une petite moue trahit la déception de Neve.

— Comme tu voudras. Mais tu peux quand même prendre une tasse de thé ?

— Non... Ecoute, je pense que nous devrions faire une pause.

Elle se mordilla la lèvre inférieure. Bon sang, c'était exactement ce qu'il ne voulait pas : qu'elle se fasse des reproches.

— Eh bien... d'accord. Comme tu voudras.

— Cette pause, ce n'est pas ce que je souhaite profondément. Mais je ne t'ai pas tout dit.

Neve se laissa tomber sur une chaise.

— Je peux tout entendre...

Il le savait. Mais c'était compliqué, et le moment n'était pas idéal pour l'accabler avec son problème.

— Je rentre au Canada. Dans deux semaines.

— Ce n'est pas possible !

— Je sais que j'aurais dû t'en parler... Ecoute, je...

— Enlève ta veste, dit Neve, les yeux brillants de larmes.

Il s'exécuta, la jetant sur le dossier d'une chaise, puis s'assit en face d'elle.

— J'ai pensé à certaines choses et... Quand tu m'as parlé de ton mariage, j'étais furieux contre le type qui t'a fait du mal. Ensuite, quand j'y ai pensé, je me suis aperçu que je ne valais pas mieux que lui. Je ne veux pas te voir souffrir de nouveau, tu ne mérites pas ça. Voilà pourquoi je m'en vais. Je ne peux pas te donner ce que tu veux, et ce serait malhonnête de ma part de te bercer de faux espoirs.

— C'est une manière de me dire que tu as changé d'avis ?

— Non ! C'est une manière de te dire que je ne peux pas te donner ce que tu veux. Il m'est arrivé beaucoup de choses quand j'étais dans l'armée, et je me débats avec ça. Je ne veux pas, ou plutôt, je ne peux plus, prendre la responsabilité d'autres vies.

— Mais tu n'as pas à te sentir responsable de moi !

Neve semblait se raidir, s'éloigner de lui. C'était le début de la fin et, à présent, Joe n'avait plus qu'une envie : en finir rapidement.

— Ecoute, je sais que c'est un projet d'avenir très lointain, mais si un jour ça marche entre nous, ce sera naturel de vouloir s'installer et avoir des enfants. Ça, je ne peux pas le faire, ni maintenant ni plus tard, je pense.

— Je ne t'ai jamais demandé ça, Joe. Nous nous connaissons depuis… quoi… deux semaines ? Peut-être moins, même…

— Je sais. Mais si, au lieu de deux semaines, c'était deux ans, ma réponse serait toujours la même. Sinon, ensuite, je resterais pour toi celui qui t'a donné de faux espoirs, qui ne t'a rien dit… Alors je veux tout te dire maintenant. Tu mérites quelqu'un qui veut la même chose que toi. C'est un homme comme ça qu'il te faut.

La colère fit briller les yeux de Neve. La colère — le dernier rempart contre le chagrin.

— Pour qui te prends-tu ? Qui es-tu pour me dire de quoi j'ai besoin ?

« L'homme qui t'aime, et qui va te quitter », répondit mentalement Joe en reprenant sa veste.

— Si tu pars maintenant, ne reviens jamais.

Joe se leva, et se dirigea rapidement vers la porte avant que son courage l'abandonne, mais il espérait un peu qu'elle le suivrait. Elle n'en fit rien. Alors il referma la porte derrière lui, monta dans sa voiture, et s'en alla.

A quoi bon ressasser tout cela ? Il était arrivé quelque chose à Joe, et Neve n'avait aucune idée de ce dont il pouvait s'agir. Le syndrome dépressif post-traumatique incluait un sentiment de culpabilité et une incapacité à s'engager, mais cela n'expliquait pas tout…

Il fallait remettre les choses en perspective. Cela ne faisait que deux semaines qu'elle le connaissait, et il ne voulait pas aller plus loin. Cela ne faisait pas de leur histoire la romance du siècle ! Trois jours chez elle avec sa famille pour les fêtes de Noël l'empêcheraient de penser à lui le jour, et de rêver de lui quand elle parviendrait à dormir.

La semaine passa avec un défilé de toux, de rhumes et d'entorses, et, enfin, arriva le vendredi matin, veille de Noël. Neve se leva tôt pour faire ses valises afin de prendre le train pour Londres à midi. Il faisait froid dans la chambre, et quand elle ouvrit les rideaux, elle comprit pourquoi : une épaisse couche de neige recouvrait la rue.

Prenant son ordinateur portable, elle se réinstalla sous les couvertures et se renseigna sur le trafic ferroviaire.

Les trains pour Londres rouleraient normalement et, malgré une météo pessimiste, aucun retard pour les trains intercités n'était mentionné. Elle devrait peut-être se rendre à la gare à pied, mais ce n'était pas un problème insurmontable.

Rassurée, elle referma son ordinateur.

Deux heures plus tard, et une heure et demie avant le départ du train, elle était prête à partir — et à mettre presque cinq cents kilomètres entre elle et Joe…

Son téléphone sonna. Etait-ce Joe qui l'appelait pour lui souhaiter un joyeux Noël ?

Ce n'était pas lui.

— Maisie… Bonjour. As-tu essayé ma recette de vin chaud ?

— Ecoute, je suis désolée de te faire ça…

La main de Neve se crispa sur le téléphone.

— Que se passe-t-il ?

— Emma a appelé. Elle se trouvait dans le train pour venir passer Noël ici, et celui-ci est tombé en panne dans le tunnel, juste avant d'arriver à Leminster. Apparemment, ils ont attendu une heure avant qu'une équipe de maintenance arrive. Le conducteur est descendu de sa machine pour aider les autres à déblayer la neige et, tout à coup, il s'est écroulé. On l'a ramené dans un wagon et Em fait tout son possible pour lui. Son téléphone ne fonctionne pas dans le tunnel, mais elle a fait passer des messages par un employé de la maintenance qui a parlé à Ted. Il dit que ça ressemble à une crise cardiaque.

— O.K. Je pars. Préviens Emma si tu peux. Est-ce que tu as contacté les secours ?

— Oui. Ted aussi est en route, mais il vient d'appeler pour dire qu'il y a beaucoup de neige et qu'il progresse très lentement.

— Il va falloir que j'y aille à pied, mais ce n'est pas loin. Je devrais arriver sur place plus vite que l'ambulance ou que Ted. Dis-lui de rentrer. Je vous tiendrai au courant.

— Merci. Ce serait peut-être bien que j'appelle Joe ?

Joe ? Surtout pas. Elle pouvait régler cela toute seule.

— Non, ça va aller. Il ne pourrait pas arriver là-bas avant moi.

— Entendu. Si tu as besoin de quelque chose, appelle-moi.

— O.K. Merci d'avoir appelé.

— Tu ne le penses pas.

— Oui et non. Si tu ne l'avais pas fait, je ne te l'aurais pas pardonné.

Neve raccrocha puis, résignée, elle parcourut du doigt sa liste de contacts.

Joe répondit à la deuxième sonnerie.

— Neve… Bonjour.

Il semblait détendu, et content qu'elle appelle. Avait-il déjà oublié qu'ils s'étaient brisé mutuellement le cœur ?

— Il y a un train en panne dans le tunnel juste à la sortie de Leminster, avec une urgence probable à bord…

— Tu as besoin que je t'emmène ?

— Non. A pied à travers champs, j'arriverai plus vite sur place. Mais il se peut que j'aie besoin d'une assistance médicale, et tu es le seul médecin à part moi dans les environs immédiats.

— Ecoute… je ne crois pas que ce soit très judicieux…

Elle avait mis sa fierté de côté pour l'appeler, et il la rejetait !

— Comme tu voudras.

Sans attendre de réponse, Neve raccrocha. Pourquoi perdre du temps à parler avec lui ? Chaque minute comptait.

En hâte, elle fourra du matériel médical dans un sac et enfila sa veste et ses chaussures, puis elle mit de côté ses deux valises. Noël attendrait !

Dans des conditions normales, il fallait dix minutes pour arriver au tunnel par un sentier piétonnier qui contournait les champs avant de longer la voie ferrée. Mais avec un lourd sac médical à porter, et dans la neige épaisse, au mieux vingt minutes seraient nécessaires.

Concentrée, afin de marcher vite et sans glisser, Neve ne vit pas tout de suite la silhouette qui se dirigeait vers elle à travers les champs. Et quand elle leva la tête, l'homme n'était plus très loin.

Joe. Son capuchon cachait son visage, mais son imposante stature et son aisance dans la neige épaisse le rendaient reconnaissable sans risque d'erreur.

Neve ravala la joie qui l'avait envahie.

— Tu ne devais pas venir ! lança-t-elle, peu aimable.

— J'ai changé d'avis.

Il l'avait rejointe, et il se mit à marcher à côté d'elle.

— Laisse-moi prendre ton sac.

— Je peux me débrouiller.

— Donne-moi ce sac, insista-t-il.

Elle le lui tendit après avoir fait passer la bandoulière au-dessus de sa tête et il l'accrocha aussitôt à son épaule.

— Merci…

Ils iraient plus vite de cette façon, et c'était tout ce qui comptait.

— Qu'est-ce que tu fais là, Joe ?

— Tu m'as demandé de venir.

— Oui, mais ce n'était pas « judicieux » ! Tu as décidé de venir juste pour regarder ?

— Non, j'ai pensé que ce serait peu judicieux de ma part de ne pas proposer mon aide dans cette situation.

Il n'était pas venu pour elle, mais pour les gens de ce train. A cette idée, Neve ne put réprimer une légère déception.

— Quelle expérience as-tu ? demanda-t-elle sèchement.

— Chirurgien militaire — chirurgie générale. Et soins d'urgence en zone de combats.

12.

A présent, il fallait qu'elle travaille avec lui, et non contre lui. Qu'elle lui apporte un peu de soutien, et qu'elle cesse de le traiter comme l'homme qui lui avait brisé le cœur six jours auparavant.

— Pour résumer la situation, dit Neve, il y a dans le train un homme qui a sans doute fait une petite crise cardiaque, plus, peut-être, d'autres problèmes médicaux, mais je n'en sais pas davantage.

— Nous allons bientôt être fixés : je crois que j'aperçois l'arrière du dernier wagon.

Loin devant eux, la voie, bordée de talus enneigés, disparaissait dans un tunnel. Il neigeait beaucoup, mais on distinguait à l'entrée du tunnel une tache de couleur vive — une silhouette qui portait une tenue haute visibilité et qui agitait les bras pour attirer leur attention.

Derrière Joe, Neve glissa prudemment sur la pente qui descendait vers les rails. Ensuite, il se fraya un chemin à travers les buissons qui formaient une haie dissuasive de part et d'autre de la voie ferrée, écartant les branches afin que Neve puisse passer.

L'homme en tenue haute visibilité les attendait de l'autre côté de la haie.

— Nous sommes les médecins, Neve Harrison et Joe Lamont.

C'était la première fois que Neve entendait Joe se présenter de cette façon, mais elle n'eut pas le temps de réfléchir à ce que cela impliquait.

L'homme coupa les fils de fer barbelés, et elle faillit perdre l'équilibre en suivant Joe sur la pente raide, mais il la retint.

— Tiens-toi à distance des rails et ne touche rien, dit-il.

Le conseil semblait des plus sensé, et Neve opina.

— Nous sommes presque en bas, ajouta-t-il. Laisse-toi glisser et je te rattraperai.

Neve fit de son mieux pour que Joe n'ait pas à la toucher, mais ce fut impossible : après avoir dérapé sur les derniers soixante centimètres de talus, elle se retrouva dans ses bras.

Leurs regards s'évitèrent soigneusement. Joe la lâcha, et se tourna vers l'entrée du tunnel.

— Il faut que vous voyiez Adam Grimshaw ; c'est mon patron, dit l'employé des chemins de fer.

— O.K., merci. Là-haut ?

Joe pointa l'index en direction d'une passerelle en pente raide, faite de planches assemblées permettant d'accéder à la dernière porte du wagon de queue.

— Oui. Vous voulez un coup de main ?

— Non, merci. Ça va aller.

Joe accéda à la porte ouverte et, après avoir déposé les sacs à l'intérieur, il aida Neve à monter en la prenant par le bras.

A l'intérieur du wagon, il faisait sombre. Ouvrant son sac, Joe en sortit deux lampes torches. Il en donna une à Neve, et alluma l'autre pour regarder ce qui les entourait.

Neve avisa un autre cheminot qui se hâtait de les rejoindre, une main en visière pour protéger ses yeux de la lumière de la lampe torche.

— Vous êtes médecin, madame ?

— Drs Harrison et Lamont, répondit Neve, s'avançant dans sa direction. On nous a dit de demander Adam Grimshaw.

— C'est moi. Je gère la situation ici à bord du train en attendant qu'on puisse faire descendre tout le monde. Merci d'être venus aussi vite. Le conducteur est malade, et on a une blessée.

Neve se tourna vers Joe.

— Je vais me charger de la crise cardiaque, tu t'occupes de l'autre personne.

— Comme tu voudras, répondit-il sèchement.

L'homme les emmena dans le wagon voisin où des groupes de passagers étaient assis dans l'obscurité. Tous les visages, blafards dans la lumière de la lampe, se tournèrent vers eux.

La voix d'Adam s'éleva au milieu des murmures interrogateurs.

— Tout va bien. Restez à vos places, s'il vous plaît. C'est le médecin qui arrive.

Dans le wagon suivant, bondé, il y eut les mêmes visages tout pâles, et les mêmes questions, mais cette fois, des pleurs d'un jeune enfant déchirèrent l'air. Dès qu'elle aurait vu les urgences, il faudrait qu'elle trouve la mère de cet enfant pour voir si tout allait bien, pensa Neve.

— Nous avons rassemblé tout le monde dans les voitures du milieu pour conserver la chaleur, expliqua Adam en empruntant rapidement devant eux l'allée du wagon. Le conducteur ne va pas bien du tout — votre jeune Emma est avec lui dans la voiture de tête. Il y a aussi une passagère qui a été blessée quand le train a stoppé brusquement. J'ai fait tout le train pour demander à tout le monde si ça allait. Il y a quelques blessés légers — des plaies et bosses —, mais je laisse ces personnes-là à leurs places. Parmi eux, il y a une petite fille. Sa mère la garde à l'écart des cas plus graves.

Calme et assurée, la voix de Joe résonna derrière Neve.

— C'est bien. Est-ce que vous pouvez faire encore le tour ? Si quelqu'un a l'air très somnolent, ou désorienté, signalez-le-nous. Parfois, l'adrénaline peut masquer pendant un temps un choc ou d'autres blessures.

— Entendu.

Adam tenant ouvertes les portes de communication, ils entrèrent dans la voiture de tête.

Neve se dirigeait vers Emma qui se trouvait au bout de l'allée quand une main sortie de la pénombre lui agrippa le bras. C'était un homme.

— Vous êtes le docteur ? Ma femme est blessée…

Joe saisit le poignet du passager, et celui-ci lâcha Neve.

— Ça va aller, dit Joe. Je verrai votre femme…

Neve notifia son accord d'un bref hochement de tête et continua d'avancer. Cette fois, Joe n'avait pas le choix, il allait devoir se surpasser.

La jeune femme pleurait doucement. Une autre passagère, assise à côté d'elle, lui tenait le bras, tendu dans une position inconfortable : une tige de métal semblait avoir transpercé la manche et le membre.

Joe s'adressa au mari de la blessée.

— Comment s'appelle-t-elle ?

— Jan. Vous êtes médecin ?

— Oui. Dr Joe Lamont. Je vais m'approcher un peu…

Se penchant, Joe dirigea la lumière de sa lampe sur la tige métallique, une aiguille à tricoter.

— Jan, je m'appelle Joe Lamont. Je suis médecin.

La blessée était pâle, les joues striées de larmes, mais elle semblait en pleine possession de ses moyens, et Joe discerna une lueur de soulagement dans son regard.

— Je vais chercher du matériel, mais ça ne prendra que quelques instants. Ensuite, je vous examinerai. D'accord ?

— Oui. Merci.

A l'extrémité de la voiture, Neve était à genoux sur le plancher et, penchée, elle parlait doucement à un quinquagénaire allongé sur un lit fait de manteaux entassés.

Joe émit un soupir de soulagement. L'homme était conscient, et Neve semblait contrôler la situation. Très vite, il prit dans le sac ce dont il avait besoin, et quand il se retourna, il faillait heurter le mari de Jan qui l'avait rejoint dans l'obscurité.

— Est-ce que je peux faire quelque chose, docteur ?

— Oui. Je voudrais que vous vous asseyiez en face de votre femme. Quand je vais couper la manche de son vêtement, elle aura mal, et elle aura besoin de vous.

Ayant rejoint la blessée, Joe lui soutint avec précaution le bras pendant que s'écartait la passagère qui l'avait aidée. Ensuite, il s'assit à côté de Jan, et dirigea la lumière de sa lampe sur l'aiguille à tricoter tordue par l'impact qui devait l'avoir plantée dans le bras. Mieux valait la laisser en place.

— Jan, je vais essayer de vous rendre les choses un peu plus faciles avant l'arrivée de l'ambulance. Avant tout, je veux m'assurer que vous n'avez pas d'autre blessure. Pas de choc à la tête ?

— Non.

— Bon. Je vais ouvrir votre manteau et palper votre abdomen et vos jambes afin d'être bien sûr.

Il confia la lampe torche à la passagère et lui indiqua où diriger le faisceau. Ensuite, il enfila des gants et, ouvrant le manteau de Jan, il lui palpa doucement le ventre, le dos et les jambes pour détecter d'éventuels signes de douleur ou épanchements de sang.

— Est-ce que ça vous fait mal ?

— Non.

Il referma le manteau.

— Vous allez bien. Mais, malheureusement, je vais devoir couper votre manche pour voir la plaie.

— Pas de souci. Ce manteau ne m'a jamais beaucoup plu.

Jan semblait calme, mais la prudence s'imposait car, chez un patient, le choc de voir son propre corps transpercé pouvait être violent.

— Je ne vais pas toucher l'aiguille. Il vaut mieux laisser un chirurgien de l'hôpital vous l'enlever.

— Oui. Ça fait un drôle d'effet, quand même...

— Je sais. Je voudrais que vous preniez la main de votre mari et que vous le regardiez. Vous pouvez faire ça ?

Jan parvint à sourire.

— Oui, bien sûr. Un regard amoureux, c'est ça ?

Joe pouffa.

— Exactement. Droit dans les yeux.

Il entreprit de découper l'épais tissu de laine du manteau, de part et d'autre du pic de métal, puis l'autre étoffe au-dessous.

Un peu de sang perlait autour de la plaie.

— Ça ne saigne pas trop, commenta Joe. Je vais placer des tampons d'ouate autour pour protéger un peu et immobiliser le tout.

Jan esquissa un sourire tremblant.

— Merci... Ça fait très mal.

— Je m'en doute. Nous allons nous en occuper. Tenez bon, je vais chercher quelque chose contre la douleur.

Joe quitta son siège et indiqua au mari de Jan comment soutenir le bras en attendant qu'il revienne.

— Joe ! Arrêt cardiaque.

La voix de Neve venait de s'élever parmi les voix tranquilles du wagon. Joe se figea. Il avait déjà connu ce genre de situation : un jour, il avait quitté un patient pour s'occuper d'un autre et, ce jour-là, il avait fait le mauvais choix.

Soudain, sa confiance en lui-même, qui s'était affermie pendant qu'il s'occupait de Jan, vola en éclats.

— Joe...

Neve, de nouveau... Il prit sa décision.

— Je reviens dès que je peux. Restez là, comme vous êtes.

Le mari de Jan enregistra la consigne d'un hochement de tête.

Neve était toujours à genoux sur le plancher à côté de son patient. Visiblement désemparée, une autre jeune femme, qui devait être Emma, s'était reculée, la main plaquée sur la bouche avec une expression d'horreur.

Joe se pencha sur le patient à côté de Neve.

Alors, soudain, tout se mit en place, comme deux pièces d'une machine qui s'emboitent et fonctionnent harmonieusement. Sans un mot, Joe souleva l'homme, et le tint ainsi pendant que Neve ôtait les coussins placés sous lui.

— Combien de temps ?

— Vingt secondes. Commence la réa.

— Dis-moi que tu as un défibrillateur dans ton sac !

— Oui. Emma, il nous faut de la lumière, s'il te plaît.

Neve n'eut pas le temps de remercier Joe d'être venu à sa rescousse. Quand elle était arrivée, Gerry était conscient et il parlait, quand, brusquement, son cœur, déjà affaibli par la crise cardiaque, avait cessé de battre : cet homme était en train de mourir sous ses yeux…

Elle ouvrit sa trousse médicale pour en sortir le défibrillateur, et dégagea les électrodes de leur étui protecteur.

Joe avait déjà ouvert les vêtements du malade afin de lui dénuder le torse.

— Tu as un rasoir ?

— Oui, répondit Neve.

Elle sortit le rasoir jetable de la petite poche extérieure du sac, et pendant que Joe poursuivait la réanimation, quelques rapides coups de rasoir dessinèrent dans l'épaisse toison thoracique deux carrés assez grands pour que les électrodes adhèrent correctement.

— Prêt pour défibrillation, dit-elle.

— O.K.

— Dégagez.

Joe se recula.

Neve pressa le bouton.

— Il ne réagit pas. Reprends la réa.

Joe posa de nouveau les mains sur la poitrine du patient, effectuant des pressions régulières pour remplacer le battement du cœur défaillant, une pratique qui maintiendrait une circulation sanguine dans le corps jusqu'à ce que le défibrillateur soit rechargé pour un autre choc.

— Prêt.

— O.K.

— Attention… Dégagez.

Ils suivirent la même procédure. Comme s'ils avaient tout prévu, et réglé chaque geste à l'avance, leurs expériences, acquises sur des continents différents, fusionnaient tout naturellement.

— J'ai un battement cardiaque normal ! dit Neve.

Un petit sanglot résonna derrière elle, et le faisceau de la torche vacilla. Emma… C'était un spectacle pénible pour une étudiante en droit de vingt ans dont la seule expérience médicale provenait de son père !

— Tout va bien, Emma, dit doucement Joe. Vous vous en êtes très bien sortie. Tenez encore quelques minutes, pour nous, et ensuite, je vous promets que vous pourrez pleurer autant que vous voudrez. Dites-moi : comment s'appelle ce monsieur ?

— Gerry.

La lumière s'immobilisa de nouveau : Emma avait inspiré profondément et ravalé ses larmes.

Joe la remercia puis il se pencha sur l'homme dont les paupières frémissaient.

— Gerry ! Est-ce que vous m'entendez ?

Le patient ne répondit pas, mais il ouvrit les yeux.

— Gerry, surtout, ne bougez pas.

A présent, le cœur battait avec régularité. Neve ne quitta pas du regard le petit moniteur du défibrillateur pendant que Joe plaçait un coussin sous la tête du patient, lui parlant sans cesse pour le rassurer.

— Donne-moi la torche, Em, dit-elle. Pourrais-tu aussi, s'il te plaît, poser mon sac près de moi ? Merci.

Elle trouva l'oxymètre de pouls, le fixa au doigt du patient pour évaluer le taux d'oxygène dans le sang, et nota avec satisfaction qu'il n'était pas alarmant.

— Son état est stable. Rassurée ? murmura discrètement Joe.

— La prudence s'impose quand même. Pourquoi ?

— J'ai une femme là-bas au bout du wagon qui a une aiguille à tricoter plantée dans le bras.

— Une quoi ?

— Une aiguille à tricoter. Je veux lui donner un antalgique.

— Regarde dans mon sac. J'ai du paracétamol, ou, si ça ne suffit pas, de la morphine.

— Du paracétamol devrait suffire pour l'instant. Je n'en ai pas pour longtemps.

— Bien. Est-ce que tu pourrais aussi te renseigner pour l'ambulance ?

Gerry avait repris conscience, mais il restait très faible. Ils disposaient d'un délai de quatre-vingt-dix minutes pour le transporter à l'hôpital avant que surviennent des complications irréversibles.

— J'y vais.

Dès que Joe s'éloigna, Neve ressentit une bouffée de tristesse qui remplaça la calme confiance qu'elle avait éprouvée en sa présence.

Elle inspira à fond et se concentra sur Gerry.

— Comment l'ambulance va-t-elle arriver jusqu'ici ?

Le visage d'Emma était pâle dans la lueur de la lampe torche. Joe était reparti depuis dix précieuses minutes.

— On trouvera un moyen, Em. En attendant, nous allons juste gérer la situation ici. D'accord ?

— Oui. Et si je tenais la main de Gerry ?

— Bonne idée. Il faut qu'il reste calme. Rassure-le.

Emma s'exécuta.

— Gerry, reposez-vous bien tranquillement. Le médecin est là. Vous allez vous en sortir.

Neve ignorait si elle pourrait tenir cette promesse-là, mais elle le souhaita ardemment en voyant le patient serrer la main d'Emma.

Joe, revenu, se plaça à genoux près d'elle.

— La première ambulance est à cinq minutes d'ici et il y en a une autre avec elle.

— Comment vont-elles parvenir jusqu'à nous ? On ne va pas transporter Gerry à travers champs !

— Elles arrivent par la route qui longe l'autre côté des voies.

— Ce n'est pas bloqué ?

— Si, mais un chasse-neige leur ouvre la route.

Neve sentit les doigts de Joe se poser doucement sur son

dos. Ne savait-il pas qu'il avait perdu le droit de faire cela ? Tout de même, ce petit geste de réconfort lui fit du bien.

Moins de cinq minutes plus tard, du bruit à l'entrée du wagon annonçait la venue des ambulanciers. Neve se leva et informa rapidement le médecin blond qui les accompagnait.

Les ambulanciers installèrent avec précaution Gerry sur un brancard, l'enveloppèrent dans des couvertures, et lui mirent un masque à oxygène.

— Comment ferez-vous pour sortir d'ici ? demanda Neve au médecin.

— Les voitures sont tout près, et votre collègue aide les cheminots à tracer un sentier jusqu'en haut du talus.

Neve s'était demandé où Joe était passé. Elle avait supposé qu'il se tenait à l'écart maintenant que l'ambulance était là. Elle aurait dû se douter qu'elle se trompait.

— Prêt à partir, docteur ? demanda un des ambulanciers.

Le jeune médecin consulta les notes de Neve qui mentionnaient les médicaments administrés à Gerry et les données fournies par le défibrillateur portable.

— Oui. Nous sommes prêts.

— Bonne route, dit Neve.

— Merci. Tout ira bien. La route du retour sera dégagée comme à l'aller. Est-ce que vous venez avec nous ? Il y aura un siège libre à l'avant.

— Non, il faut que je reste ici avec les passagers. Est-ce que tu veux partir, Emma ?

— Je reste aussi.

Le jeune médecin adressa un sourire chaleureux à Emma qui lui sourit aussi, puis il se hâta de rattraper les ambulanciers et le brancard.

Neve ravala les larmes qui montaient inexplicablement et se dirigea vers la passagère dont Joe s'était occupé, au milieu de la voiture.

Elle n'avait pas terminé son travail.

13.

Neve inspira profondément et s'avança vers la blessée.

— Bonjour. Je m'appelle Neve. Comment vous sentez-vous ?

— Pas trop mal. Comment va le monsieur ?

— Son état est stable. La bonne nouvelle, c'est qu'il est parti pour l'hôpital. Et l'autre bonne nouvelle, c'est qu'une ambulance devrait arriver très bientôt pour vous.

— Merci.

De toute évidence, la jeune femme souffrait, mais Joe avait réussi à l'installer confortablement, le bras soutenu par deux sacs, eux-mêmes posés sur le coussin improvisé d'une veste moelleuse. Elle était enveloppée d'une couverture de survie, et quand Neve toucha son autre main, elle était chaude.

— Pas de problème à part votre bras ?

La jeune femme eut un sourire.

— Non, rien. L'autre médecin m'a demandé ça lui aussi, et il m'a examinée en entier.

De toute évidence, elle avait apprécié l'attention de Joe.

— Comment vous êtes-vous fait ça ? demanda Neve, inspectant le pansement pour déceler une éventuelle trace d'hémorragie.

Ce fut l'homme assis à côté de la blessée qui répondit.

— Jan tenait son tricot en l'air pour compter les rangs quand le train a stoppé, et elle est tombée sur l'aiguille.

— Avec un choc pareil, j'ai eu de la chance que ce soit seulement mon bras, dit Jan.

— Est-ce que Joe vous a donné quelque chose pour la douleur ?

Avec un sourire, Jan passa la main sous la couverture de survie et en ressortit un morceau de carton épais, coupé en forme d'étiquette et fixé à son cou par des bandes de gaze et du sparadrap. Clairement inscrites sur le carton, il y avait l'heure, la date, et la dose de paracétamol administrée.

— Bien. Il ne nous reste qu'à attendre l'ambulance, alors.

La seconde équipe d'ambulanciers arriva dans le wagon quelques minutes plus tard. Ils aidèrent Jan à se lever et à s'installer sur un brancard. Avant de partir, son mari serra la main de Neve.

— Merci. Et remerciez le Dr Lamont de notre part, dit-il.

— Je n'y manquerai pas.

Elle n'en aurait sûrement pas l'occasion, pensa Neve. Joe était parti maintenant, et il ne reviendrait pas. Bientôt, il rentrerait au Canada. C'était peut-être mieux ainsi. Mais avec l'obligation de s'occuper des autres passagers du train, pas question de se blottir dans un coin pour pleurer ! Elle redressa les épaules et ouvrit la porte de la deuxième voiture, à la recherche d'Adam Grimshaw.

Des visages se tournèrent dans sa direction et des murmures s'élevèrent puis quelqu'un se mit à applaudir. Puis quelqu'un d'autre, et quand elle arriva au centre du wagon, tout le monde applaudissait.

Elle n'était pas aussi seule qu'elle le pensait, mais la seule personne qu'elle voulait n'était pas là…

— Merci. Merci, tout le monde. Les deux personnes blessées sont en route pour l'hôpital…

Il y eut un murmure d'approbation.

— Quand pourrons-nous sortir ? demanda une voix d'homme.

— Je n'en sais pas plus que vous. Je vais demander.

— On pourrait suivre les rails — passer par le même

chemin que vous quand vous êtes arrivée, suggéra une autre voix.

— Non. Ce ne serait pas très sûr. Nous sommes bloqués à plusieurs kilomètres du premier village sans aucune possibilité de transport, et, dehors, il fait encore plus froid qu'ici.

— Il vaut mieux rester ici, conclut une autre voix, dominant le brouhaha.

Enfin un avis raisonnable ! pensa Neve. Quelques autres personnes s'y rallièrent, et l'opinion bascula : on attendrait là.

Voyant Adam entrer par la porte opposée, elle se hâta de le rejoindre.

— Est-ce que vous avez passé tous les wagons en revue, comme mon collègue l'a demandé ?

— Oui. Il y a deux autres blessures bénignes que vous devriez voir. Une femme avec une main enflée, et l'enfant de tout à l'heure. Voulez-vous qu'on vous les amène ?

— Oui, tant que la voiture est stable. Elle penche, on dirait.

— C'est exact. Les roues ont heurté un bloc de glace et ont quitté les rails, mais elles sont bloquées maintenant.

— Vous en êtes sûr ? Il n'y a pas de danger que cela bascule davantage ?

— Non. Je suis allé voir. Les roues de devant sont coincées. Nous allons évacuer tout le monde dans un train de secours.

— Certains passagers parlent de marcher le long des voies. Je leur ai dit que c'était une mauvaise idée et que nous devrions attendre.

— Oui. Très bien. Si quelqu'un d'autre pose des questions, faites passer ce message-là. C'est beaucoup trop dangereux de faire marcher tous les passagers d'un train le long de voies électrifiées. Je vais faire circuler des pots de café, et avec un peu de chance, ça fera patienter tout le monde.

— Du café ? répéta Neve, alléchée.

Adam eut un sourire.

— Je vais vous en faire apporter. C'est la moindre des

choses… Merci pour Gerry… Voyez-vous, je le connais depuis trente ans et c'est quelqu'un de bien.

Neve prit la main que lui tendait Adam et il la serra avec effusion.

— J'ai été contente de pouvoir aider.

— Je veux remercier aussi Emma. Il n'y avait personne du corps médical dans le train, et elle s'est proposée courageusement alors qu'elle tremblait comme une feuille.

— Je vais lui parler, répondit Neve, émue en imaginant Emma seule et effrayée. Elle est un peu choquée, et si vous avez une minute, je serais contente que vous lui disiez quelques mots.

— Je le ferai, dit Adam. Je vais chercher le café et je reviens.

Quand Neve regagna la voiture de tête, elle se hâta de rejoindre Emma assise seule à l'autre bout, serrant son manteau autour d'elle, les joues marbrées de larmes.

— Emma…

Elle s'assit à côté d'elle et lui prit la main.

— Où est Joe ? demanda Emma.

— Il est parti avec l'ambulance, répondit Neve d'une voix qui tremblait légèrement.

— Tu crois que Gerry va s'en sortir ?

— Il est en route pour l'hôpital.

— Je n'ai pas su quoi faire, Neve.

— Ne t'inquiète pas. Tu n'as pas perdu ton sang-froid, et tu as appelé à l'aide. Ensuite, tu as suivi les indications de ton père jusqu'à ce que j'arrive avec Joe. C'était déjà beaucoup !

— Mais si j'avais su reconnaître les signes, j'aurais peut-être pu agir plus tôt, et il n'aurait pas fait cet arrêt cardiaque.

— Son cœur était affaibli par la crise cardiaque, et c'est ce qui a favorisé l'arrêt. Tu n'aurais rien pu faire. C'est grâce à toi que Joe et moi avons pu agir à temps.

— Je vais apprendre à réanimer, déclara Emma.

— Très bonne idée. Tout le monde devrait savoir le faire.

Emma s'essuya les joues d'un revers de main.

— Peut-être que Joe voudra bien m'apprendre.

— Peut-être, répondit Neve.

Il y avait peu de chances qu'il puisse, sauf s'il pouvait trouver un peu de temps avant son départ pour le Canada…

— Qu'est-ce que je voudrai peut-être faire ? demanda derrière elles une voix grave.

Neve n'osa pas lever les yeux.

Joe ! Vous êtes revenu ! murmura Emma.

— Bien sûr.

— Je te croyais parti avec l'ambulance, dit Neve.

Sa voix tremblait. Elle avait tellement rêvé qu'il revienne… Bonheur provisoire. Il allait bientôt partir pour de bon, et elle souffrirait terriblement.

— J'étais sur le talus. J'aidais les ambulanciers.

Il adressa un sourire à Emma.

— Comment ça va, Em ?

— Nous sommes contentes de vous voir.

Elle se leva vivement et gratifia Joe d'une accolade spontanée. Celui-ci la berça contre son épaule, dans le but évident de la rassurer.

Adam venait d'entrer, portant une Thermos de café et des tasses en polystyrène.

— Tu devrais aller chercher du café, Em, suggéra Neve. Je crois qu'Adam veut te parler.

— Du café !

Réconfortée par l'accolade et par la perspective d'une boisson chaude, la jeune femme se dirigea vers l'autre extrémité de la voiture.

Neve pensait que Joe trouverait un prétexte pour s'esquiver, mais il s'assit en face d'elle.

— Où va-t-elle ? demanda-t-il, désignant de la tête Emma qui s'éloignait.

— Adam voulait la remercier personnellement d'avoir proposé son aide.

Joe esquissa une moue approbatrice.

— Elle a besoin de reconnaissance. Ça a dû être très dur pour elle.

— Oui. Et pour toi aussi. Merci d'être là.

Il se pencha en avant, les coudes sur les genoux, et derrière les hauts dossiers de leurs sièges, ils eurent l'impression d'être seuls au monde.

— Je ne mérite aucun remerciement, Neve.

— Ta présence a fait une énorme différence.

Durant un instant, des ondes précieuses vibrèrent de nouveau entre eux. Mais Joe secoua la tête.

— Tu sais bien que ce n'est pas vrai.

— Je sais surtout que je ne t'ai guère encouragé à venir !

— Tu m'as appelé !

— Et je t'ai raccroché au nez.

— Tu avais le droit d'être en colère. Quelqu'un qui pense que sauver une vie n'est pas « judicieux », cette personne-là ne vaut guère la peine.

— Une personne qui surmonte ses sentiments personnels et qui fait ce qu'il faut vaut vraiment la peine.

Joe lui avait fait beaucoup de mal, mais elle s'en était prise à lui par dépit, et cela n'aidait ni l'un ni l'autre. Il méritait mieux que cela — et elle aussi, peut-être, pensa Neve.

— Je m'en souviendrai la prochaine fois où je rencontrerai ce genre de situation…

— Ce qui se situe très loin dans l'avenir, j'imagine.

Joe émit un bref rire désabusé.

— Probablement, oui.

— En attendant, souviens-toi de ce nom : Gerry. C'est celui de l'homme que tu as aidé à sauver.

Comme s'il se sentait soudain fatigué, Joe passa une main sur ses yeux puis il scruta Neve, et un frisson brûlant la traversa.

— Tu es un médecin formidable et… la prochaine fois que quelqu'un te dira que tu dois changer, je te suggère de lui rire au nez, d'accord ?

— J'y songerai.

— O.K. C'est parfait.

Il n'y aurait pas de prochaine fois pour elle et lui, pensa-t-elle tristement. Et pas de miracle. Joe n'allait pas dire qu'il avait eu une révélation, qu'il avait retrouvé sa confiance en lui et qu'il revenait à la médecine… et qu'ils pourraient se donner une seconde chance. De toute façon, dans quelques jours, il prendrait l'avion pour retourner au Canada.

— Ah, Emma… Merci.

Joe se leva soudain et, se retournant, Neve vit Emma qui s'avançait dans leur direction, portant trois gobelets de café. Joe en prit un et le tendit à Neve.

— Génial… Ça va me faire du bien, dit-elle.

Le froid qui régnait dans le train recommençait à la glacer.

— Est-ce qu'on a amené nos autres patients ? reprit-elle.

— Ils arrivent. Le premier est déjà là, répondit Emma.

Se tournant vers l'autre extrémité de la voiture, Joe fit signe qu'il arrivait.

— Reste là et bois ton café, Neve, dit-il. Si j'ai besoin de toi, je t'appellerai.

Elle sirota son café, et sourit en écoutant Emma lui raconter fièrement ce qu'Adam lui avait dit. Mais elle ne put rester longtemps assise et se dirigea vers Joe, comme attirée par une force irrésistible.

Il était assis à l'autre bout du wagon, à côté d'une jeune femme, et il avait une fillette de trois ans environ assise sur les genoux. Il persuadait sa petite patiente de le laisser désinfecter la coupure qu'elle avait au bras.

— D'abord, je vais nettoyer ton bras avec ça, Daisy.

Il avait dans la main une lingette antiseptique qu'il avait prise dans le sac de Neve. S'en emparant, Daisy la frotta contre la manche du chandail de Joe.

— Non, ma chérie, sur la peau.

Tout en gardant l'enfant dans le cercle de ses bras, il lui remonta sa manche, et elle le regarda avec intérêt se frotter l'avant-bras sans ménagement.

Il esquissa une petite grimace de douleur feinte.

— Ouille… Ça pique un peu, mais c'est parce que ça marche bien.

Il tira du paquet une autre lingette et Daisy lui sourit.

— Fais le bruit avec ton gant, dit-elle.

— Bien sûr. J'ai oublié.

Il fit claquer sur son poignet le bord d'un des gants de chirurgien qu'il portait.

— Tu es prête, maintenant ?

Daisy acquiesça de la tête, et Joe entreprit de nettoyer doucement la plaie, tenant fermement la fillette contre lui quand elle geignait.

— C'est presque fini, ma chérie.

C'était insupportable pour Neve, cette douceur d'un enfant contrastant avec la rudesse d'un homme déchiré par la guerre. Le pire, c'était que Daisy ressemblait un peu à Joe, avec ses cheveux bruns et ses grands yeux. Il ferait un père formidable…

Mais elle n'avait pas le droit de penser à cela. Absolument aucun droit d'imaginer que Joe avait le même projet qu'elle. Il avait sa propre vie, et ses propres aspirations, qui n'avaient rien à voir avec les siennes.

— Tu es très courageuse, Daisy. Maintenant, je vais mettre un petit sparadrap sur ta blessure, et tu ne devras pas l'enlever… Mais avant, ceci. Ça s'appelle une suture, et ça ne fait pas mal du tout.

— Fais le bruit.

— Ah oui. Merci de me le rappeler.

Joe fit claquer ses gants, et Daisy leva vers lui un visage hilare devant une Neve au supplice.

Il décida de poser deux points, ce qui était l'option la plus sûre. Il le fit si rapidement, et d'une main si experte, que la fillette eut à peine le temps de s'en apercevoir.

— Maintenant, je vais coller un pansement dessus pour que tout tienne bien en place…

C'en était trop pour Neve. Comme Adam entrait dans le wagon avec une quinquagénaire dont il portait les sacs, elle se tourna vers eux et arbora un large sourire.

14.

Maintenant, il ne restait plus qu'à attendre et les minutes s'étiraient interminablement. Daisy avait demandé à Joe de lui raconter une histoire, et il l'avait fait avant de la rendre à sa mère. Neve, elle, s'occupait d'une femme qui souffrait d'une entorse du poignet, et Emma était assise à l'autre bout du wagon.

Joe gagna la queue du train pour aller retrouver Adam, et voir aussi s'il pourrait obtenir une meilleure réception sur son téléphone. Mais les deux barres qu'il obtint ne lui servirent pas à grand-chose parce qu'il n'y avait personne qu'il souhaitait appeler. En fait, tout ce qu'il avait toujours souhaité se trouvait là, à portée de sa main, mais hors d'atteinte.

En proie à une profonde insatisfaction, il regagna la voiture de tête, et se laissa tomber sur une banquette en face d'Emma et Neve.

— Quelles sont les nouvelles ? demanda Emma.

— Ça va prendre du temps, répondit-il.

— On pourrait rentrer à pied, tous les trois, suggéra-t-elle avec un large sourire.

— Nous ne pouvons pas marcher le long des voies.

Emma étira ses bras avec impatience.

— Ça ne doit pas être bien dangereux puisque vous l'avez fait, avec Neve.

En entendant son nom, celle-ci sembla sortir de sa rêverie.

— Nous avons marché pour venir ici en urgence, mais nous nous trouvons à des kilomètres de la gare de départ, et pour arriver à Leminster, nous devrions longer tout le tunnel dans le noir.

— Très bien. Alors qu'est-ce qu'on peut faire ? demanda Emma, remuant sur son siège.

— On nous envoie un train de secours, répondit Joe. Il s'approchera aussi près que possible du wagon de tête pour qu'on puisse s'y réfugier. Ensuite, direction Leminster.

— Alors ça ne sera plus très long, maintenant ? demanda Neve, les yeux pleins de larmes.

— Non, plus très long.

Une heure plus tard, enfin, le train de secours arrivait en gare de Leminster. Tous les passagers gagnèrent en hâte la salle d'attente où beaucoup de gens les attendaient. A l'écart, Joe regarda Neve s'assurer que la femme avec l'entorse au poignet et la mère de Daisy avaient quelqu'un pour les ramener chez elles.

Emma aussi avait quelqu'un qui l'attendait. Un homme fendit la foule, et elle tomba dans ses bras en lui adressant un flot de paroles. L'homme l'écouta avec un regard empli de fierté et de soulagement, et Joe, se sentant indiscret, s'éloigna discrètement. C'était leur monde, pas le sien.

Neve, elle, était seule à la gare. Personne n'était venu la chercher. Il la vit glisser la bandoulière de son sac à son épaule et se diriger vers la sortie.

Neve en avait assez de se forcer à sourire. Tout le monde lui souhaitait un joyeux Noël alors qu'elle n'avait aucune hâte de voir le lendemain arriver. De toute façon, il fallait qu'elle s'en aille. Il faisait déjà sombre et elle avait un long chemin à parcourir à pied.

— Neve ! Attendez !

C'était la voix de Ted. Elle se retourna, et le vit qui se hâtait de la rejoindre avec Emma.

— Merci pour tout, Neve. Maisie aussi vous envoie ses amitiés.

Le regard de Ted exprimait une profonde reconnaissance pour être venue au secours de sa fille.

Neve lui sourit. Soudain, elle n'était plus le jeune médecin du cabinet médical qui avait besoin d'être soutenue et guidée. Elle était devenue l'égale des autres praticiens ; elle avait bien fait son travail et gagné le respect de Ted.

— Je vous raccompagne, dit-il.

— Merci, mais ça va aller. Je vous obligerais à faire un détour qui prendrait un temps fou. Ce sera sûrement plus rapide si je rentre à pied.

— De nuit, et avec ce gros sac ?

— Vous pourriez peut-être le mettre dans le coffre de votre voiture, et je passerais le prendre après Noël.

— Je te raccompagne.

La voix de Joe derrière elle la fit sursauter.

— Joe Lamont, je suppose ? dit Ted.

Les deux hommes échangèrent une poignée de main.

— Je suis Ted Johnstone, le père d'Emma. Heureux de faire votre connaissance. Ma femme ne tarit pas d'éloges sur vous.

— Ma voiture n'est qu'à cinq minutes d'ici, Neve. Et je me suis renseigné : les trains pour Londres roulent.

— Dans ce cas, la chose est réglée, commenta Ted. Soyez prudents sur la route.

— D'accord... A bientôt.

Neve s'apprêtait à dire qu'elle ne partirait pas avec Joe, mais elle savait que Ted insisterait alors pour la déposer. Mieux valait dissuader un seul bon Samaritain à la fois.

Tandis que Ted entraînait Emma vers sa voiture, Joe prit la trousse médicale et tourna les talons, mais il dut s'apercevoir que Neve ne le suivait pas car il se retourna.

— Qu'y a-t-il ?

— Je n'ai pas besoin qu'on me dépose.

— Nous allons juste passer chez toi pour prendre

tes valises… Si tu as toujours l'intention de partir pour Londres ce soir.

— Non. Il est trop tard. Les services de trains locaux sont sûrement désorganisés, et ça va me prendre des siècles.

— Je t'emmène à Leeds, et là, tu pourras prendre l'intercités.

— Merci pour ta proposition, Joe. Mais je dois d'abord rentrer chez moi pour prendre mes affaires, et ensuite, Dieu seul sait combien de temps il faudra pour arriver à Leeds. C'est trop tard pour partir.

— Essayons. Il y a peut-être une chance…

— Il n'y en a aucune.

Même s'il y avait eu une chance, Neve ne serait pas partie avec lui. Il fallait que cesse cette perversité : souhaiter qu'il soit là quand il n'y était pas, et ensuite, quand il arrivait, souhaiter qu'il s'en aille. Elle devait lui dire au revoir.

Il demeura pensif pendant quelques instants.

— Entendu, alors. Je te ramène chez toi.

Neve allait protester, mais il leva la main pour l'en dissuader.

— Ted ne t'a pas raccompagnée parce qu'il pensait que je le ferais. Tu te considères toujours comme quelqu'un pouvant se débrouiller toute seule, et je pense que tu en es capable effectivement. Mais pour une fois, tu vas venir avec moi, même si je dois te jeter sur mon épaule pour te porter.

Il ne ferait pas une chose pareille ! pensa Neve — mais elle n'en fut pas sûre en voyant son air décidé.

— Entendu. Mais tu me raccompagnes, et ensuite, tu t'en vas.

— D'accord.

Cette fois, Neve le suivit.

Joe aurait volontiers emmené Neve à Londres, plutôt que de la laisser dans sa maison sombre et silencieuse pour y passer seule le reste de cette soirée de Noël. Mais elle ne voulait pas.

Le problème était bien là. Elle ne voulait pas ce qu'il pouvait lui donner, et il ne pouvait pas lui offrir ce qu'elle désirait. Alors s'il n'avait aucun moyen d'exaucer les rêves de Neve, il ne lui restait qu'à s'en aller.

La voiture de Joe se trouvait garée devant son cottage, et le chemin le plus rapide pour s'y rendre était un sentier piétonnier qui contournait Leminster.

Après quelques minutes de marche, Joe s'arrêta pour attendre Neve.

— Ça va ?

— Oui, répondit-elle, essoufflée.

Attendri, il réprima une envie de la prendre dans ses bras.

Arrivés à la voiture, ils ôtèrent la neige fraîche qui la recouvrait, et Joe éprouva un pincement de tristesse. Ils travaillaient ensemble et en silence, seuls dans une rue vide, et il avait quand même l'impression que ces moments étaient merveilleux parce que Neve était près de lui...

Sa résolution s'en trouva renforcée : il fallait qu'il parte, et le plus tôt serait le mieux.

Neve avait remonté seule l'allée de sa maison et y était entrée — seule. Le coup final... Après tout ce qu'ils avaient traversé pendant cette journée, Joe était resté résolument au volant, sans même descendre pour porter son sac.

La maison était froide et sombre, sans aucune décoration puisqu'elle n'avait pas prévu d'être là pour Noël. Elle laissa tomber son sac dans le hall puis envoya un texto à ses parents pour leur raconter ce qui s'était passé et leur dire de ne pas l'attendre. Ensuite, montant à l'étage, elle abandonna son manteau sur le parquet du couloir devant la salle de bains. Avec un soupir, elle fit couler un bain chaud avec l'espoir de se réchauffer et détendre ses membres fatigués.

L'eau chaude l'apaisa, mais n'eut aucun effet sur son

chagrin. Si Joe ne se laissait pas fléchir un soir de Noël, il ne le ferait jamais. Tout était fini entre eux.

Elle commençait à peine à se décontracter quand son téléphone sonna. Elle répandit de l'eau partout en sortant de la baignoire à la troisième sonnerie avant d'extraire le téléphone de la poche de sa veste à la cinquième sonnerie.

— Oui ?

Elle frissonnait, nue dans le couloir, espérant malgré tout…

— Neve ? Où es-tu ?

La voix de Maisie anéantit ses espoirs.

— Dans le bain. Ne quitte pas.

Revenant dans la salle de bains tiède, Neve s'enveloppa dans une serviette-éponge puis se dirigea vers sa chambre.

— Je suis chez moi, ajouta-t-elle.

— Ted me l'a dit. Tu n'es pas partie pour Londres, alors !

— Je me suis dit que c'était trop tard.

« Pour beaucoup de choses », ajouta-t-elle mentalement.

— C'est dommage que tu ne l'aies pas dit à Ted. Il aurait pu te ramener ici ce soir. Il va venir te chercher…

— Non, merci, Maisie. Je voudrais me coucher tôt.

— Tu viens chez nous demain, alors. Et ne discute pas.

— J'apprécie beaucoup, mais…

— Nous viendrons te chercher demain matin. Je t'appellerai vers 10 heures et tu me diras quand nous pourrons venir.

Il ne restait qu'à accepter. Joe n'appellerait pas, ne viendrait pas, et il était donc inutile de rester là à souhaiter qu'il le fasse. Elle devait reprendre le cours de sa vie.

La gentillesse de Maisie lui donna soudain envie de pleurer.

— Je ne sais pas quoi dire…

— C'est facile : simplement oui. Et promettre aussi que tu seras réveillée à 10 heures quand je t'appellerai !

— Ce sera super. Merci, Maisie. Vraiment…

Neve raccrocha et, pensive, posa le téléphone à côté d'elle sur le lit. C'était Noël, après tout. Peut-être pas celui dont elle avait rêvé, mais elle avait des amis, et elle allait essayer de passer le meilleur moment possible.

15.

On ne pouvait pas rester couché un matin de Noël, même si aucun cadeau et aucune famille ne vous attendaient ! Neve se leva tôt et enfila des chaussettes et une veste épaisse sur son pyjama puis descendit dans la cuisine. Deux doses de café, avec une petite cuillerée de chocolat en poudre, un peu de lait mousseux et un soupçon de muscade, lui permettraient de bien commencer la journée.

Elle s'assit confortablement à la table de la cuisine pour siroter la première gorgée, puis elle ferma les yeux, tentant de trouver au breuvage un goût délicieux alors qu'une boule de chagrin lui serrait la gorge.

Quelques chants de Noël, peut-être ? Elle mit la radio en marche et elle posait le doigt sur le bouton des fréquences quand elle entendit frapper à la porte. Elle gagna l'entrée pour jeter un coup d'œil par la boîte aux lettres, mais une branche gênait la vue.

Une branche ? A cet endroit ?

D'une main mal assurée, elle poussa le verrou et ouvrit la porte.

La première chose qu'elle vit fut un grand sapin de Noël qui occupait presque tout le petit porche. La chose suivante fut Joe assis dans sa voiture. Le moteur tournait et il s'apprêtait visiblement à partir. Quand il l'aperçut, il afficha l'air penaud d'un enfant et baissa la vitre.

— Je t'ai laissé quelques petits trucs…, lança-t-il en agitant la main.

Neve franchit le seuil et faillit tomber en trébuchant sur deux boîtes en carton.

— Mais… Joe…

— Il faut que je m'en aille. Joyeux Noël ! ajouta-t-il avec une jovialité forcée.

La vitre remonta puis la voiture s'éloigna lentement.

Suffoquée par l'émotion et incapable de réfléchir, Neve s'élança en courant dans l'allée sans même sentir le froid.

— Joe !

La voiture s'arrêta net et Joe en sortit pour se précipit er vers elle. Elle sentit une vague de bonheur l'envahir.

— Mais qu'est-ce que tu fais, bon sang ?

Il la souleva et, la portant, il se dirigea à grands pas vers la maison. C'était tout ce qui comptait. Ce moment. Tout le reste pouvait attendre. Blottie contre lui, elle était à sa place.

Pourtant, elle frissonnait quand il referma la porte avec le pied et entra dans la cuisine. Lui, il semblait en colère. L'installant sans façon sur le canapé, il s'agenouilla devant elle pour lui ôter ses chaussettes et lui frictionner les pieds, l'air désapprobateur.

— Mais enfin, qu'est-ce qui t'a pris ? On peut avoir des orteils gelés après seulement deux minutes d'exposition au froid !

Elle n'avait pas de réponse, et le sentiment de s'être conduite comme une idiote étouffa la bouffée de bonheur ressentie la minute d'avant.

— Je pourrais te poser la même question. Qu'est-ce qui t'a pris de déposer des choses devant ma porte et de t'en aller tout de suite ?

Elle dégagea ses pieds sans ménagement et replia ses jambes sous elle.

— Je savais que tu n'avais pas d'arbre de Noël, alors j'ai pensé que ça te ferait plaisir.

— Ah bon ? Alors tu crois que tu peux comme ça faire l'amour avec moi puis me plaquer, et ensuite, tu réapparais, tu me proposes de me raccompagner, tu m'apportes un arbre de Noël…

264

— Si je me rappelle bien, c'est toi qui m'as appelé hier matin !

— J'avais une urgence à traiter. Qu'est-ce que je pouvais faire ? Et ce matin, je ne t'ai pas appelé !

— Alors, il faut juste que tu me pardonnes mon excès de sollicitude envers toi.

Ils échangèrent un regard noir et, finalement, ce fut Joe qui détourna les yeux.

— Tu as raison. Je n'aurais pas dû le faire. Tu m'as dit que si je partais, je ne devrais plus revenir, et j'aurais dû respecter ta volonté. Excuse-moi.

Il reprit ses gants jetés sur le parquet puis se redressa. Une fois encore, elle avait parlé, Joe l'avait écoutée, et il partait. Alors il était temps pour elle d'oublier sa fierté, de ne plus tenter d'imposer son point de vue et de renoncer à avoir raison — mais aussi, d'exprimer ses désirs, quoi qu'il lui en coûte.

Les pieds engourdis, elle se leva gauchement et fit quelques pas incertains, agrippant le bord de la table.

— S'il te plaît, reste un moment, Joe.

— Je ne peux pas.

— Bon sang, j'ai besoin que tu restes ! Je t'en supplie.

Il se retourna, visiblement aussi surpris par cette demande que l'était Neve elle-même.

— Tu l'as dit toi-même : nous voyons bien tous les deux que ça ne va pas marcher.

— Comment puis-je en être sûre quand il y a des choses que tu refuses de me dire ? Parle-moi, Joe. S'il te plaît…

Parler ? Cela ne servirait qu'à rouvrir ses blessures et n'aurait aucune influence sur le cours des choses. Mais il lui avait montré qu'il ne pouvait pas rester loin d'elle. Et maintenant, elle le suppliait de rester…

— Assieds-toi. S'il te plaît.

Laissant tomber ses gants sur une chaise, il ôta sa veste

et fronça les sourcils en respirant le parfum qui s'échappait du mug sur la table.

— Finis ton… Qu'est-ce que c'est ?

— Du chocolat, du café et de la muscade, avec du lait battu. C'est bon.

Quand elle fut assise près du poêle, il lui tendit le mug dont elle sirota une gorgée.

— De quoi veux-tu que je parle ?

— Dis-moi ce qui t'est arrivé. Tu ne veux plus exercer, tu refuses de t'engager avec moi… Je veux savoir pourquoi.

— Je ne veux pas en parler.

— Tu as mis ma vie sens dessus dessous, alors j'ai bien le droit de savoir ce qui t'éloigne de moi !

— C'est mieux comme ça.

— Tu ne me respectes pas assez pour au moins me dire pourquoi ? Je mérite au moins ça, non ?

Elle était honnête et courageuse. En cet instant, Joe l'admira plus que n'importe qui au monde.

— Oui. Tu mérites ça.

Il alla se servir un verre d'eau à l'évier pour soulager sa gorge sèche. Neve attendait, calme et silencieuse.

— J'exerçais dans le cadre d'une force de maintien de la paix en tant que chirurgien dans un hôpital de campagne. Nous traitions des blessures de toutes sortes sur des civils pris dans les combats aussi bien que sur nos propres soldats. Nous venions de travailler pendant vingt-quatre heures d'affilée quand on a amené de nouvelles urgences. Parmi elles, il y avait une femme sous sédatif avec un éclat de shrapnel dans la jambe.

Avant de poursuivre, il but une autre gorgée d'eau.

— Je l'ai examinée rapidement, j'ai lu sa fiche, et j'ai décidé d'opérer en premier un autre blessé dont l'état était plus grave. La femme, elle, semblait stable. Mais je me trompais. Elle souffrait de lésions internes qui n'avaient pas été décelées au premier examen, et elle est morte sur ma table d'opérations.

Neve sentit une boule se former dans sa gorge.

— C'est affreux, mais ce n'était pas ta faute. Tu ne pouvais que t'appuyer sur les informations qu'on t'avait données ! C'est ce que nous faisons tous !

— Mais c'est moi qui ai pris la décision de ne pas l'opérer en priorité. Qu'est-ce que tu aurais ressenti à ma place ?

— Je pense que je me serais sentie responsable, moi aussi, mais ça ne veut pas dire que tu l'étais. Est-ce qu'il y a eu une enquête ?

— Oui. Je n'ai reçu aucun blâme.

— C'est une chose à prendre en compte, tu ne crois pas ? Je sais que c'est difficile — c'est une tragédie, même — mais… perdre des patients, cela fait partie de notre métier.

— Cette fois-là, c'était différent.

— Je ne comprends pas… Quel rapport cela a-t-il avec tes blessures ?

— Deux jours plus tard, je suis allé voir la famille. J'y suis allé seul, ce qui était contraire au règlement, mais je voulais expliquer… comme je pourrais. Son père et sa mère ont accepté de me rencontrer, et ils ont écouté ce que j'avais à leur dire. Mais quand j'ai quitté leur maison, j'ai été entouré par une foule. Plus tard, on m'a dit que les frères de la femme avaient appris que j'étais là, et ils étaient venus pour demander justice.

— Quelle… sorte de justice ?

— Il y a eu quelques coups de poing et j'ai tenté de regagner ma voiture. Dans la bousculade, j'ai trébuché, et quand quelqu'un m'a donné un coup de batte de base-ball, j'ai entendu… et ressenti… un craquement.

— Ta jambe…, conclut Neve, horrifiée.

— Oui. Au début, j'ai cru que c'était une simple chute et que j'avais du mal à me relever.

A cette évocation, Joe sentit la panique l'envahir, et il lutta pour reprendre le contrôle, assailli par les images sombres qui hantaient ses rêves.

— Je suppose qu'on t'a sûrement donné des coups de pied. C'est ce qui a provoqué l'éclatement de ta rate, dit doucement Neve en lui prenant les mains.

— Oui.

— Et l'insuffisance rénale ? C'est un coup qui l'a provoquée ?

— Plusieurs coups.

— Les cicatrices sur tes épaules ressemblent plus à des lacérations qu'à des coups de poignard…

— C'est exact, répondit Joe avec un humour forcé. Tu es très douée. Tu n'as jamais pensé à la médecine légale ?

— Un jour, peut-être, tu me diras tout, de ta propre initiative, et du début à la fin.

Un jour, il serait peut-être capable de tout raconter, mais ce ne serait pas tout de suite, et quand le jour viendrait, il serait rentré au Canada.

— As-tu pensé que le syndrome post-traumatique a peut-être alimenté ton sentiment de culpabilité ? Et que les deux choses ensemble t'ont piégé, et t'ont rendu incapable d'avancer ?

— Oui, bien sûr, mais cela ne m'entraîne pas bien loin. Quelles que soient les raisons, je ne peux quand même pas te faire de promesses. Je ne suis pas un homme avec qui tu dois avoir une histoire.

— Ecoute, si tu ne veux pas de moi, il faut que tu me le dises…

— La question n'a jamais été là, tu le sais bien.

— Alors, je vais te dire ce que moi, je veux. Je veux une famille, une carrière, une jolie maison. Et surtout, quelqu'un à aimer.

— Ce n'est pas moi, répondit tristement Joe.

— Laisse-moi en juger. Les choses ne marcheront peut-être pas entre nous, mais je m'engage dans cette histoire en connaissance de cause, et je veux prendre ce risque.

Voilà… Elle l'avait dit, et elle eut l'impression qu'un poids quittait ses épaules.

— Mais… tout ce que tu as vécu avec ton ex-mari… Je ne peux pas te faire revivre ça !

— Avec Matthew je me suis perdue, moi et mes désirs ou mes envies, parce que tout tournait autour de ce qu'il voulait. Je ne laisserai jamais cela recommencer. Ce que je veux, c'est ce que je viens de te dire, et aucun de tes arguments ne pourra me faire changer d'avis. Qu'est-ce que tu en dis ? Ça ne va pas être facile, c'est vrai…

— Non, sûrement pas.

Elle lui sourit.

— Mais ce sera très agréable…

Joe afficha son merveilleux sourire.

— Je n'en doute absolument pas.

— Alors pourquoi ne pas faire un essai ?

Il demeura pensif. Neve le connaissait assez bien pour savoir que s'il acceptait, ce serait pour lui un véritable engagement qui méritait réflexion.

— Si… nous décidons de le faire, il faudrait que nous allions lentement.

— Je suis d'accord.

Leurs deux premières semaines avaient été un tourbillon d'émotions. Ni l'un ni l'autre n'avaient marqué de pause pour réfléchir. C'était peut-être pour cette raison que tout avait mal tourné.

— Je veux dire… Je vais me détester d'avoir dit ça, mais… je pense que nous devrions d'abord nous contenter de partager certaines choses pratiques. Si ça marche, alors peut-être l'étape suivante pourrait être de dormir ensemble… Est-ce que cela te convient, Neve ? Il faut que je sache.

Joe était un vrai gentleman, et elle adorait cet aspect de lui. Cela lui plaisait qu'il veuille attendre un peu jusqu'à ce qu'ils aient assimilé tout ce qui venait de se passer.

— Oui, cela me va… à condition que tu ne me fasses pas attendre trop longtemps, ajouta-t-elle avec son sourire le plus suave. Dans l'immédiat, il faut que je monte à ma chambre pour m'habiller. Comme je ne voudrais pas que tu t'ennuies pendant ce temps, tu pourrais installer là, à côté de la cheminée, l'arbre que quelqu'un a laissé sur mon seuil.

— Bien, madame.

16.

Joe roula ses manches sur ses avant-bras et se mit au travail. La journée n'avait pas vraiment commencé comme il l'aurait voulu, mais il avait éprouvé un sentiment de liberté qu'il avait oublié depuis longtemps. C'était comme si le monde s'était ouvert. Les possibilités qu'il avait refusé d'envisager jusqu'alors n'avaient pas encore été testées, mais elles existaient, brillantes et toutes neuves, comme les fragiles décorations de Noël sur un sapin.

Quand Neve était réapparue après la douche, les joues roses, et vêtue d'un chandail rouge orné de motifs de houx en l'honneur de cette journée, il avait installé le sapin devant l'âtre, et il le revêtait avec précaution de lumières régulièrement espacées.

— Waouh ! Comme il est beau ! s'exclama-t-elle.

— Content qu'il te plaise.

— Comment as-tu su que je n'en avais pas ?

— Eh bien… hier soir, j'ai arrêté ma voiture pas loin d'ici et, à pied, je suis venu regarder par les fenêtres de ton séjour et de ta cuisine. Frank Somersby a accepté que je coupe un des arbres qu'il cultive pour le marché de Noël.

— Alors, comme ça, tu as rôdé autour de ma maison, et tu as regardé par les fenêtres…, répliqua Neve, son regard taquin démentant son ton de reproche. Et ce matin, tu as laissé un sapin devant ma porte. Selon toi, j'allais croire que le Père Noël était passé pendant la nuit ?

— J'avais l'intention de t'envoyer un texto.

— Bon. Dans ce cas, ça va…

Neve se pencha pour examiner les boîtes qu'il avait transportées du seuil au pied du sapin.

— Des décorations… Tu es très organisé.

— Je les avais dans mon placard. Je voulais me procurer un arbre, mais, pour dire la vérité, je n'avais guère le cœur à la fête ces dernières semaines.

— Je vais brancher la bouilloire.

— De l'eau chaude ? Pour quoi faire ?

Neve leva les yeux au ciel.

— Pendant qu'on décore, on boit du café et on mange des tartes au *mincemeat*. Tu ne le sais pas ? Mais nous devrons nous contenter de biscuits.

Joe ouvrit une boîte dont il sortit un paquet de tartelettes aux fruits secs et aux épices achetées toute faites, mais Neve les reçut comme s'il s'agissait d'un trésor.

— Tu penses à tout ! Je vais les faire réchauffer dans le four. Pendant ce temps, commence à sortir les décorations.

Joe brancha les guirlandes électriques, et Neve exécuta une petite danse joyeuse, tapant des mains avec ravissement.

— C'est beau, tu ne trouves pas ?

— Très beau.

Comme elle était belle, elle aussi, pensa Joe.

Elle le serra dans ses bras.

— Merci, Joe. Merci.

Il rêvait de l'embrasser, mais l'horloge sur la cheminée sonna dix coups.

— Maisie va bientôt appeler.

Il se dégagea et se dirigea vers la table où il entassa les cartons vides dans un carton plus grand.

— Oui, probablement… Comment le sais-tu ?

Il le savait parce qu'il avait téléphoné à Maisie pour lui dire que Neve n'était finalement pas partie pour Londres. Il avait organisé la journée comme une opération militaire — la surprise déposée devant sa porte, les amis qui inviteraient

Neve à déjeuner. La seule chose qu'il n'avait pas prévue, c'était qu'il prendrait part à tout cela.

— J'ai… euh… parlé à Maisie, hier.

Neve fixait sur lui de grands yeux attentifs. Il était impossible de cacher quelque chose à ces yeux-là…

— Tu viens aussi, alors.

— Maisie me l'a proposé. Je ne devais pas y aller, mais… finalement, oui, je viens aussi. Il faudra que je rentre chez moi après pour donner à manger à Amande.

— Nous pourrions aller chez toi avant d'aller chez Maisie, pour prendre Amande et l'amener ici avec son panier qu'on mettra dans ia cuisine. Elle sera bien.

Une étape supplémentaire. Un lien de plus entre leurs deux vies.

— Tu veux prendre mon chat en otage, c'est ça ? Pour être sûre que je reviendrai ici après le déjeuner ? Bon, je reviendrai. Pas de problème.

Il faisait nuit quand Joe s'arrêta devant la maison de Neve. Chez Maisie, ils avaient passé une excellente journée dans une atmosphère chaleureuse et Joe n'avait jamais eu l'air aussi détendu.

Quand Neve ouvrit la porte de la cuisine, Amande leva une tête ensommeillée. Elle s'avança vers Joe et se frotta contre ses jambes jusqu'à ce qu'il la prenne dans ses bras pour la caresser.

Après une aussi belle journée, l'idée qu'il pourrait rentrer chez lui était tout simplement impensable.

— Tu veux manger quelque chose ? proposa Neve.

Il se laissa tomber sur le canapé.

— Manger ? Sûrement pas. Je ne pourrai plus rien manger pendant une semaine !

Neve ouvrit un placard et tira de derrière la boîte à biscuits le cognac qu'elle gardait pour les cas d'urgence. Ensuite, elle prit deux verres et revint vers Joe.

— Tu peux boire quelque chose, quand même ? Tu as boudé le vin pendant le dîner et tu as refusé un porto parce que tu allais conduire.

— Je ne devrais pas.

— Joe, je sais que nous avons dit que nous irions lentement, et j'apprécie, vraiment. Mais rien ne nous empêche de prendre notre temps ensemble, tu ne crois pas ? Je voudrais que tu restes ici, et le canapé-lit est assez confortable...

— Tu préférerais peut-être que je m'en aille pour te laisser un peu de temps pour réfléchir...

Neve s'assit à côté de lui.

— J'aimerais vraiment que tu restes ce soir. Nous pourrions réfléchir ensemble.

Il afficha un large sourire.

— Ça me plairait à moi aussi... Un cognac ?

— Volontiers.

Ils parlèrent jusqu'à bien après minuit, blottis sur le canapé. Joe raconta son enfance au Canada et des histoires de sa vie dans l'armée, et Neve, ses études à Londres.

Finalement, Joe lui déposa un baiser léger sur le front et la lâcha doucement.

— Nous devrions vraiment dormir. La journée a été longue, dit-il.

— Je pourrais te tenir dans mes bras ? Juste un moment encore.

— Aussi longtemps que tu voudras.

Le rez-de-chaussée, avec l'odeur du sapin de Noël et les lumières scintillantes, semblait l'endroit idéal. Joe ouvrit le canapé et Neve alla chercher un duvet et des couvertures. Elle monta à sa chambre pour se mettre en pyjama, et quand elle redescendit, elle trouva Joe sous le duvet.

— Viens là, dit-il en tapotant la place à côté de lui. Bien installée ? ajouta-t-il quand elle fut allongée.

— Oui.

La faisant doucement basculer sur le côté, Joe enroula le duvet autour d'elle, et la serra contre lui. Une couche moelleuse de duvet les séparait, mais elle sentait la présence rassurante de son corps imposant.

— Ça va comme ça ?

— Oui, c'est bien… Dis-moi, le bail de ton cottage, tu l'as résilié, je crois ?

— J'appellerai l'agence pour dire que j'ai changé d'avis. Je serais étonné qu'ils aient reloué à cette période de l'année.

— Je… ne voudrais pas…

— Tu ne vas pas changer d'avis maintenant ? J'allais partir à cause de toi, et maintenant, je reste pour toi. Le Canada attendra. Peut-être qu'un jour, je pourrai te le montrer.

— Peut-être. Je pense que ça me plairait.

Il trouva la main de Neve qu'il pressa doucement.

— Il est tard. Tu veux une histoire avant de t'endormir ?

— Une des histoires de ta grand-mère inupiak ?

— Bien sûr. Celle du garçon qui est allé pêcher…

L'histoire était longue, et Neve n'en entendit jamais la morale car elle s'endormit bien avant la fin.

17.

— Oh non !

Le canapé-lit qui tanguait obligea Neve à sortir du sommeil. Il y eut un miaulement étonné d'Amande qui jugea plus prudent de s'écarter et les pas de Joe qui courait.

— Que se passe-t-il ?

Neve tira le duvet sur sa tête. Si la maison était en feu, il l'éteindrait sans son aide !

— Nous sommes en retard.

— En retard ? Pour quoi ?

Elle repoussa le duvet et ouvrit les yeux. Joe enfilait son jean.

— C'est le lendemain de Noël, Joe ! Que peut-il y avoir de si important ?

Il se retourna — superbe.

— Le match de foot de Noël commence à 11 heures.

— Mais il n'est que 9 heures !

— Il faut que nous arrivions en avance pour aider à déneiger le terrain. Et il faut que je rentre chez moi pour prendre mon équipement avant de revenir te chercher.

— Tu joues ?

Il arbora ce large sourire pour lequel Neve aurait fait cent kilomètres à pied dans la neige — et en pyjama.

— Si tu veux être ma petite amie, il faut que tu me voies jouer au foot !

Il se pencha pour prendre ses chaussures.

— Je reviens te chercher dans une demi-heure.

Finalement, s'activer dans un air glacé était exactement ce dont Neve avait besoin, et le match de Noël traditionnel de Leminster contre Cryersbridge combinait froid intense et exercice physique. Bien emmitouflés, tous les villageois s'étaient en effet rendus à l'école locale qui avait ouvert ses portes pour l'occasion, et ils ôtaient la neige du terrain.

Joe disparut avec le reste de l'équipe pour se changer. Les guides locaux étaient présents, et leur vente de boissons chaudes rencontra un franc succès, mais dès le coup de sifflet final, les deux équipes ainsi que la plupart des spectateurs gagnèrent en hâte le pub voisin.

— Tu as fait une chute sévère dans la première mi-temps. Est-ce que ça va ? demanda Neve.

— Oui, très bien.

Joe montra la bande élastique qui lui entourait le poignet.

— Je crois que notre entraîneur adoré en a un peu trop fait. Ce n'est qu'une égratignure.

— Est-ce qu'il l'a désinfectée ?

Joe leva les yeux au ciel.

— Non ! Nous avons préféré créer une culture microbienne, alors nous avons laissé toute la saleté à l'intérieur.

Neve le saisit par le devant de sa veste et le toisa.

— Ça ne va pas faire une cicatrice de plus à ajouter à ta collection, j'espère ?

Il la prit par la taille pour la serrer contre lui.

— Si ça se produit, ça me fera un souvenir de toi.

— De moi ? Ce n'est pas moi qui t'ai taclé.

— Mais c'est ton visage que j'ai vu quand j'ai heurté le sol, lui murmura-t-il à l'oreille.

— Tu n'as pas heurté le sol si fort que ça ! Et si tu souffrais d'hallucinations, tu aurais dû quitter le terrain.

La fête se prolongea. Joe but une chope de bière avec un entrain étonnant, ses coéquipiers le gratifièrent de grandes claques dans le dos, et il félicita le jeune Adrian, auteur du but décisif. Puis il rejoignit Neve.

— Prête à partir ?

Neve termina son verre de jus d'orange.

— Oui. Prête.

Dehors, sur le parking, elle lui prit la main.

— Je voudrais que tu m'embrasses.

Il l'enlaça par la taille et lui effleura les lèvres d'un baiser léger.

— Pas comme ça, idiot.

— Comme ça, alors ?

La serrant fort contre lui, il lui donna un baiser passionné.

— Beaucoup mieux.

Soudain, un sifflement résonna derrière Neve qui se retourna. Un joueur de Leminster agita la main dans leur direction avant de s'engouffrer dans le pub.

— A ton avis, combien de temps faudra-t-il pour que Maisie soit au courant ? demanda Joe, hilare. Je parierais que tu l'as fait exprès.

— Est-ce que ça te gêne ?

— Moi ? Gêné ?

Il lui donna un autre baiser avant de poursuivre.

— J'envisageais justement de te ramener à l'intérieur et de faire la même chose pour que tout le monde nous voie.

— Un baiser suffit pour lancer la rumeur. Mais tu peux me ramener chez moi et recommencer là-bas !

Joe se lança sur les routes enneigées avec une impatience inhabituelle, faisant même patiner les roues de la voiture à une ou deux reprises. Neve n'eut pas besoin de demander la raison de cette hâte…

Ils laissèrent tomber leurs vestes tout en gagnant la cuisine, et quand ils y arrivèrent, Joe assit Neve sur la table. Il lui ôtait ses chaussures quand, soudain, il se figea.

— Nous avions décidé d'attendre !

— Beaucoup de choses peuvent changer en une journée.

— Oui, mais… Ecoute, je ne veux rien brusquer avec toi. C'est bien trop important pour moi.

— Je sais ce que je veux. Promets-moi seulement de ne jamais me mentir.

— Tu as déjà ma parole, mais je peux te la donner encore…

C'était inutile. Elle l'attira à elle et l'embrassa, transportée par la douceur de ses lèvres.

— Je ne veux plus attendre.

Il la serra contre lui.

— Tant mieux, parce que tu me rends fou…

— Jusqu'à quel point ?

Il sourit.

— Il va me falloir un moment pour te l'expliquer en détail.

Il gravit l'escalier en la portant, et comme elle lui avait déjà ôté son chandail et sa chemise, elle savoura le contact de sa peau nue contre sa joue.

Quand ils arrivèrent dans la chambre, il la posa sur le lit et elle le prit par le cou pour qu'il s'allonge près d'elle.

Leurs regards se mêlèrent.

— Il y a une chose que j'aimerais te demander, Neve.

— Tout ce que tu voudras.

— Attends d'avoir entendu de quoi il s'agit. Il se pourrait que ça te déplaise.

— Si c'est le cas, je te le dirai. C'est ça, la confiance.

Il l'embrassa.

— Oui, bien sûr. Ecoute… Ne prends pas mal ce que je vais te dire, mais je veux être le seul sur qui tu comptes vraiment. Je n'ai pas l'intention de te dire ce que tu dois penser ou faire, mais…

— Je sais, Joe. Je veux la même chose.

Il afficha ce sourire qui lui donnait envie de briser elle-même les barrières qu'elle avait dressées pour se protéger.

Lentement, très lentement, il lui ôta ses vêtements puis retira son propre jean, et ils échangèrent des caresses en prenant tout leur temps.

— Regarde-moi, Neve.

Joe se plaça entre ses jambes puis il se glissa lentement en elle sans la quitter des yeux. Des ondes presque palpables, et d'une intensité effrayante, semblaient vibrer dans l'air.

Lui prenant une main, il lui referma les doigts autour d'un des barreaux de cuivre du lit. Puis il fit la même chose avec l'autre main. La sensation d'être étendue sous lui était délicieuse, et Neve serra plus fort les barreaux quand il commença à bouger.

Le regard de Joe reflétait son propre regard. Il lisait en elle et réciproquement, et trouvait d'infinies variations à chaque caresse — longue et lente, ou rude et exigeante.

Ils atteignirent ensemble le point culminant du plaisir, et l'onde de jouissance les laissa le souffle court et comblés.

— Ça va, ma chérie ? murmura-t-il, lui écartant du front une mèche de cheveux dorés.

— Mais… qu'est-ce que tu as fait ?

— Eh bien… Je t'ai simplement aimée, mon ange, balbutia Joe, déconcerté lui aussi.

C'était plus que cela, et ils le savaient tous les deux. Elle s'était donnée à lui. Allait-elle le nier ?

— Mmm… Tu es un voleur. Tu as volé mon cœur.

— Les voleurs n'ont pas pour habitude de donner le leur en retour !

Il la fit basculer sur lui, l'emprisonnant entre ses bras. Elle avait la peau claire et douce, et il laissa ses doigts descendre le long de son dos délicat.

— J'ai le même nombre de vertèbres que toi, tu sais, dit-elle, malicieuse, en se lovant contre lui.

Comme il serait facile de s'habituer à cela, pensa-t-il.

— Simple petite vérification.

Elle pouffa et forma dans l'air un baiser avec ses lèvres.

— Tu pourras faire un inventaire complet. Dans un petit moment.

— Prends tout ton temps.

Si elle imaginait qu'elle allait bientôt sortir de ce lit, elle se trompait. Il savait maintenant qu'il avait le pouvoir de la garder là, et il n'avait aucun scrupule à user de ce pouvoir.

Elle lui prit doucement la main qu'elle porta à ses lèvres.

— Tu as des mains géniales, tu le sais, ça ?

Ses mains ? Elles étaient les servantes dévouées de Neve, prêtes à faire tout ce qu'elle voudrait, songea-t-il.

— Je t'aime, Neve.

Elle leva la tête et le regarda droit dans les yeux.

— C'est vrai ? Moi aussi, je t'aime, Joe.

18.

Les cinq mois précédents avaient été plus forts en émotions que Neve n'aurait pu l'imaginer. Il avait fallu du temps, une aide professionnelle et beaucoup d'amour, avant que Joe se sente capable de tout lui raconter, et quand il l'avait fait, ses cauchemars étaient réapparus avec une grande violence. Mais il avait persévéré avec un courage obstiné qu'elle avait trouvé bouleversant. Elle avait partagé avec lui ces nuits difficiles, et quand il avait été guéri, il avait retrouvé sa passion pour la médecine.

Il lui disait chaque jour qu'il l'aimait et l'avait prouvé en mainte occasion, ce qui lui inspirait la plus grande confiance.

Maintenant, l'heure était à la fête. Joe avait terminé haut la main ses six semaines de période d'adaptation à l'hôpital et il pouvait à présent se porter candidat pour un poste auprès des autorités de la Santé. Ses parents et son jeune frère étaient venus du Canada, et Joe et Neve passaient une semaine avec eux à Londres.

Ce soir, ils seraient sept au dîner car les parents de Neve allaient se joindre à eux.

Joe avait réservé dans un bel hôtel, et, installé dans un fauteuil, il regardait Neve s'habiller.

— Tu es superbe, dit-il.

— Ma robe te plaît ?

— Elle est très belle, mais toi, tu es superbe.

Décidément, il savait faire les compliments ! Neve le rejoignit et se plaça entre ses jambes étendues.

— Donc, les heures que j'ai passées à la choisir, c'était une perte de temps ?

Joe sourit.

— Non, parce que si je ne savais pas que tu as mis toute la matinée à faire ton choix, je l'aurais déjà déchirée pour te faire l'amour. Une fois de plus.

— Mais tu n'ignores pas que si tu déchires un seul point de cette robe, tu auras de sérieux ennuis.

— Absolument. Qui plus est, nous serions en retard pour le dîner.

Neve s'assit sur son genou.

— Tu es particulièrement élégant, toi aussi.

Il portait une chemise blanche dont il n'avait pas encore fermé le col, et un pantalon noir. La veste coordonnée attendait, négligemment jetée sur le dossier du fauteuil.

— Merci. J'ai une raison particulière de soigner ma tenue...

— A cause de nos parents ? Ma mère et mon père te trouvent déjà merveilleux, et tes parents n'ont pas l'air tellement à cheval sur les convenances.

Neve n'avait rencontré les parents de Joe que la veille, mais elle avait déjà l'impression de les connaître après ses longues conversations avec eux via internet.

— Non. Il y a autre chose. Deux autres choses, même. La première, c'est que j'ai un travail.

— Un autre ? Et de quoi s'agit-il cette fois ?

Joe, constamment demandé, s'occupait de plusieurs projets au village. A deux reprises, Neve avait craint qu'il prenne trop de choses en charge, mais il relevait tous les défis.

— Devine...

— Je vois à ton regard qu'il s'agit de quelque chose d'un peu spécial.

— Oui. Très spécial, même.

— Quelque chose... qui a un rapport avec la médecine ?

— Tu chauffes.

— A l'hôpital ?

— Tu brûles.

— C'est insupportable ! Dis-moi, Joe.

— Quand je faisais ma période d'adaptation, un poste s'est libéré en chirurgie. C'est un poste senior, mais j'ai demandé si je pouvais quand même me porter candidat, et on m'a répondu positivement. Et cet après-midi, j'ai reçu un e-mail avec une proposition.

Neve se pencha pour l'embrasser.

— Pourquoi ne m'as-tu rien dit ?

— Parce que je voulais te faire la surprise.

Neve lui enfonça le bout de l'index dans le côté.

— Ça, tu me le paieras. Attends un peu. Je vais trouver un moyen de te surprendre et de te rendre aussi heureux que moi maintenant.

— Tu me surprends chaque jour, mon ange.

Il lui donna un tendre baiser et elle eut l'impression de fondre entre ses bras.

— Tu crois que ton père sera content ? reprit-il.

— Je le pense. Qu'a-t-il à voir dans tout ça ?

— Je ne voudrais pas qu'il imagine que sa fille s'installe avec un type sans avenir…

— Il ne penserait pas une chose pareille. Il sait juger les gens.

— Tant mieux. Parce que je t'ai dit qu'il y avait deux choses, en fait.

Il l'écarta doucement et se leva.

— Viens ici.

Il lui prit la main et l'entraîna vers les hautes portes-fenêtres qui ouvraient sur un balcon de pierre donnant sur les jardins à l'arrière de l'hôtel où ils avaient pris le thé l'après-midi.

— Que fais-tu ? Tu sembles bien mystérieux… Ne prends pas cet air innocent. Je suis sûre qu'il se passe quelque chose.

— Eh bien, oui. Tu as raison.

Lui lâchant la main, il prit quelque chose derrière lui puis mit un genou à terre.

Neve ouvrit des yeux stupéfaits. Allait-il… Non, ce n'était pas possible.

— Joe, qu'y a-t-il ?

— Veux-tu m'épouser ?

Emue, elle essuya d'un revers de main la larme qui coulait sur sa joue. Joe était ainsi : pas de longs discours ni de déclarations. Ils avaient parlé de leurs rêves, et Joe lui avait promis d'exaucer les siens. En lui faisant cette demande, il tenait sa promesse.

— Oui, répondit-elle.

— Je te promets d'être un bon mari et un bon père.

— Je sais.

— Et de t'aimer toujours !

— J'ai dit oui ! Est-ce que tu m'entends ?

Le sourire de Joe fit subir au pauvre cœur de Neve une nouvelle accélération. S'il continuait comme cela, elle allait mourir de bonheur.

— Oui, je t'ai entendue. Je voulais juste que tu le dises encore.

Elle se pencha pour l'embrasser.

— Oui. Oui, je veux t'épouser. Je préparerai ton dîner.

— Je préférerais que nous le fassions à tour de rôle.

— Je laverai tes vêtements…

— Nous avons un lave-linge.

— Je te réchaufferai ton lit…

— Oui. Ça, j'insisterai pour que tu le fasses.

— Je ferai des bébés avec toi.

— Donne-moi ta main… Non, pas celle-là.

Quand il lui prit la main gauche, Neve aurait sauté de joie si elle n'avait pas porté des talons aussi hauts.

Sortant un écrin de sa poche, il l'ouvrit. Une bague…

— Ecoute, c'était beaucoup trop agréable la première fois pour qu'on ne recommence pas. Reprenons à partir du début. Veux-tu m'épouser ?

— Oui, Joe. Je veux te dire oui chaque jour de ma vie, et le premier commence maintenant.

Lui déposant un baiser sur la main, il glissa la bague à son doigt. Neve suivait ses gestes, le regard brillant de larmes.

— Dis quelque chose, demanda-t-il, un peu inquiet.

— Elle est magnifique. Je t'aime. Je suis si heureuse…
Elle le releva et l'embrassa.

— Moi aussi. Tu es tout pour moi, Neve.

Un bruit fusa dans le jardin puis il y eut une explosion,
et le ciel se remplit d'étoiles multicolores.

— Ça doit être une fête, dit Neve.

— Exact. Mon frère est chargé du feu d'artifice, en bas,
avec deux personnes de l'hôtel.

D'autres fusées sifflèrent dans les airs et explosèrent
dans le ciel nocturne.

— Tout ça était prévu ?

— Il devait faire partir les fusées quand il me verrait
t'embrasser.

— Apparemment, il a manqué le moment.

— Nous devrions peut-être recommencer jusqu'à ce
qu'il trouve le bon rythme, ma chérie.

Elle passa les bras autour du cou de Joe.

— Continuons…

Quand un nouveau baiser les réunit, des étoiles explosèrent
dans le ciel et le monde tangua sous les pieds de Neve.

AMY ANDREWS

Un médecin
trop séduisant

COLLECTION *Blanche*

HARLEQUIN

Cet ouvrage a été publié en langue anglaise
sous le titre :
AN UNEXPECTED PROPOSAL

Traduction française de
MARIE-THERESE SIMOUTRE

Ce roman a déjà été publié en mai 2007

1.

Lorsqu'elle dut s'arrêter en raison de travaux de voirie, Madeline Harrington se félicita d'avoir choisi une voiture à air conditionné, car des volutes de chaleur s'élevaient du goudron fraîchement coulé.

Sous le soleil de plomb de Brisbane, il lui était difficile de croire que, vingt-quatre heures plus tôt, elle se trouvait en plein hiver londonien, avec veste en laine, gants et bonnet. Au décollage, à Heathrow, la température était tout juste positive, alors qu'ici, c'était la fournaise.

Elle bâilla, en proie à la fatigue du décalage horaire, puis elle frotta ses yeux qui la piquaient. La route était toujours barrée et ne semblait pas prête à se libérer. Obsédée par l'idée d'une douche et d'un bon somme, Madeline soupira impatiemment tandis que son regard se portait sur la piste de skate voisine, où des adolescents évoluaient sur des murs en ciment incurvés.

Du point de vue médical, elle entrevit tous les drames potentiels, mais en spectatrice, elle admira leur adresse.

Un homme entra alors dans son champ de vision : négociant habilement bosses et plans inclinés, il sauta, et la planche resta miraculeusement attachée à ses pieds, pour retomber comme s'il chevauchait une vague plutôt que du ciment.

Malgré ses vingt ans de plus que les autres, il ne paraissait pas ridicule.

Vêtu seulement d'un short en jean usé, il offrait à la vue de Madeline un torse magnifique, superbement bronzé, aux muscles bien dessinés. Une nouvelle pirouette parfaite lui permit d'admirer la puissance de ses quadriceps.

C'était le stéréotype même de l'Australien bronzé, adepte des sports de plein air.

Fascinée, elle se demanda ce que l'on pouvait ressentir à passer son temps sur les pistes de skate, ou à la plage, sans responsabilités, sans soucis, sans patients à soigner, sans téléphone portable.

Un petit garçon de six ou sept ans semblait être avec lui. Son fils, peut-être, car ils se ressemblaient étrangement.

Comme l'enfant le regardait avec une admiration totale, l'homme lui ébouriffa les cheveux en l'aidant à monter sur sa planche, puis il s'extasia bruyamment devant la figure accomplie par le petit, avant de le prendre sur ses épaules.

Une sensation étrange envahit Madeline, et elle sentit son corps réagir au magnétisme que dégageait cet homme magnifique.

Etant donné qu'elle fuyait généralement ce genre d'homme, elle mit cet émoi sur le compte de sa fatigue et reporta son attention sur les travaux. A son grand désespoir, le signal rouge lui faisait toujours face.

Aussi se tourna-t-elle de nouveau vers le skateur.

Malgré la cinquantaine de mètres qui les séparaient, elle sentait une autorité certaine émaner de toute sa personne. Quand elle le vit éclater de rire en sautant sur sa planche, elle comprit autre chose.

Cet homme savait s'amuser, et aussi se moquer du monde et de lui-même. Sans doute savait-il, en outre, embrasser et donner du plaisir.

Frissonnant soudain, elle se pencha pour baisser la climatisation.

D'où cette pensée lui était-elle venue ?

Cela faisait sept semaines qu'elle et son fiancé, Simon, avaient rompu, et davantage de temps encore s'était écoulé depuis leur dernière relation intime.

De toute façon, cela n'avait jamais été le point central de leur liaison. Ces deux dernières années, elle avait investi son énergie dans la constitution d'une clientèle, tout comme son fiancé, absorbé par ses longues nuits de garde à l'hôpital et ses examens.

Des mois durant, ils s'étaient à peine vus, avec, pour conclusion, la rupture de leurs fiançailles. Il lui fallait du temps pour réfléchir, avait-il dit.

En son for intérieur, Madeline pensait que cette rupture ne durerait pas. Il était trop difficile de tirer un trait sur dix ans d'histoire commune.

De nouveau, l'homme au skate se mit à rire, irradiant une incroyable sensualité qui la troubla. Quel contraste avec la relation qu'elle entretenait avec Simon ! Elle ne se rappelait pas avoir jamais eu le moindre désir spontané en regardant son corps.

Elle secoua la tête avec impatience. Décidément, le décalage horaire ne lui réussissait pas. Âgée de trente ans, médecin, elle avait vu dans sa vie plus d'hommes nus qu'elle n'en pouvait compter. Alors pourquoi un skateur à peine vêtu exerçait-il sur elle un pareil effet ?

Un coup de Klaxon derrière elle la fit sursauter et elle reporta son attention sur la route, pour voir que le panneau avait été tourné du côté vert.

Heureuse de cette diversion, elle accéléra, sans pouvoir s'empêcher de jeter un dernier coup d'œil sur le rétroviseur, vers cet homme qui avait suscité en elle de telles sensations.

« Qu'il aille au diable, songea-t-elle. Ma vie me convient telle qu'elle est ! »

Quelques heures plus tard, Madeline prenait la direction de son cabinet. Elle avait déballé ses affaires et pris une douche qui l'avait un peu revigorée. Toutefois, la fatigue continuant de se faire sentir, elle avait compris qu'il valait mieux quitter la maison avant de succomber à l'attrait de son lit.

Il était beaucoup trop tôt pour aller se coucher. Si elle

cédait maintenant à sa lassitude, elle serait définitivement réveillée à 3 heures du matin. Se rendre à son bureau en cette fin de samedi après-midi était donc un excellent dérivatif.

En arrivant sur son lieu de travail, elle remarqua tout de suite que le local voisin, inoccupé à son départ, était en cours d'aménagement.

Visiblement en admiration devant son propre travail, un peintre apportait les dernières touches au libellé qui ornait la porte vitrée.

— « Dr Marcus Hunt, naturopathe », dit-elle à voix haute.

Incrédule, elle se répéta la mention, encore et encore, jusqu'à ce que son esprit endormi enregistre les implications de l'intitulé.

Une vague de colère monta en elle.

— Ça ne se passera pas comme ça !

Il n'y avait rien de mieux qu'un accès de fureur pour vous réveiller complètement. Toute fatigue disparue, elle se sentait maintenant prête à passer à l'attaque.

Combien de patients qui s'étaient fiés à des médecines parallèles avait-elle dû « réparer » ? Des gens avaient laissé leur santé se dégrader, et la maladie gagner du terrain, pendant que des charlatans se livraient sur eux à de la sorcellerie vaudou ou utilisaient des livres de magie pour leur donner de faux espoirs.

Cela sans compter Abby !

Sans attendre, elle passa à côté du peintre et poussa la porte. Clignant des yeux pour ajuster sa vue à la faible lumière, qui contrastait avec la violente clarté de cet après-midi d'été, elle entra. Une odeur chimique de peinture l'assaillit.

Elle fit du regard le tour de la pièce remplie de boîtes et de tréteaux de peintre.

— Je regrette, nous n'ouvrirons que la semaine prochaine.

Une voix masculine, venue de derrière le désordre environnant, résonna dans la pièce.

Madeline en eut la chair de poule, malgré la moiteur ambiante, car cette voix lui faisait penser à l'homme de la piste de skate.

Il entra par une porte sur la droite, pour s'appuyer avec nonchalance contre le chambranle. Le souffle court, elle reconnut le skateur et resta clouée sur place.

Cette fois, il était habillé. Plus qu'avant, en tout cas. Sa chemise à manches longues, entièrement déboutonnée, révélait son abdomen parfaitement musclé, et l'envie qu'elle éprouva de le toucher, de sentir sous ses doigts le dessin de ses muscles, la choqua.

Son visage à la mâchoire carrée mal rasée était adouci par des fossettes qui auraient dû paraître ridicules sur toute personne de plus de cinq ans. Ce qui, aux yeux de Madeline, n'était pas le cas. Elles ajoutaient à son aspect viril une note angélique.

Dans la main droite, il tenait un pinceau et elle en déduisit qu'il était peintre ou décorateur. D'ailleurs, des taches de peinture étaient disséminées dans ses cheveux.

Il lui était impossible de ne pas le comparer à Simon. Physiquement, ils n'étaient pas très différents. Son ex-fiancé était un peu plus petit, un peu plus corpulent et un peu plus pâle, mais cet homme possédait quelque chose de magnétique que Simon n'avait tout simplement pas.

Ce dernier avait un beau visage, et son sourire facile et sympathique mettait tout de suite à l'aise, mais celui du skater lui mettait les nerfs à vif.

Et pendant les dix années au cours desquelles ils avaient vécu en couple, Simon n'avait jamais provoqué ces sensations étranges dans son corps, comme c'était le cas actuellement.

Elle fronça les sourcils, s'étonnant de ses pensées si peu conventionnelles. Les bricoleurs n'étaient pas son type, les adeptes du skate-board non plus, ni les pères de famille. Que lui arrivait-il donc ?

— Puis-je vous aider ?

Sa voix chaude et grave cachait à peine son amusement et, sous son regard narquois, elle fit un effort pour se ressaisir. Certes, cet homme avait un corps superbe, mais elle était venue pour parler avec le naturopathe, pas pour se pâmer devant le peintre.

— Euh… Non. Je suis venue voir le Dr Hunt, mais apparemment, il n'est pas là… Je vous en prie, reprenez votre travail.

Résistant à grand-peine à son envie d'éclater de rire, Marcus Hunt esquissa un sourire.

« Te voilà remis à ta place, mon vieux », songea-t-il.

En moins de trente secondes, cette femme l'avait toisé, jaugé et rejeté.

Quelle snob ! Sensuelle, splendide… et snob !

Elle était grande, avec des yeux émeraude, et dotée de la plus magnifique chevelure rousse qu'il ait jamais vue. Malgré ses efforts pour la rassembler en chignon sur sa nuque, des boucles folles s'en échappaient, et il les imagina aussitôt étalées sur son torse.

Et ses lèvres voluptueuses lui semblaient faites pour embrasser.

Sa tenue stricte, apparemment onéreuse, ne cachait en rien sa silhouette fantastique. Troublé, il imagina ses longues jambes, cachées par sa jupe. Devant son allure nette et convenable, il éprouva soudain l'envie de déranger cette belle ordonnance.

En dépit de son air fatigué, elle dégageait une tension presque palpable, comme un ressort bien serré, prêt à se détendre d'un seul coup. Jamais Marcus, au cours de sa vie, n'avait rencontré personne d'aussi noué.

Voyant un gros diamant scintiller à son annulaire gauche, il se demanda comment quelqu'un censé avoir des relations sexuelles régulières pouvait être aussi rigide.

— Je suis le Dr Marcus Hunt.

Madeline vit qu'elle l'amusait, ce qui ajoutait de l'éclat à ses yeux d'un bleu incroyable.

— Vous êtes le Dr Hunt ? dit-elle d'un ton à la fois sarcastique et incrédule.

— Oui, répondit-il en s'essuyant la main droite sur son short avant de la lui tendre.

Comme elle ignorait son geste, il parut encore plus amusé par son impolitesse, comme si rien ne pouvait le contrarier.

— Et vous êtes ?

— Madeline Harrington. Dr Madeline Harrington.

— Ah… La porte à côté. Nous allons donc être voisins.

— Ah, non… Je ne crois pas.

Visiblement peu inquiet, il haussa les sourcils.

— Oh ? Un problème ?

— Deux, en fait. Premièrement, dit-elle en levant un pouce, je conteste énergiquement l'utilisation du titre de « docteur ». Les naturopathes ou autres fous de médecine parallèle n'y ont pas droit.

— Bien sûr que si, s'ils ont leurs diplômes. Or je suis homéopathe.

— Vous êtes… Vous êtes vraiment médecin ?

La tête rejetée en arrière, il éclata de rire.

— C'est si difficile à croire ?

— Franchement, oui, dit-elle.

Il ne ressemblait à aucun médecin de sa connaissance. Son père l'avait été, tout comme ses deux associés, ou encore Simon.

Et ces hommes-là avaient des têtes de médecins !

— Je pensais qu'il y avait un deuxièmement ? dit Marcus après quelques instants de silence.

Elle fit un effort pour détacher ses yeux de la bouche de Marcus et se concentrer sur la conversation.

— Oui. Deuxièmement…

Elle s'éclaircit la gorge.

— … Il pleuvra des grenouilles avant que je vous permette d'exercer ce… charlatanisme, ces simagrées médiévales, à côté de nous. Mes associés et moi ne légitimerons pas ces impostures en acceptant vos locaux à côté des nôtres.

— Et comment avez-vous l'intention d'y parvenir, Maddy ?

Alors qu'elle ouvrait la bouche pour le lui expliquer, elle s'arrêta brusquement, choquée par sa familiarité désinvolte. Personne, absolument personne, depuis Abby, ne l'avait appelée ainsi.

Le chagrin la transperça alors que l'image de sa sœur lui

venait à l'esprit. Pourquoi était-elle toujours aussi sensible sur ce sujet ?

— Je m'appelle Madeline !

— Peut-être, mais moi, je crois que je vais vous appeler Maddy.

— Vous n'en aurez pas l'occasion, docteur Hunt. Vous serez expulsé à la première heure lundi matin.

— J'ai un bail, Maddy.

La façon qu'il eut de prononcer son nom — presque un soupir, une caresse — la fit fondre alors même qu'elle émettait un rire glacial.

— Mes associés et moi sommes propriétaires de cet immeuble, docteur Hunt. Dès qu'ils auront découvert qu'un charlatan s'est installé là, je ne vous donne pas cinq minutes, et votre baguette magique n'y pourra rien. Pourquoi ne pas partir maintenant, de votre plein gré, pour exercer votre magie ailleurs ?

Ayant exposé son atout, elle lui jeta un regard triomphant, mais cela ne sembla pas l'affecter le moins du monde.

— Pourquoi vous arrêter à une expulsion, Maddy ? Pourquoi ne pas me condamner au bûcher pour en finir avec moi une bonne fois pour toutes ?

— Ne me tentez pas !

— Que craignez-vous donc ? Avez-vous oublié qu'Hippocrate était homéopathe ? Le monde est assez grand pour accueillir à la fois la médecine conventionnelle et la médecine alternative.

— Pas dans cette rue, en tout cas, répondit-elle en tournant les talons pour se diriger vers la porte.

— A bientôt, Maddy.

Malgré le souffle chaud de l'extérieur, elle frissonna.

— Vous pouvez compter là-dessus ! marmonna-t-elle en s'éloignant.

*
* *

Tout en marchant à larges enjambées vers le cabinet de généralistes voisin, Madeline respira à grands coups pour se calmer.

Cette confrontation avec Marcus Hunt l'avait laissée tremblante, et en plein désarroi, à cause de ce désir latent qu'elle avait éprouvé dès qu'elle l'avait vu sur son skate.

Elle franchit la grille pour se diriger vers la maison dont la façade venait d'être refaite. Avant sa naissance, son père avait acheté un ensemble de cinq logements pour s'y installer avec ses associés.

Le cabinet en occupait deux, celui d'à côté serait bientôt libre de nouveau, et les deux derniers étaient loués par des hommes d'affaires.

Des lettres couleur or se détachaient sur la porte de bois : « Dr Blakely, Dr Baxter, Dr Harrington, Dr Wishart. »

Bizarrement, elle n'eut aucune fierté à voir se détacher ainsi son nom. Elle se sentait… déconnectée… vide !

Pourtant, jamais elle n'avait eu envie de faire autre chose que de la médecine généraliste. La plupart des gens qu'elle avait croisés à l'école de médecine avaient été horrifiés par son manque d'ambition. Tous désiraient se spécialiser dans les disciplines les plus prestigieuses.

Mais en grandissant, elle avait eu sous les yeux la qualité de vie qu'un bon généraliste pouvait apporter à ses patients et, à la mort de son père, elle s'était montrée encore plus déterminée à continuer dans cette voie.

Elle poussa la porte. Il restait vingt minutes avant la fermeture.

— Madeline ! s'exclama la réceptionniste, en sautant de sa chaise pour l'étreindre avec enthousiasme. Comment vas-tu ?

Veronica était l'un des « changements » que Madeline avait instaurés depuis qu'elle avait commencé à exercer en cet endroit et constaté que le nombre de patients diminuait.

L'installation du nouveau centre de santé ouvert vingt-quatre heures sur vingt-quatre était une autre raison, certes, mais l'âge avancé de l'hôtesse d'accueil en était une autre.

A vingt-cinq ans, dotée d'une personnalité rayonnante, vive et espiègle, Veronica était la coqueluche des patients.

— Ça va, répondit-elle distraitement. Qui est de garde, aujourd'hui ? George, Andrew ou Tom ?

— George. Il fait une visite à domicile.

George Blakely avait été l'associé de son père dès le début. Lui et sa femme Mary avaient aussi pris Madeline et Abby sous leurs ailes quand leurs parents étaient morts, à un an d'intervalle.

Andrew Baxter avait aussi été l'un des associés fondateurs. Quant à Thomas Wishart, âgé de trente-trois ans et père de quatre enfants, il avait rejoint le cabinet un an auparavant, grâce à Madeline. Elle l'avait connu à l'école de médecine et avait pensé que cet excellent généraliste leur apporterait du sang neuf.

Il était en effet important de mettre en place une autre stratégie, car George et Andrew prendraient leur retraite d'ici à cinq ans. L'arrivée de Thomas avait eu l'effet escompté : la clientèle avait augmenté et Madeline espérait bien que cela continuerait.

— La journée a été calme ? demanda Madeline en voyant que la salle d'attente était vide.

— On s'en moque ! déclara Veronica, les yeux brillants. Raconte-moi tout, je veux tout savoir.

— Je suis allée à un symposium de médecins, Veronica. Je n'ai rien de plus à te dire.

— A Londres, Madeline, à Londres ! Ne me dis pas que tu n'as pas suivi mes conseils ?

— A propos de ma vie sexuelle ?

Veronica hocha vigoureusement la tête.

— Les Anglais adorent les Australiennes !

— Ce n'est pas mon genre, tu sais.

— Bien sûr que non, et c'est bien ça l'ennui ! Simon t'a laissée tomber avant un voyage de six semaines à l'étranger, et c'était le moment parfait pour une aventure sans lendemain.

Veronica mordait dans la vie à pleines dents et Madeline ressentit une pointe d'envie. Elle-même avançait dans l'existence prudemment, et les aventures d'une nuit n'étaient pas précisément sa tasse de thé. Elle était restée dix ans avec le même homme, et de plus, leur rupture n'était pas définitive.

— Je n'ai rencontré personne de sensationnel, hélas.

« Toutefois, si Marcus Hunt avait été là… », ajouta-t-elle intérieurement.

— Je ne crois pas que cela aide, commenta Veronica en tapotant la bague de Madeline avec son stylo.

Celle-ci baissa les yeux sur le diamant de deux carats qui ornait sa main depuis quatre ans. Même si tout était fini avec son fiancé, elle n'était pas prête à l'enlever.

Certes, il tenait les hommes à distance, mais elle avait aimé et perdu quatre personnes et n'était pas sûre de pouvoir aimer de nouveau.

Sur le plan sentimental, elle se sentait frigide. Son cœur était enveloppé dans un bloc de glace.

— Il est 5 heures, reprit-elle après un coup d'œil à sa montre. Tu devrais rentrer chez toi. Je vais juste voir où en sont les affaires et je fermerai en partant.

— D'accord, je comprends. Je ferai mieux de me mêler de ce qui me regarde…, commenta Veronica avec bonne humeur.

Elle partit après un baiser sur la joue de Madeline qui, une fois seule, fit le tour du cabinet pour se familiariser de nouveau avec la salle d'attente, décorée avec goût.

Vérifiant le carnet de rendez-vous, elle laissa échapper un sifflement devant la liste de noms inscrits. Mardi serait une journée très occupée.

Ses confrères avaient insisté pour qu'elle ne reprenne le travail que ce jour-là, afin d'avoir le temps de se remettre du décalage horaire.

Toujours aussi nerveuse, elle alla s'asseoir dans son bureau en bâillant, mais il était encore trop tôt pour aller se coucher. Pour s'occuper, elle ouvrit ses tiroirs pour vérifier qu'elle avait suffisamment de blocs d'ordonnances et de fournitures.

Cela fait, elle s'appuya contre le dossier de son siège et

laissa son esprit fatigué vagabonder jusqu'à Marcus Hunt. Elle revit les taches de peinture dans ses cheveux et entendit son rire malicieux.

Jamais encore elle n'avait rencontré un homme qui ait sur elle un effet aussi instantané. Marcus Hunt représentait un danger mortel.

Son regard se posa sur la photo de Simon. Jusqu'à présent, elle n'avait pas eu le courage de s'en défaire, malgré la désapprobation de Veronica.

Evidemment, celle-ci avait passé sa jeunesse à découvrir la vie et les hommes au sein d'une famille aimante. Madeline, elle, avait été ballottée d'une tragédie à l'autre, tout en essayant de travailler dur et d'être présente pour Abby. Simon était resté à ses côtés tout ce temps.

Elle effleura le visage sur le papier glacé. Ce n'était peut-être pas l'homme au skate, mais il avait un beau sourire et, malgré tout, elle l'aimait toujours. Depuis leurs vingt ans, ils ne s'étaient pas quittés.

On n'effaçait pas un tel amour d'un claquement de doigts.

La sonnette de la porte d'entrée la tira de ses réflexions. Elle pensa que ce devait être George qui revenait de ses visites. Aussi fut-elle surprise de découvrir le jeune Brett Sanders, blanc comme un linge, soutenant sa mère en sueur et le teint tout gris.

— Madame Sanders, que se passe-t-il ? demanda Madeline.

— C'est une indigestion, dit Brett. J'ai voulu l'emmener à l'hôpital, mais elle a dit que vous étiez plus proche. Ça a empiré en voiture…

Sa voix faiblit, cassée par la peur et les larmes retenues.

Madeline fit asseoir Mme Sanders à côté du chariot d'urgence qui comprenait l'équipement de base, avec de l'oxygène, un insufflateur, de l'adrénaline Minijet et un défibrillateur portable.

Rapidement, elle posa un masque sur le visage de sa patiente et régla le débit d'oxygène.

— Brett, appelle l'ambulance en composant le triple

zéro. Dis-leur que ta maman fait une crise cardiaque. D'accord ? Tu as compris ?

Il la regarda, l'air paniqué, et elle crut qu'il allait éclater en sanglots.

— Brett, vas-y, il faut que tu le fasses.

Finalement, il se décida et Madeline prit la tension de sa patiente.

Soudain, celle-ci poussa un gémissement, la main crispée sur sa poitrine, et perdit connaissance.

Sans même avoir vérifié la carotide, Madeline comprit qu'elle était en arrêt cardiaque. Avec l'aide de Brett, elle la coucha à même le sol, et la fit rouler sur le côté pour libérer les voies respiratoires.

— Brett, file à la porte d'à côté. Il y a un médecin du nom de Dr Hunt. Va le chercher. Vite, Brett, vite !

Par expérience, Madeline savait que la RCP — réanimation cardio-pulmonaire — était plus facile à deux. Elle espéra seulement qu'il passerait outre à leur petit affrontement verbal.

Prenant sur le chariot le défibrillateur externe semi-automatique qu'ils venaient d'acheter, elle le brancha puis, ouvrant le chemisier de Mme Sanders, elle coupa son soutien-gorge et posa les deux électrodes de l'appareil sur sa poitrine.

Tandis que l'ordinateur interne analysait le rythme cardiaque de la patiente, Madeline prit le masque de RCP pour le connecter à l'insufflateur manuel, afin que tout soit prêt.

A cet instant, la voix synthétique du défibrillateur retentit pour dire de commencer la RCP. Madeline en était juste aux premières compressions lorsque Brett et Marcus arrivèrent.

— Que s'est-il passé ? demanda ce dernier.

— Quatorze, quinze…

A chaque compression du sternum, Madeline comptait à voix haute. Elle tendit l'insufflateur manuel à Marcus et se réjouit de voir avec quelle aisance il maintenait le masque et la mâchoire de la patiente.

— Infarctus du myocarde. L'ambulance est en route.

Ils se mirent au travail, telle une équipe soudée. Toutes les cinq compressions, Marcus donnait une insufflation, s'arrêtant toutes les deux minutes pour laisser le défibrillateur analyser le rythme.

Au bout de dix minutes environ, la voix synthétique notifia d'appuyer sur le bouton du choc. Madeline pensa que la patiente était passée de son état d'asystolie à une fibrillation ventriculaire. Apparemment, la RCP avait donné des résultats.

Avant d'appuyer sur le bouton, elle s'assura qu'ils étaient tous loin du corps de Mme Sanders.

— Brett, dit-elle, tu devrais attendre l'ambulance dehors. Ils vont bientôt arriver.

Le pauvre enfant en avait assez subi pour la journée. Mieux valait qu'il ne voie pas le corps de sa mère s'arquer sous l'effet du courant.

— Je ne veux pas la quitter, répondit-il, la voix brisée par l'émotion.

— Brett, insista Marcus, nous avons la situation en mains, et tu serais d'une plus grande utilité en guidant les ambulanciers jusqu'ici.

Visiblement à regret, le jeune homme sortit.

— Ecartez-vous, dit Madeline.

Elle enfonça le bouton vert et le corps de la patiente sursauta sous le choc.

La voix leur intima d'attendre pendant que l'ordinateur analysait une nouvelle fois le rythme cardiaque, puis les informa qu'un nouveau choc n'était pas recommandé.

— Il faut le matériel pour l'intuber, dit Marcus en reprenant sa place près de la tête de Mme Sanders.

Tout en admirant son savoir-faire, Madeline ne put s'empêcher de souhaiter qu'il boutonne sa chemise.

— Quoi ? Pas d'œil de crapaud ni d'aile de chauve-souris, docteur Hunt ? Pas de baguette magique ? dit-elle d'un ton ironique, en reprenant les compressions.

Voilà qui était méchant et déplacé, étant donné sa bonne volonté à l'aider.

— Une autre fois, Maddy, répondit-il.

Au grand soulagement de Madeline, le mugissement d'une sirène se fit entendre.

Quelques instants plus tard, les deux ambulanciers entraient et elle leur expliqua ce qui s'était passé. L'un d'eux chercha un accès intraveineux et le second prépara les médicaments de première urgence, tandis que Madeline et Marcus continuaient la RCP.

— Il faut l'intuber, répéta Marcus.

L'ambulancier lui tendit un laryngoscope et Marcus introduisit l'instrument métallique dans la bouche de la patiente, tout en lui maintenant la tête en bonne position, de l'autre main.

La lumière de l'appareil lui éclaira la gorge et Marcus l'inclina pour visualiser les cordes vocales.

— Tube trachéal taille 8, s'il vous plaît.

Habilement, il inséra le tube, pourvu d'un ballonnet, dans la trachée, et insuffla manuellement de l'air oxygéné dans les poumons, puis l'ambulancier fixa le tube en place.

L'ordinateur fit une nouvelle analyse et tous reculèrent en entendant la voix ordonner le choc. Madeline appuya sur le bouton vert.

— J'ai un pouls ! s'exclama Marcus.

Sans prendre le temps de se congratuler, les ambulanciers troquèrent le défibrillateur contre l'un des leurs, doté d'un moniteur cardiaque avec écran, et Madeline les aida à charger la patiente sur le brancard, tandis que Marcus continuait les insufflations.

Bien que soulagée d'avoir réanimé Mme Sanders, Madeline savait que cette dernière avait des accès de tachycardie ventriculaire et que son état restait critique et instable. En hâte, ils la préparèrent pour le transfert.

Brett, pâle et silencieux, paraissait choqué par tous ces événements.

— Tu peux aller avec elle, lui dit gentiment Marcus.

Machinalement, il suivit la civière où était allongée sa mère.

— Je voudrais monter avec elle à l'arrière, dit Madeline aux ambulanciers. Si elle fait un nouvel arrêt, vous aurez besoin d'une autre paire de mains.

— Je vous suis en voiture, intervint Marcus.

Elle se tourna vers lui.

— Ce n'est pas nécessaire, dit-elle en essayant d'adoucir le ton.

Maintenant que l'urgence immédiate était passée, l'afflux d'adrénaline combiné aux effets du décalage horaire la rendait nauséeuse.

Il lui passa un bras autour des épaules.

— Vous tremblez. Ça ne va pas ?

Elle le regarda dans les yeux et le regretta aussitôt car, bêtement, les larmes affluèrent.

— Ça va, dit-elle en haussant les épaules.

Marcus leva la main pour lui repousser derrière l'oreille une mèche de cheveux qui s'était échappée de son chignon bien serré sur la nuque.

Résistant à l'envie de poser la tête contre sa poitrine, elle recula.

— Docteur Harrington…, appela l'un des ambulanciers.

— J'arrive, répondit-elle.

Les jambes tremblantes, elle s'éloigna de Marcus.

2.

Madeline était assise dans la salle d'attente avec Brett lorsque Marcus les rejoignit. Après avoir transmis au personnel hospitalier tous les renseignements nécessaires, elle avait appelé M. Sanders. Mais informer les familles de la gravité de la situation la laissait toujours désemparée.

Très lasse, l'esprit vide, elle fixait à présent le mur opposé. Marcus poussa devant elle une tasse de café fumant, ce qui déclencha sa mauvaise humeur.

— Je vous ai dit que ce n'était pas la peine de venir, dit-elle d'un ton irrité.

— Prenez, Maddy, ordonna-t-il d'une voix douce mais ferme.

L'odeur forte du café parvint à ses narines et son estomac grogna. Depuis son petit déjeuner dans l'avion, elle n'avait rien avalé. Aussi finit-elle par accepter la tasse.

Après avoir offert à Brett une canette de jus de fruits, Marcus s'assit à côté de Madeline. Sa présence faisait naître en elle des frissons, et lorsque leurs bras s'effleurèrent, elle se sentit soudain complètement réveillée.

« Reprends-toi, s'intima-t-elle. Il n'est pas libre, toi non plus, et dès lundi matin, tu vas écraser cet homme comme une fourmi. Tu ne vas tout de même pas lui courir après alors que tu lui donneras bientôt l'ordre de déguerpir ! »

A cette idée, un sourire se forma sur ses lèvres. Elle imagina son visage lorsqu'elle lui tendrait l'avis d'expulsion.

Mais cette vision fut brusquement obscurcie par un sentiment de culpabilité. Peut-être ne voyaient-ils pas les traitements du même œil, mais il était tout de même médecin, qui plus est, expérimenté, et il l'avait aidée sans lui poser aucune question, malgré les menaces qu'elle avait proférées à son encontre.

— Vous complotez contre moi, Maddy ?

Un déchaînement de sensations déferla en elle lorsque sa voix grave lui parvint.

Etonnée qu'il puisse lire dans ses pensées avec une telle précision, elle se tourna vers lui en essayant de cacher son émoi.

— Comment avez-vous deviné ?

Il éclata de rire tout en caressant sa barbe naissante.

— Maddy, Maddy, ne jouez jamais au poker !

Hypnotisée par son geste, elle éprouva soudain l'envie de frotter sa joue contre la sienne.

Pendant une éternité, elle se perdit dans cette immensité marine, tandis qu'autour d'eux l'hôpital continuait de vivre.

— Docteur Harrington…

Une jeune infirmière interrompit l'échange silencieux. Légèrement décontenancée, Madeline cligna des yeux pour la regarder.

— Oui ?

— On vient d'emmener Mme Sanders aux soins intensifs.

— Oh, merci… J'y vais.

Cependant, l'attention de l'infirmière s'était portée sur Marcus. L'air aguicheur, elle lui sourit, et il lui répondit par un clin d'œil, sous le regard réprobateur de Madeline.

Suivie de Brett, elle se rendit au chevet de Mme Sanders, où elle resta quelques instants. Lorsqu'elle sortit enfin, elle vit que Marcus l'attendait.

— Je vais vous raccompagner en voiture, dit-il.

— Je vais prendre un taxi, lança-t-elle par-dessus son épaule, sans se tourner vers lui.

— Ne soyez pas stupide, Maddy, reprit-il, comme s'il grondait un enfant désobéissant. Vous avez l'air épuisée. Savez-vous combien il faut de temps pour avoir un taxi un samedi soir ?

Avec un gros soupir, elle s'arrêta. Il avait raison, et elle se sentait tellement fatiguée…

Autant profiter de l'offre ! Elle hocha la tête et Marcus leva les sourcils, comme s'il s'étonnait de la voir acquiescer aussi facilement.

Quelques minutes plus tard, elle fixait d'un air dubitatif la MG décapotable rouge vif.

— C'est à vous ?

— Oui.

— Ça rapporte, les tours de charlatan…

— Que pensiez-vous que je conduisais ?

Elle le regarda de haut en bas. Il portait toujours les mêmes vêtements — boutonnés, cette fois. Elle le revit voltigeant sur le mur en béton, la planche de skate aux pieds.

— Une vieille bagnole déglinguée, répondit-elle.

Rejetant la tête en arrière, il éclata de rire — un rire guttural, puissant, qui la fit frissonner.

— Vous êtes une vraie mégère. Allez, montez, Maddy.

Résignée, elle obtempéra sans broncher, heureuse de s'asseoir avant que ses genoux ne la trahissent.

— Un peu étroit pour y mettre un siège d'enfant, docteur Hunt.

— Je m'appelle Marcus.

— Peut-être, mais moi, je crois que je vais vous appeler Dr Hunt, dit-elle en imitant ses paroles précédentes.

— Touché, Maddy, s'esclaffa-t-il.

La capote relevée, ils se mirent en route dans un silence troublé seulement par les indications que donnait Madeline pour arriver chez elle. Le ronronnement monotone du moteur et la caresse de l'air tiède finirent par l'endormir.

Marcus en profita pour l'étudier et ressentit un émoi intense. Elle était magnifique, et très mystérieuse. La vue du diamant à son annulaire le fit soupirer. Sa règle de vie lui interdisait toute aventure avec une femme fiancée ou mariée, quelle que soit l'attirance éprouvée.

— Maddy…, dit-il doucement en lui caressant la joue.

Elle bougea en murmurant quelque chose d'inintelligible.

— Maddy…, répéta-t-il plus fort.

D'un coup, elle se redressa, et la main de Marcus retomba.

— Excusez-moi, je ne voulais pas m'endormir…

— Vous étiez fatiguée.

Ils étaient proches l'un de l'autre, dans l'habitacle… Madeline sut qu'il se passait en elle quelque chose qu'elle n'avait jamais éprouvé avec Simon. Marcus emplissait tout l'espace, et sa sensualité ne convenait pas à un lieu aussi restreint que celui-ci.

Elle tenta de se ressaisir.

Cet homme faisait du skate et avait un enfant. Certes, cela ne voulait pas dire qu'il était marié, mais il avait en tout cas des responsabilités.

— Merci… pour ce que vous avez fait, dit-elle. Vu la façon dont je m'étais comportée, je suis surprise que vous soyez venu.

— Je ne négligerais jamais une urgence médicale. Certaines choses sont plus importantes que des différences insignifiantes.

— Je crois pourtant que je vous dois des excuses.

— Elles sont acceptées, dit-il avec une demi-révérence. Cela veut-il dire que mon expulsion n'est plus d'actualité ?

— Cela veut dire que vous êtes un véritable médecin, que vous êtes venu à mon aide et que vous m'avez raccompagnée chez moi. Je pense donc pouvoir vous tolérer, mais je continue d'être totalement sceptique, docteur Hunt. Il faudra plus qu'une RCP pour me convaincre.

— Ah, un défi ! J'aime les défis.

La promesse implicitement contenue dans ces mots la fit frissonner.

C'était stupide : il avait un enfant, et elle portait toujours sa bague de fiançailles.

— Je ferais mieux d'y aller. Je vous empêche de rejoindre votre petite famille.

— C'est difficile, étant donné que je n'en ai pas.

Le cœur de Madeline fit un bond ridicule.

— Oh, excusez-moi. Je vous ai vu tout à l'heure sur la piste de skate avec un petit garçon. Je pensais…

— Que c'était mon fils ? Non, c'est mon neveu. Ma sœur vit ici, à Brisbane, et Connor est un skater de premier ordre. J'avais promis de l'emmener ce week-end. Mais je suis sans femme, sans maîtresse, sans enfant.

— Vous aviez l'air vraiment proches, alors j'ai cru…

— Oui, nous sommes très proches. C'est un enfant formidable.

— Quel âge a-t-il ?

— Six ans. Quand Nell, ma sœur, est venue s'installer à Brisbane pour son travail, j'ai décidé de la suivre. Le père de Connor est parti quand il était encore bébé, et je sais ce que c'est de grandir sans père.

— Qu'est-il arrivé à votre papa ?

— Mes parents ont divorcé quand j'avais cinq ans. Lui s'est remarié et nous a purement et simplement oubliés.

— Vous faites donc figure de père pour Connor ?

— Disons que je représente un personnage masculin stable. Je m'occupe de lui de temps en temps, mais je suis toujours content de le rendre à sa mère. J'aime trop profiter de la vie pour avoir des attaches permanentes. Chat échaudé craint l'eau froide.

« Il y a quelque chose, dans son passé », songea-t-elle.

— Un souvenir douloureux ? reprit-elle à voix haute.

— Effectivement.

Malgré sa curiosité, elle bâilla. La lassitude reprenait le dessus.

— Je ferais bien d'y aller. Merci pour la conduite.

— A votre service.

La main sur la poignée, elle marqua un arrêt. Avait-elle imaginé le sous-entendu ? Une fois sortie de la voiture, elle se tourna vers lui.

— Au revoir, docteur Hunt.

Le rire de Marcus la suivit, tandis qu'elle s'éloignait sur des jambes flageolantes.

Le lendemain, Madeline arriva à l'hôpital juste avant le déjeuner. Elle inspira profondément pour se familiariser de nouveau avec l'odeur de désinfectant, commune à tous les hôpitaux du monde.

Arrivée aux soins intensifs, elle découvrit que sa malade était stabilisée et avait été emmenée en cardiologie. On lui apprit qu'elle avait souffert d'un infarctus du myocarde sévère, mis en évidence non seulement par l'électrocardiogramme, mais aussi par l'augmentation des enzymes cardiaques.

Heureusement, grâce à l'administration rapide d'un médicament thrombolytique, ils avaient réussi à arrêter les autres dégâts.

L'état de Mme Sanders s'était amélioré pendant la nuit, et on avait pu l'extuber au petit matin.

Soulagée, Madeline se rendit à son chevet. Cette mère de cinq enfants était depuis longtemps menacée d'une attaque : obésité, hypertension, cholestérol, et un terrain familial déjà marqué.

Avec un peu de chance, elle serait maintenant disposée à suivre les conseils du médecin.

Madeline lui sourit et Mme Sanders la remercia vivement de lui avoir sauvé la vie.

— J'ai fait ce que tout professionnel aurait fait. De plus, je n'étais pas seule.

— Oui, Brett m'a dit qu'un beau médecin vous avait aidée.

Beau ? Ce n'était pas ainsi qu'elle aurait décrit Marcus Hunt. Suffisant, sensuel, oui, mais beau… ?

— On parle de moi ? dit une voix grave qui la fit sursauter. Bonjour, Maddy.

Assise sur le lit de la malade, elle ne se retourna pas, mais resta immobile, le dos raide. Elle l'entendit avancer vers la patiente et lui offrir un bouquet de fleurs avant de se laisser tomber sur une chaise à son chevet.

Après s'être présenté, il mit tout en œuvre pour séduire cette femme d'âge mûr.

Incapable de bouger et à peine consciente de leur conversation, Madeline resta clouée où elle était, les yeux rivés sur ses jambes puissantes recouvertes d'un jean. Le T-shirt tendance qu'il portait moulait parfaitement ses biceps et sa poitrine.

Lorsqu'il se mit à rire, elle ne put s'empêcher de regarder sa bouche.

C'est l'instant précis que choisit Marcus pour se tourner vers elle, rompant ainsi l'état de transe dans lequel elle se trouvait.

Le visage empourpré, elle se leva.

— Je crois que je vais partir, maintenant, dit-elle d'une voix mal assurée.

Mme Sanders protesta, mais il était visible que cette visite l'avait fatiguée.

— Oui, moi aussi, reprit Marcus.

— Oh, je vous en prie, intervint Madeline, paniquée à l'idée de passer du temps en sa compagnie, vous venez d'arriver... Restez, je suis sûre que ça fera plaisir à Mme Sanders.

— En fait, je suis un peu lasse, admit la malade.

— Alors, nous partons, dit Marcus en posant la main sur celles de Mme Sanders. Si je peux faire quelque chose pour vous, n'hésitez pas.

En même temps, sous les yeux incrédules de Madeline, il sortit une carte de sa poche pour la poser sur la table de nuit.

Furieuse, elle quitta la pièce. D'accord, elle s'était résignée à le tolérer, mais de là à ce qu'il ose essayer de lui voler sa malade ! Une fois dans le couloir, elle laissa éclater sa colère.

— Qu'est-ce que ça veut dire ?

— Chut, Maddy... C'est un hôpital, dit-il en la menaçant ironiquement du doigt.

Fatiguée, irritable, elle n'était vraiment pas d'humeur à plaisanter.

— Je m'en moque, marmonna-t-elle. Comment osez-vous me prendre l'une de mes patientes. Quel manque d'éthique ! Ce n'est pas ainsi que vous me convaincrez de votre professionnalisme.

— La médecine conventionnelle ne semble pas lui avoir réussi.

Rouge de colère, les yeux étincelants, elle lui fit face.

— Comment osez-vous me faire la leçon ? Vous ne connaissez rien de son cas. Il se trouve que les méthodes conventionnelles ne fonctionnent que si l'on suit les conseils de son médecin ! Or, Mme Sanders n'est absolument pas docile.

Devant les yeux intéressés de Marcus, la poitrine de Madeline palpitait sous l'effet de la colère. Sans lui laisser davantage apprécier le spectacle, elle reprit sa marche d'un pas décidé.

Sur le parking, elle constata qu'un idiot s'était garé devant sa voiture. Lorsqu'elle se rendit compte qu'il s'agissait de la MG de Marcus, sa consternation se transforma en colère.

Mâchoire crispée, elle lança un coup de pied dans un pneu et le regarda approcher d'une démarche paresseuse, terriblement sensuelle.

— J'espère que vous êtes plus doué pour faire le charlatan que pour vous garer.

Son rire la fit frissonner, malgré la température ambiante d'une trentaine de degrés.

— Je suis désolé, dit-il. On dirait qu'aujourd'hui, vous vous êtes levée du mauvais pied !

— Contentez-vous de déplacer votre véhicule, docteur Hunt. Je n'ai pas envie de discuter avec vous.

Elle ne souhaitait qu'une chose : échapper à sa présence qui la troublait beaucoup trop.

— Maddy, reprit-il en s'approchant d'elle, je croyais que nous avions conclu une trêve, hier ? Vous verriez que je suis un type très bien, si vous me connaissiez.

Comment respirer calmement en présence de cet homme ? Inexplicablement, il lui donnait envie de jeter sa sagesse aux orties pour monter avec lui sur son skate et rouler dans le vent.

— Votre voiture, répéta-t-elle.

Frustré, il soupira. Jamais il n'avait eu à faire à aussi forte partie.

Cela ne faisait que l'intriguer encore plus, le fasciner, et lui faire regretter ce diamant à la main gauche de Madeline Harrington.

Après un long regard insistant, il s'écarta et glissa la clé dans la serrure de sa portière.

— Pourquoi n'irait-on pas boire quelque chose ensemble ? On apprendrait à se connaître, dit-il.

— Economisez votre souffle, répliqua-t-elle, fière de la juste dose d'indifférence et de froideur qu'elle avait mise dans sa voix.

Marcus fit rugir le moteur et eut un nouveau sourire suffisant.

— On se reverra peut-être plus tôt que vous ne le pensez.

Bien après le départ de la voiture, son dernier éclat de rire continua de résonner dans la tête de Madeline.

Les muscles de sa nuque la faisaient souffrir. Inutile d'être chiropracteur pour en savoir la cause : le stress, nommé aussi Marcus Hunt. Elle se rendait chez George et Mary qui l'avaient invitée à déjeuner, et tout en conduisant, elle se massa le cou.

Dès son arrivée, Mary l'entraîna vers la terrasse qui surplombait un magnifique panorama de montagnes. George les rejoignit et ils s'installèrent dans des chaises longues pour discuter.

— Ainsi, dit George, tu as fait la connaissance de Marcus.

— Oui. Savais-tu qu'il était homéopathe, quand tu lui as loué le local ?

— Bien sûr.

— Mais à quoi pensais-tu, George ?

— Je me doutais que tu aurais un problème avec lui, dit-il calmement.

— Je l'ai menacé d'expulsion.

Mary porta la main à sa bouche en sursautant.

— Oh non ! Je l'ai invité à déjeuner !

— Quoi ?

— Il va arriver d'un instant à l'autre.

« Super », songea Madeline, vivement contrariée. Etait-il trop tard pour s'en aller ? Mais après tout, pourquoi le ferait-elle ? George et Mary n'avaient cessé d'être merveilleux depuis la mort de ses parents, et elle ne les avait pas vus depuis six semaines.

— Pourquoi donc l'as-tu menacé d'expulsion ?

— Parce que je m'attendais à ce que tu te sentes aussi outragé que moi. Je croyais que tu avais été entortillé par l'agent immobilier et que tu ne t'étais pas renseigné sur le nouveau locataire.

— Qu'est-ce qui te faisait croire ça ?

— Oh, je ne sais pas… As-tu pensé à tous les patients qui se sont fait avoir ? Et à Abby ?

George regarda Madeline par-dessus la monture de ses lunettes.

— Tu sais comme nous aimions ta sœur, mais Abby était une adulte, qui a fait ses propres choix concernant sa santé. Tu ne peux pas stigmatiser toute la profession à cause de quelques erreurs. Abby porte aussi sa part de responsabilité, lui rappela-t-il gentiment.

Bien sûr, il avait raison, et Madeline le savait, mais Abby avait payé cher son erreur.

— Je m'étonne seulement que nous semblions maintenant approuver cette fumisterie.

— Madeline, dit George avec un soupir en s'approchant d'elle, Marcus est l'un des meilleurs éléments de Melbourne, en matière de médecine alternative. Il a même travaillé avec des athlètes de haut niveau pour leur trouver des traitements appropriés qui ne figurent pas sur la liste des substances interdites. Nous avons tout vérifié. Ce n'est pas un charlatan, mais un médecin qui propose aux gens un choix fondé sur des principes allopathiques et homéopathiques. Le meilleur dans les deux registres.

— Pourquoi ne m'a-t-on pas consultée ?

— Tu as été absente six semaines.

— Le téléphone existe !

— Cette décision n'a pas été prise à la légère, Madeline. Nous en avons discuté et nous avons estimé que ce serait bon pour la clientèle de proposer autre chose. Tu n'es pas la seule à vouloir apporter des changements... Nous aussi, nous avons des idées. De nombreux patients nous demandent autre chose que des médicaments traditionnels, et nous pourrons maintenant les diriger vers quelqu'un de réputation irréprochable.

— Tu vas vraiment lui adresser des malades ?

— Si c'est ce qu'ils veulent, oui.

— Je ne sais pas, George. C'est une chose de le tolérer, mais lui donner du travail en est une autre. Il n'y a pas d'étude écrite pour justifier leurs affirmations, rien n'est prouvé, et je crois que je ne lui enverrai aucun de mes patients.

A vrai dire, elle voulait avoir affaire à lui aussi peu que possible. Dès qu'il était là, il se passait en elle quelque chose de bizarre, dont elle n'avait pas besoin dans sa vie. Dire qu'elle allait devoir déjeuner avec lui, supporter ses yeux bleus et ses fossettes espiègles !

— Tu seras gentille avec lui, n'est-ce pas ? demanda Mary.

— Bien sûr, je suis toujours polie, dit-elle en essayant de cacher son irritation.

Leur conversation fut interrompue par la sonnerie du téléphone. George alla répondre et Mary se rendit dans la cuisine vérifier ses préparatifs culinaires. Madeline resta seule.

Malgré son appréhension à l'idée de rencontrer Marcus, la combinaison de la chaleur, du verre de vin qu'on lui avait servi, des effets du décalage horaire et du calme qui régnait rendit ses paupières lourdes.

« Je ferme les yeux une seconde », songea-t-elle.

Vaguement, elle entendit la sonnette puis les paroles de Mary.

— Madeline est sur la terrasse. J'arrive dans une minute, Marcus, et George ne sera pas long.

Encore contrarié par ce qui s'était passé à l'hôpital, Marcus se prépara à rencontrer une Madeline irritée.

Lorsqu'il la vit assoupie, son cœur fit un bond.

Les cheveux détachés, les yeux clos, la bouche détendue et le front lisse, elle lui apparut comme la Belle au bois dormant.

Son T-shirt vert jade à encolure ronde moulait sa poitrine qui montait et s'abaissait régulièrement.

Il sembla à Marcus que la température extérieure se faisait soudain plus chaude. La bouche sèche, il sentit une vague d'excitation le parcourir.

Dieu, qu'elle était belle !

Sans bruit, il s'assit pour la regarder dormir. Cette fois, il ne la réveillerait pas. Le seul fait de l'observer lui donnait du plaisir. L'homme avec lequel elle était fiancée avait bien de la chance !

Madeline fronça légèrement les sourcils tandis qu'une image de Marcus planait devant elle, le torse dénudé, et ses fossettes semblant se moquer d'elle. Désorientée, elle essaya de se dégager du voile de ses rêves.

Son regard se posa alors sur Marcus. Le brouillard qui lui obscurcissait les idées l'empêchait de définir la silhouette qui se trouvait devant elle.

Rêvait-elle ?

Après avoir cligné plusieurs fois, elle se frotta les yeux. Oui, elle était réveillée, et c'était bien Marcus qui était assis là, à la contempler, une bière à la main.

— Maddy… Depuis le temps !

Se sentant vulnérable, étendue sur sa chaise longue, elle tenta de se redresser.

— Madeline, corrigea-t-elle, maussade. Je m'appelle Madeline.

— Voulez-vous de l'aide ? dit-il en lui tendant une main qu'elle ignora superbement.

Une fois debout, elle gagna l'extrémité de la terrasse. Soudain, le commentaire qu'il lui avait fait à la sortie de l'hôpital lui revint à la mémoire.

— Vous le saviez ! Vous saviez qu'on se reverrait ici !

— Apparemment, Mary avait envie que nous fassions connaissance. De plus, je ne refuse jamais un repas fait maison.

Avant qu'elle ait pu répondre, Mary arriva.

— Tout va bien ? demanda-t-elle, un peu étonnée de la distance qui les séparait.

— Super ! répondit Madeline avec un sourire enthousiaste.

— Marcus, reprit Mary en agitant un doigt menaçant vers lui, vous ne m'aviez pas dit que vous aviez déjà rencontré Madeline.

Incrédule, cette dernière regarda sa vieille amie. Les joues délicatement empourprées, elle flirtait littéralement avec Marcus.

— J'avoue, dit-il avec un grand sourire.

Elle n'était donc pas la seule sur laquelle il exerçait un tel effet !

Bien que Mary fût une excellente cuisinière, Madeline dut se forcer pour avaler la nourriture. La présence de Marcus et son bavardage lui pesaient terriblement.

— Allez, Marcus, dit Mary, parlez-nous un peu de vous.

Sans se faire prier, il évoqua son enfance à Melbourne, ce qui captiva Madeline malgré elle.

— Je suis étonnée qu'un beau jeune homme comme vous ne soit pas encore père de famille, reprit Mary.

— Un jeune homme ? Mais j'ai trente-cinq ans !

Le visage souriant de Marcus devint sérieux.

— En fait, j'ai déjà été marié, il y a longtemps.

Madeline s'arrêta de manger. Elle comprenait maintenant ses allusions de la veille.

— Trop jeune ? demanda Mary.

— On peut dire ça, répondit-il avec un haussement d'épaules.

— Vous la voyez encore ?

— De temps en temps.

Pendant quelque temps, ils mangèrent en silence, puis Mary reprit :

— Avez-vous eu l'occasion de faire un peu de tourisme dans la région, Marcus ?

— Pas vraiment. J'ai été très occupé depuis mon arrivée. Toutefois, j'ai découvert South Bank où je nage presque tous les après-midi, et la piste de skate.

Tout en chipotant avec la nourriture dans son assiette, Madeline le revit tel qu'elle l'avait vu la première fois — était-ce seulement la veille ? —, torse nu, sur la piste en ciment. Ses abdominaux et ses biceps parfaitement musclés s'inscrivirent en Technicolor dans son esprit.

Si seulement, à ce moment-là, elle avait su que, moins de vingt-quatre heures plus tard, elle ferait sa connaissance, elle aurait tourné les talons et repris l'avion pour l'Angleterre.

Soudain consciente du regard attentif des autres convives, elle secoua la tête.

— Excusez-moi… Vous disiez ?

— Je disais juste à Marcus que tu ferais un guide merveilleux. Cela ne t'embêterait pas, de lui montrer quelques-uns des points les plus intéressants, demain, puisque c'est ton jour de congé ? demanda Mary.

« Bien sûr que ça m'embête ! » songea-t-elle.

Désespérément, elle réfléchit à un moyen de se sortir de là.

— Eh bien… euh… j'avais l'intention de flâner au lit. Ce décalage horaire m'a tuée.

— Même une demi-journée serait mieux que rien, insista George.

C'était ridicule. Elle avait l'impression que George et Mary conspiraient contre elle. Ils n'étaient tout de même pas en train d'essayer de la caser !

Elle imagina leur réaction si elle leur disait qu'elle

préférait se faire écraser par un bus plutôt que de rester un moment seule avec Marcus.

— Ecoutez, dit celui-ci, ça ne fait rien. Apparemment, Madeline n'a pas du tout envie de me servir de guide. Ce sera pour une autre fois.

Furieuse, elle le regarda.

A cause de lui, elle avait l'air désagréable et impolie. Les Blakely appréciaient infiniment les bonnes manières et l'hospitalité, et elle leur devait tant qu'elle ne pouvait se montrer à eux sous un mauvais jour.

— D'accord, dit-elle.

— Merci, ma chérie, dit Mary.

Le sourire reconnaissant que George lui adressa fit comprendre à Madeline qu'il était satisfait.

— Je pourrais passer vous prendre, proposa Marcus. A quelle heure ?

— 13 heures ?

— Parfait !

En plongeant son regard dans ses yeux bleus, elle regretta une fois de plus d'avoir fait sa connaissance. Soudain, elle eut envie de partir. Elle se leva et se mit à débarrasser la table.

— On s'en occupera. Tu ferais mieux de rentrer chez toi, tu as l'air très fatigué, dit gentiment Mary.

Normalement, Madeline aurait insisté pour aider, mais l'envie de s'en aller était trop forte.

— Merci, Mary, dit-elle en l'embrassant. Je suis épuisée.

— Tu vas pouvoir conduire ? s'inquiéta George.

— Mais oui.

— Je peux vous raccompagner, proposa Marcus en se levant.

— Quelle bonne…, commença Mary en joignant les mains.

— Non ! s'exclama Madeline, peut-être un peu trop fort, car ses hôtes la dévisagèrent. Non, répéta-t-elle, plus doucement, mais fermement. Ça ira.

Tout, plutôt que monter en voiture avec lui ! Sous son

regard narquois, elle rassembla ses affaires et embrassa les Blakely.

— Ne me raccompagnez pas. Restez avec votre hôte, leur dit-elle.

Elle salua brièvement Marcus, car il aurait été impoli de lui tirer la langue et de lui lancer un coup de pied dans les tibias comme son instinct le lui dictait.

— A demain, dit-il.

Un instant, elle resta immobile et leurs regards se croisèrent.

Un frisson lui parcourut le dos. Il se passait entre eux quelque chose qui la paniquait.

Comment pouvait-il empreindre de sexualité les mots les plus innocents ?

— A demain.

3.

Madeline avait l'impression que des marteaux lui tapaient en cadence sur le cerveau, et l'écho des coups résonnait dans tous les os de son crâne.

Avec un gémissement, elle appuya sur ses tempes, mais le battement fou s'intensifia.

Désespérément, elle essaya d'ouvrir les yeux. Les cachets qu'elle avait pris l'après-midi précédent pour dissiper sa migraine naissante l'avaient anéantie.

Les coups reprirent et elle se rendit compte soudain que cela venait de la porte d'entrée et non de son mal de tête.

L'esprit confus, elle se leva en marmonnant des paroles indistinctes. Les chiffres lumineux de son réveil lui apprirent qu'il était 1 h 05.

Du matin ? De l'après-midi ? Les rideaux soigneusement tirés ne laissaient passer aucun rai de lumière.

Et quel jour était-on ?

D'une démarche chancelante, elle alla jusqu'à la porte, impatiente de faire cesser ce battement lancinant.

— J'arrive, j'arrive, dit-elle en ouvrant. Cessez ce bruit infernal !

Le plein éclat du soleil assaillit brutalement sa vision et elle se protégea les yeux tandis que la douleur lui transperçait les paupières. Echevelée, égarée, elle se retrouva devant Marcus Hunt.

— Vous avez une mine affreuse, fit-il remarquer.

Aux yeux de Marcus, elle semblait presque sauvage, indomptée. Ses cheveux d'un roux flamboyant étaient détachés, et il songea que si Le Titien avait toujours été de ce monde, il les aurait pris pour modèle.

Vêtue d'un simple T-shirt gris qui lui moulait la poitrine et d'une culotte en coton, elle exposait à ses regards plus de chair qu'elle ne l'avait jamais fait.

Une vague de désir l'envahit et il se fit des reproches. Elle n'allait pas bien, de toute évidence… Elle avait ouvert la porte quasiment nue, ce qui ne serait pas arrivé si elle avait été dans son état normal.

L'air hagard, la tête douloureuse, elle se demandait visiblement ce qu'il pouvait bien faire sur le seuil de sa porte.

— Merci pour votre honnêteté brutale, finit-elle par répondre. Maintenant, partez, ajouta-t-elle en lui claquant la porte au nez.

Les réflexes rapides de Marcus lui permirent de la bloquer à mi-course.

Madeline poussa un gros soupir et pivota sur ses talons sans se soucier de lui. Elle ne désirait qu'une chose, se recoucher.

Arrivée dans sa chambre, elle s'effondra sur son lit et tira le drap sur elle.

— Maddy ? appela Marcus du seuil.

— Vous êtes encore là ? grommela-t-elle.

— Vous n'allez pas bien.

— Quelle bonne déduction !

— Avez-vous oublié notre rendez-vous ?

D'un coup, elle se redressa et fit une grimace lorsque ce mouvement se répercuta dans sa matière grise.

— Notre rendez-vous ?

— Vous deviez me montrer un certain nombre de choses.

— Mon Dieu, j'ai oublié… Je suis désolée.

La migraine avait tout effacé.

— Ça ne fait rien. Ce sera pour une autre fois.

— J'avais accepté par politesse, expliqua-t-elle sans essayer de cacher son irritation. Je ne sortirais pas avec vous, même si vous étiez le dernier homme sur terre.

La douleur s'enfonça dans son crâne comme un couteau et elle s'allongea de nouveau, en proie à la nausée.

Marcus allait éclater de rire, mais en la voyant se prendre la tête entre les mains et s'effondrer en arrière en gémissant, il comprit qu'elle allait vraiment mal.

— La migraine, Maddy ? demanda-t-il en entrant dans la chambre pour s'asseoir à côté de son lit.

— *Madeline*, répondit-elle.

— Quand cela a-t-il commencé ? dit-il en tendant la main pour lui prendre le pouls.

A ce contact, les battements s'accélérèrent, augmentant la douleur. Elle se serait arrachée à lui si elle n'avait pas mis toutes ses forces à essayer de maîtriser sa nausée.

— Hier après-midi.

— Cela vous arrive souvent ?

— De temps en temps.

Ses doigts sur son poignet l'apaisaient et elle sentit la nausée reculer.

— Qu'est-ce qui les provoque ?

— Le stress.

— Et qu'est-ce qui vous a stressée, dernièrement ? demanda-t-il innocemment.

Comme s'il ne le savait pas ! C'était lui, la raison principale de cette migraine infernale. Si elle n'avait pas passé des heures à s'inquiéter…

Une vague nauséeuse la submergea et elle porta la main à sa bouche pour éviter que son corps ne la trahisse.

C'était bien sa faute à lui, si elle était dans cet état lamentable !

— Vous plaisantez ?

Marcus sourit. C'était donc lui, le responsable de ce mal de tête ?

— Vous en avez toujours eu ?

— Non. Ça a commencé il y a cinq ans environ.

Le « environ » était un leurre. Madeline s'en souvenait précisément, comme si c'était hier. L'après-midi de l'enterrement d'Abby, elle s'était pratiquement trouvée hors d'état de bouger.

— Après un moment particulièrement stressant ?

Désireuse de lui dissimuler l'horreur de ce jour, elle ferma les paupières.

— On pourrait dire ça.

Marcus la regarda rouler sur le côté pour éviter de lui faire face.

Distraitement, il se frotta la mâchoire. En médecine holistique, il était important de savoir ce qui déclenchait la crise pour établir un diagnostic et un traitement. Mais pour l'instant, il n'apprendrait rien de plus. Le plus urgent était de la soigner.

S'il la guérissait, l'opinion qu'elle avait de lui et de sa science s'améliorerait peut-être.

— Avez-vous pris quelque chose pour vous calmer ?

La voix de Marcus se mêlait au martèlement de sa tête.

— Plusieurs comprimés de Mersyndol.

Pas étonnant qu'elle soit déboussolée !

Un massage, voilà ce dont elle avait besoin. Rien de tel pour soulager le stress et les tensions.

Il lui fallait de la lavande et d'autres huiles essentielles pour la relaxer. Aujourd'hui, c'était l'occasion de faire ses preuves.

— Maddy ? Je vais vous laisser.

— Alléluia, marmonna-t-elle.

— Désolé de vous décevoir, je vais revenir. Je vais juste chercher ce qu'il faut pour votre mal de tête.

— Pas besoin, Marcus. De toute façon, je n'ai pas de chaudron.

Il éclata de rire. Même clouée au lit par une migraine atroce, elle pouvait être aussi tranchante qu'une lame. Manquerait-elle jamais l'occasion de lui adresser une remarque perfide ?

— Pas de tours de passe-passe, promis !

Elle referma les yeux, portée sur son nuage de Mersyndol. Les petits cachets blancs diminuaient l'intensité de la crise, mais elle savait qu'ils altéraient surtout sa perception de la douleur. Ils l'aideraient à passer de façon plus supportable les vingt-quatre heures de malaise.

Quarante-cinq minutes plus tard, Marcus était de retour. Il trouva Madeline lovée en position fœtale sur le lit.

Lorsqu'il l'appela, elle ouvrit les paupières, pour les refermer immédiatement.

Si elle n'avait pas craint d'avoir davantage mal à la tête, elle aurait hurlé.

« Je ne vais pas bouger, songea-t-elle, et il va partir. Il croira que je dors. »

— Madeline, répéta-t-il en allumant la lampe de chevet.

Elle lui aurait volontiers crié de s'en aller. Levant une paupière, elle le regarda avec condescendance.

Malgré la faible clarté, Marcus remarqua que ses yeux étaient vides. Leur éclat vert, brillant comme une émeraude, s'était estompé, et évoquait l'aspect terne d'une pierre dans sa gangue de terre.

Il sortit un flacon d'huile essentielle dont les propriétés devraient leur rendre leur éclat.

— J'ai ce qui convient pour la migraine, dit-il.

— Si six comprimés de Mersyndol n'ont pas fait effet, je doute que le contenu de cette fiole le puisse.

— Oh, femme de peu de foi…, psalmodia-t-il.

— Qu'est-ce que c'est ? Il faut que je renifle, que j'avale, ou vous me l'injectez ?

— Rien de tout cela. C'est une huile de massage. Roulez sur le ventre, ordonna-t-il.

Malgré le brouillard où elle évoluait, Madeline avait encore assez d'esprit pour savoir qu'elle entrerait dans des eaux dangereuses si elle lui permettait de la masser. Son mal de tête n'avait pas aboli l'étrange attraction qu'elle ressentait en sa présence. Alors, un massage dans sa chambre, dans son lit…

Pourtant, il ne semblait pas troublé par le caractère intime de la situation.

Etait-elle la seule à sentir cette alchimie étrange entre eux ?

— Je ne crois pas que ce soit une très bonne idée, dit-elle d'une voix rauque.

— Allons, Maddy, j'ai confectionné une potion secrète. Je sais que vous ne croyez pas à tout cela, mais au moins, tentez le coup. Ça fonctionne. Ça fonctionne vraiment.

Apparemment, elle était la seule à ressentir quelque chose. Lui restait sur le plan strictement professionnel : rien de plus que la relation habituelle entre médecin et patient.

La douleur battant avec une régularité douloureuse dans sa tête, elle se demanda sérieusement en quoi un massage pourrait la soulager…

Toutefois, s'il avait raison ?

— O.K., dit-elle en se tournant doucement sur le ventre.

— Je vais tourner la tête pendant que vous retirerez votre T-shirt.

Se soulevant sur les coudes, elle le regarda par-dessus son épaule.

— Je n'en ai pas l'intention, dit-elle.

Frustré, il soupira.

— Ne soyez pas ridicule. Il faut bien que j'aie accès à votre cou et vos épaules. Je ne peux pas vous faire un vrai massage thérapeutique à travers votre vêtement. Que vous le croyiez ou non, je suis cent pour cent professionnel. Je n'ai pas l'habitude de séduire des femmes en faisant semblant de travailler, et encore moins quand elles sont fiancées. Jamais !

En temps normal, Madeline aurait eu honte d'avoir offensé quelqu'un ; elle était beaucoup trop polie pour cela. Mais le seul fait d'imaginer qu'il allait la toucher lui envoyait dans tout le corps de puissantes décharges hormonales. Elle comprenait que Marcus se soit senti agressé, mais l'idée était aussi terrifiante qu'irrésistible.

Comme il se détournait, elle enleva rapidement son T-shirt et enroula le drap autour d'elle, laissant juste dépasser ses pieds.

— Prête, dit-elle.

Encore furieux qu'elle ait pu mettre en doute sa conscience

professionnelle, il s'approcha d'elle. Il y avait certaines lignes qu'on ne franchissait pas, et il était parfaitement capable de faire la distinction entre thérapie et sexualité.

Raide, la respiration saccadée, Madeline attendit le contact de ses mains sur sa nuque. Elle l'entendit frotter ses paumes imbibées d'huile et ses épaules se crispèrent dans l'attente du premier geste.

Aussi sursauta-t-elle violemment lorsqu'il lui caressa doucement les pieds.

Elle eut l'impression qu'il l'avait branchée sur une prise de courant lorsque chaque cellule de son corps se trouva comme électrisée.

Comment cela pourrait-il soigner son mal de tête ?

— Détendez-vous, Maddy, tout va bien. J'ai pensé commencer par un massage réflexologique des pieds. Saviez-vous que certains points de la plante des pieds correspondent à certaines parties du corps ?

— Pas de tours de passe-passe, vous me l'aviez promis ! protesta-t-elle, la voix étouffée par l'oreiller.

Il se mit à rire.

— Quel scepticisme ! O.K., n'essayons pas de faire la conversation. Oubliez la science. Et si vous y preniez simplement plaisir, vu que ça fait un bien fantastique ?

Là, elle ne pouvait vraiment pas le contredire. Elle se mordit la lèvre pour ne pas gémir tandis qu'il lui frictionnait et malaxait les pieds.

Il semblait s'attarder et insister sur certains endroits, autour des gros orteils, par exemple, mais partout où passaient ses doigts, ils provoquaient sur son équilibre des dégâts dignes d'un cyclone.

Une fois qu'il eut porté à ses deux pieds une égale attention — et même si Madeline ne l'aurait avoué pour rien au monde ! —, elle sentit diminuer l'intensité de la migraine.

Lorsqu'il s'arrêta, vingt minutes plus tard, elle étouffa une protestation. Inutile de lui faire savoir qu'elle aurait aimé qu'il continue. Elle essaya de rassembler ses idées.

— Merci, c'était très gentil, dit-elle d'une voix compassée, censée masquer le trouble qu'il avait provoqué.

— Le meilleur est encore à venir, dit-il en posant sa main sur son mollet.

Inquiète de l'agitation supplémentaire qu'il allait éveiller en elle, elle secoua la tête.

— Non, ça va. Je me sens mieux, j'ai juste envie de dormir, maintenant, dit-elle en tournant la tête vers lui.

— Chut…, souffla-t-il, le doigt sur les lèvres.

Les pupilles dilatées, Madeline eut soudain envie de sentir les doigts de Marcus sur ses propres lèvres et de les prendre dans sa bouche pour en déguster l'huile aromatique.

Troublée, elle se demanda d'où pouvaient surgir de telles pensées. Avant d'avoir rencontré cet homme, jamais elle n'avait perdu la maîtrise de son corps.

Tandis que ses mains de magicien descendaient le long de sa colonne vertébrale, Madeline commença à regretter tout ce qu'elle avait manqué jusqu'à présent. Les caresses de Simon, ainsi que ses baisers, avaient été délicats plutôt que passionnés, polis plus que déchaînés.

Mais cela lui avait suffi. La chose avait-elle de l'importance, quand on aimait quelqu'un ?

Au plus profond d'elle-même, secrètement, elle avait toujours pensé que ses grands chagrins l'avaient rendue incapable d'une forte passion. Le sexe semblait tellement peu important, comparé à ce qu'elle avait perdu.

Mais allongée là, tandis que Marcus faisait chanter et s'épanouir son corps à l'aide d'un peu d'huile, elle comprit qu'elle avait eu tort.

Elle était une femme, avec des désirs de femme, et le sexe avait de l'importance. Une grande importance !

Cette pensée la déprima. Elle était là, presque nue sur son lit, avec un homme qu'elle connaissait à peine et qui provoquait en elle le chaos le plus complet, et il n'y avait personne vers qui elle puisse se tourner.

Qu'aurait dit Veronica ? « Retourne-toi, et fais-toi masser devant… » ?

Elle se mordit la lèvre. Non, elle ne pouvait pas faire cela. Ce n'était pas son genre.

Mais elle s'abandonna au massage et aux caresses. Une bienheureuse euphorie l'enveloppa, la berça et la fit sombrer dans une somnolence relaxante.

Et un petit morceau de la glace qui entourait son cœur commença à fondre. Marcus avait allumé une flamme, une petite étincelle de chaleur, et chaque mouvement de ses doigts l'attisait.

Il fallut plusieurs minutes à Marcus pour se rendre compte qu'elle s'était endormie. Il était beaucoup trop occupé à dénouer les tensions de sa nuque et de ses épaules.

Beaucoup trop occupé, aussi, à essayer de penser à Mme Furness, une grosse dame acariâtre qui lui avait vraiment gâché la vie chaque fois qu'il avait eu le malheur de la voir.

S'il pouvait garder à l'esprit qu'il s'agissait de cette femme odieuse, il ne serait pas tenté d'embrasser les petits lobes des oreilles de Maddy, qui apparaissaient à travers les boucles de sa glorieuse chevelure, et il ne la ferait pas rouler sur le dos pour lui prouver son désir.

Tout cela parce qu'elle était hors d'atteinte. Carrément intouchable !

Le réveil marquait 16 h 55 lorsque Madeline se réveilla. Légèrement perdue, elle roula sur le dos en soupirant.

Marcus entra dans sa ligne de vision. Absorbé par un livre, il était assis sur l'une des chaises du salon. Il leva la tête lorsqu'elle bougea.

— Marcus ? demanda-t-elle, étonnée par sa présence.

Sa migraine avait disparu, remplacée par les effets secondaires habituels. La tête vide, les idées chamboulées, elle se sentait complètement minée.

— Bonsoir, Maddy. Ça va mieux ?

Sa bonne humeur la fit grincer des dents.

Puis le souvenir du massage et de la réaction de son corps la submergea.

— Ça va, merci. Vous n'aviez pas besoin de rester. D'ailleurs, vous pouvez partir, maintenant.

Sur le point de s'asseoir, elle se rappela qu'elle était nue, à part sa petite culotte. Son visage s'empourpra, et elle espéra que Marcus ne s'en apercevrait pas, dans l'obscurité.

Maintenant qu'elle était réveillée et que les événements lui revenaient à la mémoire, elle se trouvait extrêmement gênée par le caractère intime de leur après-midi.

— Je suis renvoyé, alors ? demanda-t-il, un sourire amusé aux lèvres.

Il la faisait paraître grincheuse, et elle se sentit rougir davantage.

— Je vous suis reconnaissante, reprit-elle en surmontant le tremblotement de sa voix, je le suis vraiment… Mais je n'ai pas besoin qu'on veille sur moi.

Il était étrange de parler à un Marcus complètement habillé, alors que les draps glissaient de façon aguichante sur sa peau nue et lui frôlaient les seins, accentuant ainsi l'indécence de sa tenue. Il était à deux mètres d'elle, dans sa chambre, et elle ne savait pas ce qu'elle était censée dire ou faire.

— Je ne partirai pas tant que je ne serai pas sûr que tout va bien. Levez-vous et prenez une douche. Je vais préparer quelque chose à manger.

— Je n'ai pas faim, répliqua-t-elle automatiquement, alors que c'était faux.

Elle voulait juste qu'il s'en aille aussi loin d'elle que possible.

— Il faut que vous mangiez quelque chose, et je trouve que vous me devez au moins un repas, répondit-il d'une voix ferme.

Il avait raison. Il était arrivé chez elle dans l'espoir de visiter la ville, et au lieu de cela, il avait passé son temps à s'occuper d'elle. Alors qu'elle ouvrait la bouche pour acquiescer, il quitta la pièce et elle l'entendit fourrager dans les placards de la cuisine.

Lorsque Madeline le rejoignit, dix minutes plus tard, Marcus leva la tête vers elle.

Son sourire accueillant vacilla légèrement lorsqu'il la vit. Un pantalon de jogging, un pull large, des pantoufles roses, et les cheveux noués en une natte bien sage.

Pas de forme ! Aussi asexuée que possible !

Marcus faillit éclater de rire, car en dépit de tout ce qu'elle pouvait faire, il savait très bien que sous cet épais matelassage se cachait un corps fantastique. Peu de temps auparavant, il avait eu les mains dessus ! Même dans un sac de jute, elle aurait eu l'air séduisante…

— Vous allez courir ? ironisa-t-il.

Ayant repris le contrôle de son corps et de la situation, elle ignora sa remarque.

— Hmm, ça sent merveilleusement bon… Qu'est-ce que c'est ?

— Une omelette. Et elle est prête. A table !

A en juger par le couvert remarquablement dressé, Marcus s'était senti comme chez lui. Il posa devant elle une assiette fumante ainsi qu'une pile de toasts beurrés.

L'estomac de Madeline gronda tandis que l'eau lui montait à la bouche.

Ils mangèrent en silence. Madeline savourait le goût de l'omelette, et lui savourait le plaisir de la voir apprécier sa préparation.

La douche semblait lui avoir fait du bien, et il trouva qu'elle avait repris des couleurs.

Après avoir fini, il resta assis, bras croisés, à la fixer d'un air absent. Son regard la mit mal à l'aise.

Leurs yeux se croisèrent et Madeline entendit dans ses oreilles les pulsations de son cœur. Une légère vibration de sa fourchette trahit son énervement.

— Quoi ? demanda-t-elle.

— Rien. Je regarde, c'est tout.

— C'est obligé ? répondit-elle impatiemment en reposant ses couverts, incapable de continuer à manger.

Le rire grave de Marcus s'éleva et Madeline respira plus librement. Il se leva pour inspecter les photos encadrées.

— C'est le donateur de la bague ?

Le portrait de Simon était entre ses mains. Tout d'abord, Madeline faillit lui avouer qu'ils n'étaient plus fiancés, puis elle se ravisa. Si ce cliché lui rappelait qu'elle n'était pas libre, autant ne pas le détromper.

— Oui, c'est mon fiancé, dit-elle en espérant qu'un éclair n'allait pas traverser le plafond pour la foudroyer sur place.

Un moment, Marcus examina l'homme en question.

— Pourquoi n'est-il pas là, à s'occuper de vous ?

— C'est un chirurgien très occupé à l'hôpital, et il est parfois difficile de synchroniser nos emplois du temps. Il a beaucoup à faire, ajouta-t-elle, irritée par sa critique sous-jacente.

— Certaines choses sont plus importantes que d'autres, dit-il.

Incrédule, elle se rendit compte qu'il l'obligeait à défendre celui qui l'avait laissée tomber !

— Ses tours de garde l'épuisent complètement, et il a des examens à préparer. Je ne suis plus une enfant, je peux veiller sur moi.

Sauf que c'était parfois agréable de se laisser dorloter. Marcus secoua la tête devant la photo.

« Quel idiot ! songea-t-il. Grâce à Dieu, je ne me suis pas laissé attirer par ce monde stupide des spécialités. »

Qui pouvait préférer son travail à Maddy ? Cet homme ne se rendait-il pas compte qu'elle ne serait peut-être plus là quand il aurait fini de se forger une carrière ? Les jolies femmes comme Maddy, il fallait les apprécier, les adorer, pas les négliger !

— Qu'y a-t-il ? demanda-t-elle, sur la défensive, devant le regard peu amène de Marcus.

Quelle étrange impression, que de voir un autre homme chez elle, à l'aise, touchant ses affaires, regardant ses photos…

— Rien, dit-il en reposant le cadre.

— Non, il y avait quelque chose, insista-t-elle.

— Ecoutez, je ne l'ai jamais rencontré, et je suis sûr qu'il fait un travail superbe, mais… ce type est idiot, Maddy.

Incrédule, elle cligna des yeux à plusieurs reprises. Elle avait sûrement mal entendu !

— Je vous demande pardon, mais il a fini premier de sa promotion. Il n'est vraiment pas idiot.

Instinctivement, il eut envie de la prendre par le bras pour la secouer, mais il se contenta de hocher la tête.

— Oh, je suis sûr qu'il est brillant… Mais croyez-moi, tout homme capable de vous négliger ne peut pas être bien malin.

Sur le point de défendre Simon bec et ongles, elle s'arrêta net en entendant ce compliment. Rougissante, elle essaya d'imaginer le bonheur d'avoir quelqu'un qui n'aurait pas supporté de la quitter.

Marcus, quant à lui, reposa le cadre, incapable de comprendre comment des hommes pouvaient se conduire ainsi, ni comment Maddy pouvait l'accepter.

— Vos parents ? demanda-t-il en désignant un autre cliché.

Comme elle acquiesçait, il reprit :

— Je suis désolé, George m'a dit qu'ils étaient morts tous les deux.

Emue par la chaleur sincère de sa voix, elle hocha la tête en levant les yeux vers lui. Un instant, il soutint son regard avant de reprendre son inspection.

— Et là, qui est-ce ?

Il tenait à la main un petit cadre en argent avec une photo de Madeline et Abby, prise peu avant le décès de celle-ci. C'était la préférée de Madeline. Elles avaient passé la journée à faire les magasins, puis étaient allées au cinéma, et elles riaient en racontant à Simon le film lorsqu'il avait pris cet instantané.

La vague habituelle de tristesse la submergea.

— Ma sœur.

Jamais George n'avait mentionné l'existence d'une sœur, et Marcus s'en étonna. Elles ne se ressemblaient pas.

— Vit-elle à Brisbane ?

— Plus maintenant. Elle est morte, dit-elle en tendant la main pour lui reprendre la photo.

Ce fut comme s'il avait reçu un coup sur la tête. Il tenta de poser les mains sur ses épaules, en un geste de réconfort, mais elle recula pour se mettre hors d'atteinte.

— Il y a longtemps ?

— Cinq ans.

Voilà qui expliquait bien des choses, surtout les migraines ! Pour Marcus, tant qu'elle n'aurait pas fait son deuil, les douleurs persisteraient.

— Que s'est-il passé ?

— Un type de votre acabit l'a tuée.

Cette déclaration tranquille explosa dans le silence. De l'index, elle dessina le visage de sa sœur, et Marcus ferma brièvement les yeux pour ne plus voir sa souffrance. Il se prépara à entendre ce qu'il devinait être une horrible histoire.

— Laissez-moi deviner… Un vendeur d'huile de serpent de Chinatown ? Une prêtresse vaudou ?

Il connaissait bien le côté fangeux du domaine où il évoluait, et les gens incompétents qui inventaient des remèdes spécieux pour faire fortune.

— Un chirurgien médium.

— Oh, Maddy…, murmura-t-il.

Alors qu'il aurait voulu la prendre dans ses bras pour la réconforter, elle lui signifia, par le langage de son corps raide et tendu, de ne pas s'approcher.

— Ce ne sont pas des praticiens holistiques, ce sont…

— Des charlatans ? Des sorciers ? dit-elle, envahie par le même désespoir qu'elle avait ressenti quand sa sœur, mortellement malade, était arrivée sur le pas de sa porte.

Il avait été trop tard pour l'aider et elle avait assisté, impuissante, à ses derniers moments.

Devant sa douleur, Marcus comprit mieux sa véhémence du premier jour.

— Je ne suis pas responsable de toute cette industrie, Maddy. Il y a des gens sans scrupule des deux côtés de la barrière.

Spontanément, elle tendit la photo vers lui. Abby semblait avoir vingt ans.

— Taisez-vous, dit-elle.

— Maddy…

D'un geste, elle lui coupa la parole.

— Ecoutez, je sais que j'ai été dure, l'autre jour, et vous avez raison. Il y a des incompétents partout. Mais je suis médecin, et sceptique de nature. Toutefois, vous venez de soigner ma migraine. Ce qui, je dois le reconnaître, est un exploit. Je ne suis pas totalement fermée aux autres idées, Marcus, mais j'ai besoin de voir la science. Montrez-moi les textes, les preuves, les études.

— Je suis d'accord, c'est ce qui manque, dans mon domaine. Mais je vous assure que tout ce à quoi j'ai recours est fondé sur des preuves. Je vous montrerai les textes quand vous voudrez.

— Je l'espère bien, dit-elle en soupirant. Vous pouvez compter sur moi.

Il se mit à rire et un petit sourire erra sur les lèvres de Madeline. Comme elle bâillait, il remarqua qu'elle paraissait épuisée. Il savait à quel point les crises de migraine pouvaient miner les facultés. Aussi arrêta-t-il la conversation.

— Je vais vous laisser vous coucher.

Intérieurement, il se félicita du calme avec lequel il parlait, alors que l'idée même de la savoir dans son lit lui faisait battre le cœur.

Frissonnante, elle hocha la tête sans le regarder, de peur qu'il ne lise les pensées inconvenantes qui lui venaient à l'esprit.

— Tenez, dit-il en lui tendant une petite boîte.

— Qu'est-ce que c'est ?

Il lui prit la main, l'ouvrit et glissa l'objet dans sa paume.

— Des feuilles de grande camomille. Je sais que vous n'y croyez pas et que vous avez de bonnes raisons pour douter de ce que je fais, mais si vous en prenez régulièrement, en infusion, vous verrez que c'est une prophylaxie efficace contre la migraine.

Pendant quelques secondes, elle fixa la boîte, et releva les yeux juste à temps pour le voir franchir la porte. Elle ouvrit le couvercle et pencha la tête pour sentir l'odeur. Ce n'était pas épouvantable… C'était même agréable. De toute façon, ça ne lui ferait pas de mal d'essayer.

Toutefois, elle pensa que la meilleure prophylaxie du monde serait de ne plus jamais le revoir.

4.

Le lendemain matin, Madeline se sentait merveilleusement bien. Le malaise qui s'installait généralement après une migraine était inexistant, grâce à Marcus et ses caresses magiques. Par ailleurs, elle savait que c'étaient ces mêmes caresses qui étaient responsables des rêves érotiques qui l'avaient hantée toute la nuit. Elle s'était réveillée excitée, brûlant d'un feu ardent, et avait dû faire un effort pour se sortir du lit.

Heureusement, son premier jour de retour au cabinet passa rapidement, ce qu'elle apprécia pleinement. Plus elle travaillait, moins elle avait le temps de penser à Marcus et à la nymphe endormie qu'il avait ranimée en elle. Toutefois, elle ne savait pas encore comment elle allait gérer tout cela.

Ses patients s'étaient montrés ravis de la revoir, ce qui prouvait qu'une vraie relation s'était établie entre elle et eux. Pour ce premier jour, elle n'eut rien de trop grave à traiter, à part l'éventail habituel de douleurs, vérifications de grains de beauté, bébés plaintifs, renouvellements d'ordonnances et quelques vaccinations. Depuis que Madeline avait rejoint le cabinet médical, l'année précédente, elle avait apporté beaucoup de changements, particulièrement en ce qui concernait la santé des femmes. Et cela s'était révélé payant car la clientèle féminine s'était considérablement développée. Même les dames plus âgées, qui ne croyaient pas aux femmes médecins, préféraient maintenant que ce soit Madeline qui s'occupe de leurs « affaires intimes ».

Cette confiance que lui vouaient les jeunes comme les

aînées était pour elle une immense source de fierté. De même que celle de George et Andrew. Elle avait eu du mal à s'imposer, au début, car ils lui avaient mené la vie dure pour qu'elle fasse ses preuves, mais elle avait relevé le défi et en récoltait maintenant la récompense.

Elle avait profité du symposium en Angleterre pour s'inspirer d'exemples, afin de mettre en place une médecine préventive plutôt que réactive, et pour créer un groupe de soutien pour les mères adolescentes. Les modèles qu'elle avait vus là-bas l'avaient impressionnée.

Jamais à court d'idées, elle appréciait pleinement que les anciens associés de son père soient ouverts à ses suggestions. Elle les connaissait depuis toujours et ils étaient très chers à son cœur. Lorsqu'elle les avait rejoints, son rêve était devenu réalité.

Ni le courage ni la détermination ne lui avaient manqué, et ses innovations avaient permis de reconstituer une clientèle solide.

À 15 heures, Constance Fullbright entra dans son cabinet. Toute la journée, Madeline avait redouté cette visite. Agée de cinquante ans, Connie était hypocondriaque. Pendant trente ans, elle avait été la patiente d'Andrew, et celui-ci l'avait adressée avec joie à Madeline, lorsque Constance avait pensé qu'une femme médecin lui conviendrait peut-être mieux.

— Bonjour, Connie, dit Madeline.

— Oh, docteur Harrington, comme je suis contente que vous soyez revenue ! Ça a été les six semaines les plus longues de ma vie… Promettez-moi que vous ne me quitterez plus comme ça !

— Il faut bien que j'assiste à des colloques d'information et que je prenne des vacances de temps en temps, répondit Madeline en souriant.

— Oui, je le suppose, acquiesça la femme en calant

son imposante silhouette sur une chaise. Mais ce n'est pas pareil, de voir quelqu'un d'autre… J'aime beaucoup Andrew, et il m'a soignée pendant longtemps, mais… Ce n'est pas comme vous, ma chère.

— Merci, Connie, je prends cela comme un compliment. Que puis-je faire pour vous, aujourd'hui ?

Par expérience, Madeline savait que si elle ne cadrait pas sa patiente, la consultation serait interminable. C'était une femme solitaire, qui adorait bavarder. Mais ce n'était vraiment pas le jour, avec encore une bonne vingtaine de patients à voir.

Elle l'écouta décrire ses derniers problèmes, tout en prenant quelques notes dans son dossier. Ces deux dernières années, elle avait vu Connie au moins une fois par semaine, parfois deux, pour des problèmes d'insomnie, de règles douloureuses, des changements d'humeur, des douleurs articulaires, des migraines, maux de gorge, fièvres et pertes de mémoire.

Les nombreux tests effectués n'avaient rien révélé d'autre que ce que Madeline avait supposé : une baisse d'œstrogènes indiquant que Connie commençait sa ménopause. A cela s'ajoutaient l'obésité de la patiente et son manque d'exercice. Pour Madeline, c'était une Mme Sanders en puissance, avec diabète potentiel, et peut-être même une attaque en perspective.

Connie se mit à décrire sa fatigue prolongée, autrement dit un symptôme classique dans la vie d'une femme à un certain âge. Madeline lui avait déjà proposé beaucoup de choses pour l'aider à traverser cette période parfois handicapante. Suivre un régime, faire de l'exercice… tout cela était resté lettre morte.

N'étant pas trop portée sur l'effort, Connie aurait voulu une pilule magique qui puisse soigner ses maladies, réelles ou imaginaires. Malheureusement, Madeline savait que la médecine moderne ne pouvait faire qu'un nombre de choses limité pour les symptômes de la ménopause, le reste dépendant de la patiente.

— Je me demandais si un naturopathe pourrait m'aider. Qu'en pensez-vous, ma chère ?

Madeline se prépara à débiter le discours standard qu'elle tenait habituellement lorsque ses patients songeaient à se tourner vers la médecine alternative. Jamais elle ne disait non, même si son esprit le pensait très fort. Son travail consistait à guider ses clients, à les informer correctement et à les laisser faire leur choix. Toutefois, elle avait toujours du mal à rester objective dans ce domaine.

Patiemment, elle attendit que Connie lui laisse placer un mot. Dans son esprit se formait un plan. Bien sûr, elle avait dit qu'elle ne dirigerait jamais personne vers Marcus. Mais si c'était le patient lui-même qui le désirait, pourquoi pas ? Marcus lui avait demandé de lui laisser sa chance. Eh bien, s'il pouvait guérir Connie, elle devrait revoir sa conception tout entière de la médecine alternative. Comparée à Connie et ses multiples problèmes, sa migraine n'était rien. Si jamais il lui faisait faire des progrès, elle n'aurait plus qu'à croire aux miracles.

— Connie, dit-elle, si je vous faisais une lettre pour le nouveau praticien naturopathe qui vient de s'installer à côté ? Il n'ouvre que demain, mais je pense que je peux vous obtenir un rendez-vous.

— Vous croyez ? Oh, ce serait formidable !

— Je lui en parlerai cet après-midi. Veronica vous téléphonera pour vous indiquer le rendez-vous, poursuivit-elle tout en rédigeant un courrier sur son papier à en-tête.

D'expérience, Madeline savait que la majorité des patients ouvraient les enveloppes pour lire ce qu'avait écrit le médecin. Aussi resta-t-elle strictement professionnelle.

« Je vais te porter la guigne, Marcus », pensa-t-elle en signant le courrier.

Vers 17 heures, Marcus fermait sa porte lorsqu'il vit Madeline, serviette à la main, sortir de son cabinet. Après un geste rapide à son intention, elle s'éloigna. A sa grande joie, il vit qu'elle prenait la même direction que lui. Sourire aux lèvres, il admira son élégance, dans son tailleur bleu marine à rayures fines et ses cheveux noués sur la nuque. En observant le balancement de ses hanches, il se demanda si elle portait de la lingerie en dentelle ou des sous-vêtements en coton, comme il en avait vu la veille.

— C'est qui, oncle Marcus ?

La voix enfantine de son neveu interrompit sa rêverie. Il baissa les yeux vers Connor, qu'il était allé chercher à l'école et qu'il avait ramené à son cabinet pour rendre service à sa mère. Nell ne terminait qu'à 18 heures et Marcus avait supervisé les devoirs du petit garçon. Puis, utilisant la piste de skate comme une carotte, il lui avait demandé de l'aider à défaire des cartons.

— Elle s'appelle Maddy. Elle est médecin, juste à côté.

— C'est ta petite amie ?

Marcus éclata de rire.

— Non, pourquoi ?

— Tu la regardes bizarrement. Et elle est vraiment jolie !

Marcus hocha la tête. Son neveu devait tenir de lui.

— C'est vrai, Connor.

— Je peux monter sur ma planche tout de suite ? demanda l'enfant en posant celle-ci sur le trottoir, un pied posé dessus.

— D'accord, mais ne t'éloigne pas et ne va pas trop vite. Nous sommes sur une pente. Si jamais tu te cassais le bras, ta mère me tuerait.

Son neveu se mit à rire, tout en attachant la courroie de son casque, puis ses protège-coudes et genoux. Tout était bien en place, à l'épreuve des chocs.

Madeline avait entendu le skate-board approcher et, sans se retourner, avait su que c'était Marcus. Elle était presque dotée d'un sixième sens, pour ce qui le concernait. Si seulement il était tombé sur l'un des nombreux nids-de-poule de la vieille allée ! Cela lui aurait évité de le regarder, après ce qui s'était passé la veille. Franchement, un adulte sur un skate-board !

Mais la planche la dépassa et le petit garçon lui adressa un sourire espiègle. Son visage lui semblait familier et elle comprit que c'était le neveu de Marcus. Lorsque celui-ci la rattrapa, quelques instants plus tard, elle sursauta.

— Comment allez-vous, aujourd'hui, Maddy ?

— Très bien, répondit-elle sans s'arrêter, tandis que son cœur battait follement.

Bien sûr, elle aurait dû le remercier de son aide, mais vu la façon dont sa nuit s'était passée, les sensations qu'il lui avait fait ressentir et les rêves qui en avaient découlé, mieux valait passer sous silence les événements de la veille.

— C'est fini pour aujourd'hui ?

— Oui, répondit-elle encore sans le regarder.

— Puis-je marcher avec vous ?

« Non », répondit-elle en son for intérieur.

— C'est un trottoir public. Votre neveu ? demanda-t-elle.

Il acquiesça et appela le jeune garçon à quelques mètres devant lui.

— Hé, Connor, viens que je te présente Maddy.

L'enfant freina et, par un curieux jeu d'adresse du pied, releva sa planche qu'il fit glisser sous son bras.

— Bonjour, dit-il.

— Connor, je te présente Maddy.

— Bonjour, répondit celle-ci en serrant les dents pour ne pas faire de remarque sur son prénom.

Vêtu de son uniforme, Connor lui donnait une image de ce que devait être Marcus à six ans.

— C'est un joli nom, dit-il.

La candeur des enfants la surprenait toujours, et elle cligna les yeux.

— En réalité, je m'appelle Madeline.

— Oh, Maddy est beaucoup plus joli !

« Le digne héritier de la famille », pensa Marcus en ébouriffant les cheveux de son neveu.

— Ton oncle t'apprend à faire du skate ? demanda-t-elle à Connor, tout en jetant à Marcus un regard lourd de reproches.

— Non. Je sais déjà. Il m'apprend juste des figures. Oups…

L'air penaud, il plaqua une main sur sa bouche.

— Je dois pas le dire, expliqua-t-il.

— Ne t'inquiète pas, Connor. Avec moi, ton secret sera bien gardé, lui dit Madeline avec un sourire rassurant.

— Désolé, oncle Marcus.

— Pas de problème, mon garçon. Allez, remonte sur ta planche.

L'enfant s'éloigna devant eux et Madeline se tourna vers Marcus pour l'interroger du regard.

— Laissez-moi deviner. Il ne doit pas en parler à sa mère ? C'est cela ?

— Il veut apprendre et moi, je lui montre. C'est un garçon, et il a besoin de se dépenser. Nell est un peu trop protectrice.

D'un pas rapide, elle se remit en marche.

— Vous vous doutez que, tôt ou tard, il va vendre la mèche. Que se passera-t-il, alors ?

— Elle viendra m'en parler.

Pendant quelques secondes, ils restèrent silencieux.

— Nous serons donc voisins à partir de demain, reprit-il.

C'était une idée à laquelle elle avait du mal à se faire. Elle le regarda et il lui sourit. Son sourire nonchalant la troubla. Il était dangereux. Pas méchant, certes, mais il représentait une menace pour son équilibre. Marcus savait qu'il était séduisant, et la confiance qu'il avait en lui semblait ahurissante aux yeux de Madeline.

— Oh, mon Dieu, un skater en costume ! Ça va valoir le coup, dit-elle sur un ton railleur.

— Un costume ? Moi ? Désolé de vous décevoir, mais voilà mes habits de travail.

Incrédule, elle s'arrêta pour fixer son bermuda délavé aux bords effrangés et sa chemise tendance à rayures mauves, déboutonnée, qui flottait au vent. Son regard s'attarda sur sa poitrine virile provocante.

— C'est ce que vous mettez pour travailler ?

— Eh bien, d'habitude, je boutonne ma chemise.

Tout en secouant la tête, elle se remit en marche.

— Etes-vous sûr d'avoir quitté Melbourne de votre propre gré ? On ne vous l'aurait pas suggéré, par hasard ?

— Il est vrai que j'étais un peu original pour Melbourne, reconnut-il en riant. C'est aussi l'une des raisons qui m'ont poussé à venir ici.

— L'autre raison étant Connor ?

— Oui. Et le temps, aussi. C'est difficile de faire du skate quand on est trop couvert, et j'adore le surf… Mais je devenais trop vieux pour les températures de la mer. Elle est beaucoup trop froide, là-bas. Ici, je peux faire ces deux sports toute l'année. Sans rien sur le dos ou presque.

Ces mots firent apparaître dans l'esprit de Madeline des images qu'elle essaya de refouler.

— Vous avez trouvé le bon endroit, dit-elle finalement.

— Absolument.

Sous son regard perçant, son sourire nonchalant et ses fossettes, elle oublia un instant de respirer.

— Et pas d'autres raisons pour ce déménagement ?

— Mon ex, avoua-t-il au bout d'un moment.

— Tout ne va pas pour le mieux entre elle et vous ? demanda-t-elle, s'accrochant à un sujet qui, du moins l'espérait-elle, effacerait son sourire ravageur.

— Ça dépend.

— De quoi ?

Sans répondre, il haussa les épaules.

— Des phases de la lune ? demanda-t-elle.

A sa grande satisfaction, il fronça les sourcils.

— Oh, ça ne va pas si mal… Quelques éclats de temps en temps. Disons simplement que c'était bien de déménager, pour nous deux. Il était plus que temps de couper le cordon ombilical.

« Et si je l'avais fait plus tôt, ajouta-t-il en son for intérieur, cet acte irréfléchi, la veille de mon départ, n'aurait jamais eu lieu. »

Devant son air pensif, Madeline en oublia la circulation

et les gens qui les entouraient. Ne sachant quoi dire, elle continua d'avancer, consciente du contact occasionnel de son bras contre le sien.

— Hé, je ne voulais pas vous dégoûter du mariage ! reprit-il après une longue pause. Ce n'est pas parce que ça n'était pas fait pour moi que ça ne marchera pas entre vous et je ne sais plus qui.

— Simon, dit-elle automatiquement.

— Toutefois, si l'éloignement est bon pour les ex, c'est mauvais pour les couples.

— Oui, merci, Marcus. Je crois que j'ai déjà entendu votre théorie à ce sujet. Avez-vous oublié que Simon et moi vivons dans la même ville ?

— Vous pourriez vivre dans le même appartement, ça ne change rien, si vous ne vous voyez jamais.

— Tout va bien entre nous.

Le sourire qu'elle lui adressa venait de ses lèvres, pas de ses yeux, mais de quel droit la questionnait-il ? Il avait certainement sabordé son propre mariage, et n'était donc pas qualifié pour juger de la façon dont les autres menaient leurs relations. Chacun son style !

Tout en gardant un œil sur Connor, Marcus se rendit compte que Madeline lui faisait de l'effet — et pas seulement physiquement.

Même s'il ne la connaissait que depuis trois jours, il en savait plus sur elle que sur la plupart des femmes qu'il côtoyait depuis des mois, voire des années.

Il l'avait vue furieuse, toutes griffes dehors, les yeux furibonds ; profondément triste quand elle lui avait parlé de sa sœur ; effrontée quand elle l'avait taquiné sur ses tours de magie ; professionnelle quand il l'avait aidée à ressusciter Mme Sanders.

Et aussi fragile et vulnérable quand il lui avait massé les pieds et le cou pour soulager sa migraine.

L'idée qu'elle puisse gâcher sa vie dans une relation avec un partenaire absent lui était odieuse. Et bien qu'il y eût entre eux une barrière que les gens bien élevés ne franchissaient pas, il se rendit compte qu'il la désirait.

C'était bien de lui, de faire une fixation sur une femme qui n'était pas libre !

En levant les yeux vers lui, Madeline remarqua dans son sourire une légère fissure et en éprouva du remords. Faire comme si tout allait bien avec Simon avait dû ranimer de mauvais souvenirs de son mariage raté. Avait-elle retourné le fer dans la plaie ?

Gentiment, elle lui toucha le coude.

— Je suis sûre que quelqu'un vous attend quelque part, Marcus. Quelqu'un qui vous est destiné.

— Mon Dieu, j'espère bien que non.

Sa voix était véhémente. Son ex avait dû lui en faire voir de toutes les couleurs.

— Il ne faut pas vous laisser décourager par une mauvaise expérience, protesta-t-elle.

— Oh, si.

— Mais…

— Maddy, coupa-t-il, c'est O.K. Ça me plaît comme ça. Je sors, je m'amuse, je ne m'engage pas. Je ne voudrais pas que les choses changent.

La façon horrible dont il voyait les choses la fit sursauter. Au moins, elle savait maintenant ce que voudrait dire une liaison avec lui, si jamais elle était assez stupide pour envisager la chose.

Ce n'était pas parce que cet homme lui avait donné une fièvre qu'aucun comprimé ne ferait jamais passer qu'ils étaient pour autant compatibles.

Dégoûtée, elle secoua la tête.

— Alors quoi ? demanda-t-elle. Rien que le sexe ? Des aventures d'une nuit ? Je ne pourrai jamais me lier avec quelqu'un comme vous. Et l'engagement ? Et l'amour ?

— J'ai connu ça. J'ai payé les avocats et j'ai juste récupéré un vieux T-shirt.

En voyant qu'il riait, elle le toisa.

— Je ne trouve pas que ça soit drôle.

— Désolé, dit-il en lui tendant la main. Ecoutez, j'ai un mauvais aperçu de la chose. Ma mère a divorcé trois fois, mon père toujours absent deux fois, et moi une. J'ai deux sœurs, une qui a divorcé, l'autre qui est mère célibataire. Pas de chance, hein ? Mais je suis sûr que vous et Simon allez être merveilleusement heureux.

Pourquoi cela sonnait-il aussi bizarrement ? Aussi faux ? Sa critique de Simon lui revint à l'esprit et elle se sentit profondément vexée.

Désireuse de s'éloigner d'un personnage aussi négatif, elle s'arrêta et fit signe de la main à un taxi qui passait.

— Que faites-vous ? demanda-t-il.

— Je suis fatiguée de cette conversation et je n'ai plus envie de marcher avec vous, dit-elle avec un sourire doucereux.

— Très mature de votre part.

— C'est ce que je pensais, répliqua-t-elle.

Le taxi vint se ranger le long du trottoir et Madeline fit un signe de la main à Connor.

— Oh, Marcus…, dit-elle en ouvrant la portière. En parlant de maturité, je vous envoie demain matin une patiente nommée Connie. Ça vous va ?

L'air soupçonneux, il la dévisagea.

— C'est un cauchemar, cette femme ?

— Eh bien, devinez, dit-elle en riant. C'est vous qui avez une boule de cristal !

Elle monta dans le taxi et claqua la portière.

— Oncle Marcus, tu l'as énervée ? demanda Connor en arrivant près de lui.

— Je crois bien…

— Elle sera jamais ta petite amie, si tu l'énerves.

Super ! Recevoir des conseils de drague d'un gamin de six ans ! Avec un sourire pour son neveu, il regarda disparaître le taxi.

Il savait deux choses.

La première, c'est qu'il aimait les défis.

Et la deuxième, c'est que Madeline Harrington, si inaccessible qu'elle fût, était parfaitement et totalement délicieuse.

5.

Une demi-heure avant l'arrivée de son tout premier patient, Marcus se trouvait déjà dans son cabinet flambant neuf.

Comme les odeurs de peinture agressaient son odorat, il ouvrit les fenêtres en grand et posa sur son bureau un bâton d'encens qu'il alluma pour disperser les vapeurs chimiques.

Après avoir examiné son cabinet de consultation, il hocha la tête, satisfait. Les murs étaient d'un vert extrêmement pâle et une lumière naturelle, venue d'un vasistas, illuminait la pièce.

Quelques tableaux montraient une forêt tropicale à différents moments de la journée. Marcus adorait leur caractère paisible.

Ses diplômes, encadrés, occupaient le mur derrière son bureau. Très souvent, les gens exigeaient de les voir, alors que personne ne demandait jamais rien de tel aux généralistes. Cette pensée le fit sourire. Il avait aussi affiché différentes planches : l'une, d'iridologie, représentait un iris en détail, l'autre, de réflexologie, un pied, la troisième, les chakras humains.

Nombre de ses confrères, qui admettaient ses convictions homéopathiques, se fermaient dès qu'il s'agissait de chakras ou de courants d'énergie. Il savait que ces idées-là n'avaient aucun fondement dans la médecine occidentale. Mais il était convaincu aussi que la maladie avait de multiples causes, et qu'il fallait tout prendre en considération, y compris la dimension métaphysique.

Assis dans son fauteuil, il le fit pivoter pour se trouver

face au placard. Il ouvrit l'un des trois tiroirs coulissants pour contempler avec beaucoup de plaisir les rangées de petites fioles de remèdes.

Il en prit quelques-unes et fit glisser son doigt sur les étiquettes avant de les replacer.

Après quoi il se dirigea vers la pièce adjacente qui était sa salle de massage.

Masseur diplômé en rhumatologie, neurologie et traumatologie, il s'était aussi spécialisé en technique Bowen.

La table de massage occupait le centre de la pièce. Une ancienne coiffeuse, qu'il avait achetée chez un antiquaire, tenait à sa disposition serviettes, huiles essentielles, et un lecteur de CD. Les murs étaient de la même couleur apaisante, et sur le plafond était peinte une forêt tropicale, dont le soleil était formé par le vasistas central.

Ce cabinet lui plaisait beaucoup plus que celui de Melbourne, qu'il avait acheté, ainsi que la clientèle, à un confrère qui prenait sa retraite, et auquel il n'avait jamais imprimé sa marque personnelle.

Mais là, tout était de lui, et cette pensée l'emplit d'orgueil.

La réception était semblable à celle de n'importe quel médecin, sauf qu'il n'avait pas de secrétaire. C'était lui qui en ferait office, à moins, bien sûr, que la clientèle ne s'étoffe exceptionnellement.

Les consultations duraient généralement longtemps. Ce n'était donc pas comme s'il devait jongler avec une centaine de patients par jour.

En fait, dix représentaient la limite. Et entre deux rendez-vous, il pourrait toujours enregistrer sur ordinateur les dossiers des clients.

Quelques gros fauteuils en cuir donnaient à la pièce un aspect rétro. Des magazines de médecine alternative et d'autres, d'ordre plus général, occupaient la table basse, et un grand coffre à jouets de bois contenait de quoi occuper les petites mains.

Sur une étagère, différents dépliants sur les maladies

courantes et les remèdes homéopathiques offraient des conseils de bon sens.

Marcus allait mettre un CD de bruits de la forêt tropicale, lorsque Connie ouvrit la porte.

— Ah, ma première patiente ! Bonjour, madame Fullbright. Voilà pour vous, dit-il en lui offrant un bouquet de fleurs qu'il avait acheté en venant à son cabinet.

— Mon Dieu, mais pourquoi ? s'exclama Connie, rayonnante, en posant une main sur son cœur.

— La première patiente de mon nouveau cabinet. C'est le genre de choses à fêter, dit-il à la femme dont les joues se teintaient de rose.

— Oh, je ne sais pas, docteur Hunt... Vous devriez peut-être attendre la fin de la consultation. Vous savez, je suis un sujet embêtant.

La joie que lui avaient causée les fleurs disparut lentement de son visage, et elle le regarda avec l'air de quelqu'un désireux de se faire aimer, mais qui n'y croit pas.

— Magnifique ! dit-il en se frottant les mains. J'aime les cas difficiles. Par ici, s'il vous plaît.

Une fois dans son cabinet, il la fit asseoir sur la chaise en face de lui.

— Puis-je vous appeler Connie ? demanda-t-il.

Et, comme elle acquiesçait, il poursuivit :

— Bon, dites-moi ce qui ne va pas, Connie.

— Je suis tout le temps fatiguée. Certains matins, je dois faire un effort énorme pour me lever. Je vous jure que si je n'avais pas à veiller à ce que les enfants partent à l'école, ou si je n'avais pas les repas à préparer, je ne me lèverais pas.

L'esprit en alerte, Marcus hocha la tête.

— Et cela depuis combien de temps ?

— Je ne sais pas. J'ai l'impression que c'est depuis toujours. Le Dr Harrington semble penser que c'est le retour d'âge... Elle a peut-être raison. Je ne veux pas vous faire perdre votre temps.

— Pas du tout. Vraisemblablement, c'est une combinaison de différentes choses. Pourquoi ne pas commencer depuis le début ? Dites-moi tout de vous.

— Que voulez-vous savoir ?

— Tout, dit-il en souriant.

— Je…

Son hésitation le fit sourire. La plupart des patients, particulièrement ceux qui avaient l'habitude des consultations ultra-rapides des généralistes, ne comprenaient pas. Il devait vraiment les convaincre de raconter l'histoire de leur vie.

— Je vous assure, Connie. Commencez au début.

— Quand ? Du moment où j'ai commencé à me sentir fatiguée ?

Se penchant sur le bureau, il posa la main sur la sienne.

— Non, depuis votre naissance.

Sous le ferme regard bleu de Marcus, Connie sentit les larmes lui monter aux yeux. Un médecin qui voulait tout savoir d'elle ? Ça existait vraiment ?

Il dut l'encourager. Elle ne cessait de s'arrêter, de censurer, de revenir sur ce qu'elle disait. Il la rassurait d'une plaisanterie, et elle repartait.

Finalement, son monologue coula tout seul et elle s'épancha jusqu'au bout.

Une première consultation pouvait durer jusqu'à deux heures. Les gens avaient tellement l'habitude de passer dix minutes, au maximum, avec leur médecin, que la possibilité de se décharger ainsi était une expérience unique. Marcus n'était pas là pour ne traiter que les symptômes. Il soignait la personne tout entière, et pour ce faire, il lui fallait l'histoire complète.

A part certains cas, les maladies de ses patients étaient généralement la somme de plusieurs facteurs. Et comme on ne venait à lui qu'en dernier recours, après avoir essayé tout ce que proposait la médecine occidentale, il se trouvait généralement devant un problème complexe.

Pour le résoudre, il lui fallait des informations, autant qu'il pouvait en rassembler. Et c'était ce qui lui plaisait dans son métier : regarder la personne comme un tout. Considérer quelqu'un comme Connie et savoir que quelque part, parmi toutes les informations, se trouvait la clé du traitement.

Tandis qu'elle parlait, il prenait des notes, et l'image de sa personnalité se précisa peu à peu.

Ses relations avec son mari étaient tendues. Il semblait très exigeant et voulait que tout soit propre, net et rangé. Elle lui raconta que cela la stressait, d'avoir autant de mal à se lever et de craindre en même temps qu'il ne s'emporte si elle ne s'obligeait pas à le faire. Au lieu de passer une heure à s'occuper de la maison, elle y mettait la journée, car elle devait s'arrêter pour se reposer.

Marcus pensait que Connie avait un syndrome classique de fatigue chronique, mais elle n'avait pas mentionné de problème viral.

— Avez-vous déjà été très affaiblie par un virus, Connie ? Le Dr Harrington a-t-elle déjà parlé de virus glandulaire ou de cytomégalie ?

— Non, jamais. Je n'ai jamais eu de maladie grave, rien que des choses insignifiantes.

Ils continuèrent de discuter.

— Vous savez le pire, docteur ? J'ai suivi des cours pour être fleuriste, il y a quelques années. Eh bien, j'ai dû abandonner un mois plus tard. Je ne pouvais pas me concentrer. Ça me faisait mal de penser, comme si mon cerveau était épuisé.

« Fatigue cérébrale », nota Marcus sur son carnet, entourant ces mots en noir.

— Avez-vous été malade, à cette époque-là ? demanda-t-il.

Après un long moment de réflexion, elle secoua la tête.

— Non, seulement la grippe.

Une alarme retentit dans l'esprit de Marcus.

— La grippe ?

— Oui… Plutôt mauvaise. C'est important ?

— Très important !

Trop souvent, les gens ne pensaient pas à la grippe comme à une maladie. Généralement, ils ne pensaient même pas à la mentionner.

— Oui, reprit-elle en se redressant pour se pencher vers lui. Maintenant que j'y pense, j'ai même été assez malade. Je n'avais jamais eu une telle grippe. Je suis restée clouée au lit trois jours avec une forte fièvre et des frissons terribles.

« Bingo ! » songea Marcus. Une fois de plus, il venait de démontrer l'utilité d'une consultation approfondie.

— Vous savez, je n'ai plus été la même depuis…

L'air triomphant, il lui sourit.

— Vous savez ce qui ne va pas chez moi ? demanda-t-elle.

— Oui, je le crois.

— Vraiment ? Vous pouvez me guérir ?

— Tout ce que vous m'avez décrit correspond au syndrome classique de fatigue chronique.

Horrifiée, Connie sursauta.

— Oh, non… Vous voulez dire que je resterai toujours comme ça ?

— Non, pas du tout. J'ai un très bon taux de succès avec cette affection.

— C'est la grippe qui en est responsable ?

— On ne sait pas exactement ce qui provoque ça, mais ça semble être déclenché par des virus qui affaiblissent l'organisme. Et je pense que votre cas est compliqué par une ménopause imminente, mais nous pouvons soigner les deux.

— C'est vrai ?

— Oui, dit-il en lui tapotant la main, avant de se tourner vers son placard à médicaments. D'abord une dose d'Influenzinium, puis de Kali phos.

L'Influenzinium soignerait l'affection initiale de grippe et le Kali phos, fait de potassium, l'aiderait à se détendre, à reprendre des forces et donc à renforcer son système immunitaire. Il lui conseilla également un régime et des exercices pour les symptômes de ménopause.

Il emplit presque jusqu'en haut deux petites fioles d'alcool purifié ; dans l'une il ajouta une faible dose de Kali phos pur, et dans l'autre l'Influenzinium.

Après avoir vissé des compte-gouttes sur chacune d'elles,

il les agita pour mélanger le remède et colla des étiquettes indiquant le nom et la posologie.

— Tenez, dit-il en tendant à Connie la fiole de Kali phos. En revanche, je veux que vous preniez tout de suite une dose d'Influenzinium.

Elle ouvrit la bouche et il laissa tomber quelques gouttes du produit sur sa langue.

— Il se peut que les symptômes de grippe réapparaissent. Si c'est le cas, reprenez une dose. Demain, prenez la dose de Kali phos comme indiqué. Vous devriez sentir rapidement une amélioration. Sinon, appelez-moi. Et revenez me voir la semaine prochaine pour que nous puissions contrôler votre état. D'accord ?

— Oh, docteur Hunt, merci, merci… Je me sens déjà mieux, rien que de savoir que je ne suis pas folle.

Alors que Marcus ouvrait la porte et disait au revoir à Connie, il vit une ambulance arrêtée devant le cabinet de Maddy. Il s'approcha, tandis que les infirmiers chargeaient un vieux monsieur dans le véhicule.

— Maddy ? dit-il.

Dans la lumière crue du matin, Madeline dut faire un effort pour se rappeler que, même s'il était habillé comme pour la plage, il pratiquait aussi la médecine.

— Oui, Marcus…, répondit-elle avec un sourire crispé.

— J'ai eu le plaisir de rencontrer Connie Fullbright.

— C'est quelqu'un, n'est-ce pas ?

— SFC, syndrome de fatigue chronique, dit-il en regardant son visage refléter son scepticisme habituel.

— Vous allez la soigner avec un œil de triton ou une aile de chauve-souris ?

— Aucun des deux, répondit-il en riant. Attendez, et vous verrez.

Elle le suivit du regard tandis qu'il retournait dans son cabinet en riant toujours.

*
* *

Le lendemain après-midi, alors que Madeline s'apprêtait à rentrer chez elle, on frappa à sa porte.

— Entrez, dit-elle sans même lever la tête de son travail, s'attendant à ce que ce soit Veronica, avec des résultats de laboratoire.

— Bonsoir, Madeline.

— Simon ! dit-elle, incrédule.

L'air gêné, il bougeait nerveusement les pieds. Elle attendit d'être submergée de joie, ou du moins de désir. Mais elle ne sentit rien du tout.

— On peut parler ? demanda-t-il.

D'une main, elle lui fit signe de s'asseoir en face d'elle. Elle le regarda s'installer puis tripoter sa cravate. Enfin, il s'éclaircit la gorge et elle se raidit dans l'attente de ses paroles.

— J'ai fait une erreur. Tu me manques, Madeline. Je voudrais essayer de nouveau.

C'était le moment qu'elle attendait depuis deux mois ! Il allait se jeter à ses pieds et lui demander de revenir à lui… C'était pour cet instant-là qu'elle avait gardé la bague à son doigt.

Sauf qu'elle comprit, avec une horrible certitude, que reprendre la vie avec lui n'était pas une solution.

Assise à un mètre de Simon, elle comprit aussi qu'elle n'éprouvait plus rien pour lui, et cela certainement depuis des années. C'était un gentil garçon, et elle l'aimait bien.

C'était un ami sincère, mais où était la flamme ?

Elle ne sentait pas son pouls s'accélérer, ni une délicieuse sensation l'envahir. Elle repensa au massage de Marcus et eut l'impression que des milliers de petits vers se tortillaient en elle tandis qu'une vague de chaleur incongrue lui chauffait le ventre.

Si Marcus avait été assis à la place de Simon, elle se serait trouvée dans tous ses états.

— Pourquoi ? demanda-t-elle enfin.

— J'ai été stupide. Je crois que nous avons été ensemble

si longtemps qu'il m'a fallu une pause pour que je me rende compte de ce que j'avais. Je t'aime... Nous nous aimons.

Non. Il se trompait. Le simple fait de l'entendre prononcer ces mots amena aux lèvres de Madeline un rejet immédiat. Pourquoi était-elle restée aveugle aussi longtemps ?

— Non, Simon, tu te trompes, répondit-elle gentiment. Nous nous aimons bien, nous sommes de vieux amis. Nous avons traversé ensemble des moments difficiles, mais nous sommes ensemble par habitude. Pas par amour.

— Pourtant, tu portes toujours ta bague, dit-il en lui prenant la main pour la caresser.

— C'est parce que, jusqu'à maintenant, je croyais que nous allions nous réconcilier. Je l'espérais, même. Mais à présent que nous y sommes, je comprends que je ne le veux pas. Tu nous as rendu service, en fait. Et au plus profond de toi-même, tu dois penser la même chose.

Elle le regarda encaisser le choc et s'étonna d'avoir pu prononcer ces paroles de façon aussi détachée. Le cher visage de Simon et son beau sourire lui étaient tellement familiers qu'elle n'aurait jamais pensé que cela finirait ainsi.

Elle avait toujours cru qu'ils seraient ensemble pour toujours.

« Il est idiot ! »

Les mots de Marcus lui revinrent à l'esprit, et elle ne put s'empêcher de comparer de nouveau les deux hommes. Des airs semblables, mais des personnalités opposées ! L'homme au skate ne possédait rien de ce qu'elle admirait tant chez son fiancé.

Son ex-fiancé, plutôt. En fait, ses sentiments à l'égard de Simon lui semblaient creux, à côté du torrent d'émotions que provoquait Marcus.

Bien sûr, c'était purement physique : son parfum, ses yeux bleus, ses fossettes, son rire, les muscles de ses jambes, sa façon de ne jamais s'habiller... On ne fondait pas une relation sur une telle base, mais on ne pouvait non plus l'ignorer.

A son avis, Simon n'avait jamais porté de toute sa vie une chemise non boutonnée. Elle essaya de concentrer son attention sur lui, assis devant elle, l'air sincèrement désolé. Une semaine plus tôt, elle serait retournée avec lui sur-le-champ.

Mais depuis que Marcus avait éveillé sa sensualité, elle était une femme nouvelle.

— As-tu… As-tu rencontré quelqu'un d'autre ?

A cette question, elle sursauta comme si elle était coupable.

— Non ! s'écria-t-elle un peu trop rapidement, tandis que des images de Marcus en train de masser son corps à moitié nu lui venaient à l'esprit.

— Je ne t'en blâmerais pas pour autant. Mais tu sais, je t'aime encore.

— Bien sûr, dit Madeline, et moi aussi, mais pas comme tu l'entends. Je t'aime comme un ami, comme quelqu'un qui m'a aidée à traverser de très mauvais moments, et qui me connaît probablement mieux que quiconque. Mais ça ne suffit pas, Simon, et si tu étais vraiment honnête avec toi-même, tu le saurais aussi.

— Mais on pourrait essayer de nouveau…

— Ecoute, Simon, dit-elle avec un soupir, réponds à ceci : qu'as-tu ressenti en passant la porte ? Quand tu m'as revue pour la première fois.

Il réfléchit un moment.

— J'ai eu l'impression de rentrer à la maison.

— C'est ce que tu as éprouvé après deux mois de séparation ? Pas d'amour, pas de passion, pas de symphonie dans ta tête ? Tu aurais dû avoir envie de m'arracher mes vêtements…

Elle refoula l'image de Marcus et reprit :

— Et tu ne l'as pas fait parce que nous n'avons pas ce genre de relations.

— Ça, ce n'est que le désir, Madeline. Ce n'est pas important, pas autant qu'un amour profond et durable.

— Si, c'est important, et tu le mérites, Simon. Tu mérites d'être avec quelqu'un qui ne pourrait pas s'empêcher de te toucher.

— Ce serait bien, dit-il avec un petit sourire. Et toi, qu'as-tu ressenti en me voyant ?

— De la surprise. Et rien de ce que je m'attendais à éprouver, du style : « Oh, mon Dieu, il est revenu ! Si je ne l'embrasse pas tout de suite, je vais mourir… » Non, rien de tout cela.

— Tu as peut-être raison. Je pense qu'après dix ans passés ensemble, tu me manques quand tu n'es pas là. C'est insuffisant pour se marier, je suppose.

— Il y a sûrement quelqu'un qui t'attend quelque part. Quelqu'un qui te rendra heureux, je le sais.

Etonnée, elle sentit une boule se former dans sa gorge. C'était vraiment fini.

Et même si c'était la meilleure chose qui puisse arriver, il lui était difficile de dire au revoir à quelqu'un qui avait occupé une telle place dans sa vie.

— J'espère que nous continuerons d'être amis, dit-elle.

— Bien sûr, je ne voudrais pas qu'il en soit autrement.

Elle retira la bague de son doigt et la lui tendit.

— Non, dit-il en secouant la tête, garde-la. Voilà quatre ans que tu la portes, elle t'appartient.

Il lui ouvrit les bras et ils s'étreignirent.

Mais il lui était impossible de ne pas faire de comparaison : les mains de Simon, dans son dos, étaient agréables et réconfortantes, celles de Marcus la faisaient trembler de désir.

Lorsque Simon partit enfin, elle resta les yeux dans le vague un long moment, les doigts refermés sur la bague.

A sa grande horreur, elle sentit les larmes lui monter aux yeux.

— Je ne vais pas pleurer…, marmonna-t-elle. Pas question.

Et elle éclata en sanglots.

6.

« Assez pleuré », songea Madeline en essuyant résolument ses larmes.

Elle s'était suffisamment attendrie sur la fin officielle d'une merveilleuse amitié de dix ans. A présent, il était temps de se ressaisir.

La rivière clapotait devant elle, et les rires excités des enfants qui s'éclaboussaient lui parvenaient.

Assise depuis une demi-heure sur le muret qui longeait la Brisbane River, elle contempla les derniers rayons du soleil couchant. Un kaléidoscope de couleurs s'élevait des profondeurs du diamant qu'elle tenait dans la paume de sa main.

Pour être complètement libre, il fallait que cette bague disparaisse. Elle regarda la rivière en souriant. Veronica aurait été complètement horrifiée par ce qu'elle allait faire. Elle lui raconterait qu'elle l'avait vendue, mais la jeter à l'eau lui semblait nécessaire.

Le poing fermé, elle arqua le bras. Au moment où elle allait le lancer en avant, des doigts se refermèrent autour des siens. Sa frayeur fut telle qu'elle faillit tomber du mur.

— Qu'est-ce que…, dit-elle en se retournant.

Marcus ! Son cœur s'apaisa un peu quand elle comprit que sa vie n'était pas en danger, mais se mit à battre sur un tempo différent, plus lent, plus fort, lorsqu'elle se rendit compte que cet homme représentait un péril plus grand encore. Il était une menace pour sa santé mentale.

Une tentation vint s'incruster dans son esprit. « Une aventure sans lendemain… », avait dit Veronica.

Marcus portait un bermuda humide et une chemise déboutonnée qui flottait au vent. Apparemment, il s'était séché hâtivement, car de petites gouttes coulaient encore le long de son torse. Il portait une serviette mouillée autour du cou et ses pieds nus étaient pleins de sable.

Une aventure sans lendemain ? Non !

Se penchant vers elle, il lui ouvrit la main, vit la bague et la prit.

— Vous savez que c'est interdit, de jeter des détritus dans l'eau ?

Madeline se mit à rire et lui tourna le dos, incapable de supporter sa vue. Le seul fait de le sentir derrière elle la plongeait dans un trouble incroyable.

Une aventure sans lendemain ?

— Il faut y réfléchir à deux fois, dit-il, en désignant la bague.

Sa voix était basse, sa bouche tout contre son oreille, et elle frissonna. Une partie d'elle-même se rebellait contre l'effet qu'il provoquait en elle, mais d'un autre côté, elle aurait voulu s'appuyer contre lui et s'y pelotonner.

Une aventure sans lendemain ?

Il s'assit à côté d'elle en silence. Leurs bras s'effleuraient de temps en temps. Marcus sentait le poids de la bague dans la paume de sa main et, tout au fond de lui, il s'interrogeait sur les possibilités qui s'offraient. Leurs fiançailles étaient-elles rompues ?

— Que s'est-il passé ?

— Simon et moi, c'est fini.

D'après le ton de sa voix, Marcus ne fut pas capable de discerner si elle le prenait bien ou mal. Malgré le délicieux horizon qu'il entrevoyait à présent, il eut l'envie inexplicable d'aller trouver son fiancé pour lui envoyer un coup de poing dans la figure.

— Voulez-vous que j'aille lui donner une correction ?

Son humour le rendait plus séduisant que jamais, et

Madeline eut envie de se blottir contre lui. Désespérément, elle essaya de se concentrer sur la conversation.

— En fait, c'est comme ça depuis plusieurs mois.

— Ah bon ? dit-il, interloqué.

— Je ne voulais pas y croire.

Marcus regarda la bague, dans le creux de sa main, et songea de nouveau que Simon était fou d'avoir laissé échapper Maddy.

— Je vous avais bien dit qu'il était idiot.

— Non. Il a bien fait. Nous étions ensemble pour de mauvaises raisons. Nous ne nous aimions pas… En tout cas, pas comme il aurait fallu. Je ne l'ai compris que lorsqu'il est revenu, cet après-midi, pour tenter une réconciliation.

— Comment l'a-t-il pris ?

— Plutôt bien. Il le savait aussi, au plus profond de lui-même. Je suis sûre qu'il n'a pas passé une heure à pleurer comme moi.

— Si c'était fini depuis un moment, pourquoi ces larmes ?

Elle haussa les épaules.

— Parce que c'est un peu comme s'il était mort, je suppose. Il faut que j'en fasse mon deuil, et croyez-moi, je suis une experte en la matière.

Jeter la bague faisait manifestement partie des funérailles. Il la lui mit dans la main.

— Allez-y, qu'il repose en paix.

Réconfortée par son soutien, Madeline ferma les yeux et lança le bijou de toutes ses forces. Il y avait trop de bruit pour entendre l'impact, mais elle rouvrit les paupières juste à temps pour le voir disparaître sous la surface.

— Venez, dit-il en la prenant par le bras, je vous offre un verre.

— Dans cette tenue ? répondit-elle en regardant son ventre nu et musclé.

— Aucune importance !

Pour elle, si. S'il ne couvrait pas rapidement son superbe torse, elle risquait de succomber à la tentation.

— Je vais boutonner ma chemise et enfiler mes sandales,

dit-il en lisant dans ses yeux verts une flamme de désir. Venez, ajouta-t-il en lui tendant la main pour l'aider à se relever.

— Où cela ?

— Je connais un bon pub avec un menu extra. Je meurs de faim, pas vous ?

— Moi aussi.

Le ton rauque de sa voix n'échappa nullement à Marcus. Il lui sembla qu'être avec elle, ce soir, juste après sa rupture, n'était peut-être pas une bonne idée.

Depuis leur première rencontre, il sentait que quelque chose se passait entre eux. Toutefois, il savait ce qu'elle pensait des relations temporaires, alors que lui, justement, ne voulait pas d'attaches. De plus, lui faire des avances alors qu'elle avait rompu avec son fiancé quelques heures auparavant n'était pas très judicieux.

Ils marchèrent en silence, se frayant un chemin dans la foule qui se pressait sur le trottoir. Arrivés au pub, ils trouvèrent une place en terrasse et Marcus alla commander des boissons.

La musique de l'orchestre qui jouait à l'intérieur arrivait par bribes aux oreilles de Madeline, qui se sentit soudain très bien. C'était là le remède qu'il lui fallait pour le moment.

— Un chardonnay, dit Marcus en posant un verre devant elle.

A moins que ce ne soit Marcus, le remède ? En voyant son séduisant sourire qui creusait des fossettes et la mousse blanche de la bière sur ses lèvres, elle sentit une bouffée de chaleur envahir tout son corps.

Otant sa veste à rayures, elle la posa sur le dossier de sa chaise, et lorsqu'elle se retourna vers Marcus, elle vit qu'il la regardait intensément.

— Qu'y a-t-il ? dit-elle en baissant les yeux sur son chemisier à la recherche d'une tache.

C'était l'une de ces nouvelles matières en Stretch qui collait à la silhouette. Le tissu était tendu sur sa poitrine et le bouton semblait lutter pour rester en place. Marcus se demanda combien de temps le petit accessoire résisterait, et s'il serait encore là lorsque l'objet en question s'échapperait de la boutonnière, abandonnant ainsi la bataille.

— Rien. Joli… chemisier, dit-il en prenant son verre de bière.

Il cligna des yeux à plusieurs reprises pour dissiper la brume qui avait envahi son cerveau, et se demanda quel genre de sous-vêtements elle portait.

— Alors, vous voulez parler de Simon ou vous enivrer pour l'oublier ? reprit-il.

— Ce n'est pas la chose à faire, répondit-elle en riant.

— Faites-vous toujours ce qu'il faut, Maddy ?

Elle réfléchit et songea que, ce soir, elle n'en avait pas envie. Elle aurait voulu sortir de sa réserve habituelle, avaler d'un trait son verre de vin et prendre Marcus par la main pour l'emmener chez elle.

— Généralement, oui.

L'œil toujours rivé sur le bouton, il hochait la tête lorsque la serveuse vint prendre la commande.

— Nous pouvons parler de Simon, reprit ensuite Madeline. Je vous promets de ne pas fondre en larmes. Allez-y, testez-moi.

— Vous me disiez que vous étiez restés un moment ensemble ?

— Dix ans.

Stupéfait, il faillit s'étrangler. Impossible d'imaginer qu'on puisse être si longtemps avec quelqu'un !

L'incrédulité qui se lisait sur son visage la fit éclater de rire.

— Combien de temps avez-vous passé avec votre ex-femme ?

— Trois ans. Mariés, deux.

— Simon et moi nous sommes connus à la maternelle, mais nous sommes devenus très proches à la mort de sa mère. La mienne avait disparu depuis peu, et je savais ce qu'il éprouvait.

— Qu'est-il arrivé à vos parents ?

— Mon père est mort dans un accident de voiture et

ma mère d'un cancer du sein. Je suis sûr que son chagrin a hâté sa fin, dit-elle d'une voix tremblante.

Le premier réflexe de Marcus aurait été de la prendre dans ses bras pour la réconforter, le deuxième de s'enfuir en courant.

Il but une gorgée de bière, vit sur quel chemin dangereux il s'engageait et fit mentalement un pas en arrière. Après ce dîner, point final…

C'est alors qu'elle poussa un profond soupir et enleva les épingles de ses cheveux, libérant ainsi un torrent de boucles sur ses épaules.

Fasciné, il la regarda tandis qu'elle secouait la tête et les mouvements firent frémir sa poitrine, mais le bouton continua à remplir son office.

Impossible de s'enfuir maintenant ! Il eut une vision fugitive de cette cascade rousse répandue sur son oreiller.

— Excusez-moi, je vais vous déprimer, dit-elle avec un sourire triste en finissant son vin.

— Et cela de la part de quelqu'un qui m'a envoyé Connie Fullbright ?

Ils s'esclaffèrent ensemble et Marcus tendit la main vers son verre vide.

— Un autre ?

Elle hésita juste une seconde.

« Une aventure sans lendemain ? » songea-t-elle.

— Oui, pourquoi pas ? répondit-elle.

L'agréable sensation que procurait le vin, liée à l'admiration évidente de Marcus, l'excitait au plus haut point. Délibérément, elle tripota son col et vit ses yeux s'agrandir en suivant le chemin de ses doigts jusqu'au bouton.

Sa pomme d'Adam tressauta, un éclair de désir brilla dans son regard, et Madeline sourit intérieurement.

C'était donc cela, le pouvoir féminin ? Il lui avait fallu arriver à trente ans pour découvrir cet effet vertigineux !

Une aventure sans lendemain ? Pourquoi pas ?

Tout en revenant avec leurs verres, Marcus l'observa. Ce soir, il y avait en elle quelque chose de différent, qui augmentait sa sensualité. Même de dos, elle se distinguait dans la foule. Sa merveilleuse chevelure faisait paraître terne celle des autres femmes.

Alors qu'il s'asseyait, elle croisa les jambes et effleura du pied son mollet nu.

— Désolée, dit-elle en souriant.

Marcus faillit s'étrangler. Le contact avait été trop lent pour être accidentel. Il la questionna des yeux et elle soutint fermement son regard.

Il savait ce que cela signifiait : elle avait envie d'une aventure d'une nuit. Il n'avait rien contre…

Toutefois, il se rappela ce qui s'était passé récemment avec son ex-femme et regretta cette nuit sans lendemain. Pour ce qui concernait Maddy, mieux valait conserver des rapports strictement professionnels, étant donné qu'il la rencontrerait pratiquement tous les jours.

— Dites-m'en plus sur Abby, demanda-t-il en saisissant le premier sujet qui lui venait à l'esprit. Non, désolé, mauvais choix…

— Ça m'est égal de parler d'elle.

— Vous vous reprochez sa mort ?

— Oui. J'étais sa sœur aînée et j'étais censée veiller sur elle. Comme j'avais presque fini ma médecine, j'aurais pu la sauver.

Penchée en avant, appuyée sur ses coudes, elle marqua une pause.

— Un soir, Nathan, son petit ami, est arrivé chez moi avec Abby dans les bras, brûlante de fièvre. Ils étaient allés voir un médium qui l'avait mentalement opérée de l'appendicite et lui avait donné une poudre blanche contre la douleur. Elle avait ensuite dormi toute la journée pour se réveiller fiévreuse et nauséeuse. L'autopsie a révélé une péritonite.

— C'est affreux.

— J'étais furieuse, mais il n'y avait pas de temps à perdre. J'ai appelé une ambulance et elle est morte avant que celle-ci n'arrive. Juste avant, elle a ouvert les yeux pour me chuchoter : « Ne te fâche pas, Maddy. Tu as été la meilleure des sœurs. » Elle savait qu'elle allait mourir…, acheva-t-elle en réprimant un sanglot.

Marcus posa la main sur la sienne pour la caresser du pouce et elle apprécia son geste de réconfort.

— Parfois, je lui en veux. Pourquoi est-elle allée voir un médium ? C'est pousser la médecine alternative un peu loin, non ?

— Elle a fait des choix peu judicieux, dit-il.

— Simon a été formidable. Je ne sais pas comment je m'en serais sortie sans lui. Ça a créé un lien entre nous. Mais vous comprenez, maintenant, pourquoi j'ai réagi ainsi envers vous au début.

— En effet, dit-il. Et qu'est-il arrivé au médium ?

— Rien. Une petite remontrance. Il ne l'avait pas opérée, il n'était donc pas responsable de sa mort.

On leur apporta les plats commandés, ce qui mit fin à la conversation.

Après un moment, Madeline reprit :

— Racontez-moi… Que s'est-il passé avec votre ex-femme ?

— Il n'y a pas grand-chose à raconter. Nous avions vingt-deux ans, elle est tombée enceinte et nous nous sommes mariés. Elle a fait une fausse couche. Notre mariage a été un désastre et nous avons divorcé.

— Dites-m'en plus, insista-t-elle avec un sourire.

— C'était la plus jolie fille que j'aie jamais vue, mais je l'ai épousée uniquement parce qu'elle était enceinte. Il n'était pas question que mon enfant grandisse sans père. Or, à seize semaines, elle a perdu l'enfant.

— C'était tard. Qu'avez-vous ressenti ?

— Honnêtement ? J'ai été triste, mais soulagé. Je n'étais pas prêt à avoir un bébé. Après quoi j'ai eu des remords, et donc je suis resté deux ans avec Tabitha.

— S'est-elle remariée ?

— Non.

— Vous non plus.

— J'apprends vite, dit-il.

La serveuse vint débarrasser et ils reprirent une conversation moins grave.

Marcus était charmant, d'un commerce agréable, et lorsqu'il riait, tout son visage s'illuminait et ses fossettes se creusaient.

Les sensations qu'il avait provoquées avec son massage s'intensifièrent. Plus elle restait en sa compagnie, plus elle pensait qu'il était le remède dont elle avait besoin.

— Je pense que nous allons partir, déclara-t-il après un coup d'œil sur sa montre.

Elle hocha la tête et, après avoir payé, ils se retrouvèrent dans la rue. Silencieusement, ils se dirigèrent vers la rivière pour se promener dans l'allée bordée d'arbres qui la longeait.

Le cœur battant, Madeline se demanda comment elle allait lui faire la proposition qu'elle envisageait.

Ce qui, au pub, lui avait paru être une bonne idée, lui semblait maintenant difficile à mettre à exécution.

On n'entendait que le clapotis de l'eau et l'air embaumait, chargé du parfum de fleurs d'été. De temps en temps, le bras de Marcus effleurait le sien et des effluves d'after-shave lui parvenaient par bouffées.

— Je prendrais bien un café. Ne pourrait-on pas aller chez vous ? demanda-t-elle, le cœur battant à grands coups.

Il s'arrêta net, le corps en feu. Sa suggestion était claire.

— Il y a beaucoup de cafés ouverts, répondit-il.

— Marcus, je t'en prie…

La rivière scintillait de mille reflets et il la contempla longuement. Lorsqu'il se retourna, Maddy était juste derrière lui. Elle s'approcha et il lui posa une main sur l'épaule.

— Maddy…, murmura-t-il.

— Je t'en prie, répéta-t-elle.

Secouant la tête, il recula.

— Non. Arrête, maintenant.

— Tu veux que je te supplie ?

Devant les images que suscitaient ses paroles, il ferma les yeux.

— Tu ne veux pas d'une aventure avec moi ? reprit-elle.

Bien sûr qu'il en avait envie ! Mais il n'était pas certain qu'elle connaisse bien les règles.

— Tu as dit toi-même que tu ne pourrais jamais être avec quelqu'un comme moi. Toi, tu veux un engagement, et je respecte tes idées. Mais lors d'une aventure, Maddy, il ne s'agit pas d'amour ni d'une liaison durable. Ce n'est que du désir, de la concupiscence, parfois mêlés à une idée de revanche.

— Bien, dit-elle. J'ai compris.

— Si nous faisions cela…

— *Quand* nous ferons cela, coupa-t-elle.

La tête bourdonnante, il lui prit la main.

— Tu sais que cela ne signifiera pas la même chose pour nous deux. Pour moi, ce sera uniquement du sexe.

— C'est ce que je veux.

— Réfléchis, Maddy. Je ne veux ni mariage, ni bébé, ni engagement à long terme, et tu sais pourquoi.

— D'accord, d'accord, dit-elle en s'approchant de lui jusqu'à ce que leurs corps se touchent.

— Tu es sûre, Maddy ? Vraiment sûre ?

Elle lui sourit.

— Je te le jure. Chez toi ou chez moi ?

— Chez moi, c'est plus près.

Sans parler, ils avancèrent à grands pas. En arrivant en bas de chez lui, ils étaient hors d'haleine. Ils attendirent impatiemment l'arrivée de l'ascenseur, et dès que Marcus eut appuyé sur le chiffre 6, il plaqua Maddy contre la paroi pour l'embrasser passionnément.

Arrivés à l'étage, ils empruntèrent le couloir jusqu'à la porte, qu'il ouvrit d'une main fébrile.

Une fois à l'intérieur, il poussa Maddy contre un mur.

— Je veux te regarder, dit-il.

Madeline sentit son regard s'arrêter sur son décolleté et ses doigts taquiner le petit bouton blanc qui l'avait défié toute la soirée.

D'un geste, il tira sur les deux côtés du chemisier et tous les boutons s'envolèrent.

— Oh, de la dentelle verte et rose...

Avec un sourire gourmand, il passa l'index sous le tissu pour caresser la peau.

— Le reste est assorti ? demanda-t-il.

Puis, tout en l'embrassant dans le cou, il se pencha pour descendre la fermeture à glissière de sa jupe. Elle rougit sous son regard admiratif, tandis qu'il dévorait son corps des yeux.

— Viens, dit-il en la soulevant dans ses bras pour l'emporter dans sa chambre et la déposer sur son lit.

Ses boucles rousses s'étalèrent sur la blancheur des draps.

— Marcus..., murmura-t-elle en tendant les bras vers lui.

— Dis-moi ce que tu veux, Maddy.

« Fais-moi l'amour », faillit-elle dire, mais elle s'arrêta au dernier moment, pour ne pas employer un mot qui pouvait prêter à confusion.

— Viens en moi, répondit-elle.

Elle vit ses yeux s'embuer de désir tandis qu'il enlevait ses vêtements. Son large torse et ses muscles bien dessinés s'offrirent à son regard puis elle s'enivra de son poids sur elle.

— Viens, Marcus, maintenant...

— Oh non, dit-il, je veux t'explorer tout entière.

— Je ne peux pas attendre.

Lorsqu'il vint en elle, elle eut l'impression de prendre feu. Chaque mouvement l'embrasait.

Comme elle gémissait, elle sentit sur son visage une pluie de baisers et s'abandonna tout entière aux sensations qui fusaient en elle.

Un plaisir sauvage les envahit et ils atteignirent ensemble le comble de la jouissance.

Le souffle haletant, comblée, incapable de bouger, Madeline resta allongée sous lui. Jamais, au cours des dix ans avec Simon, elle n'avait vécu une telle expérience. Et il ne s'agissait pas seulement de sexualité. Leur rapport avait été beaucoup plus intime que cela.

La glace qui lui entourait le cœur avait fondu sous la chaleur et l'intensité de la passion de Marcus.

En quelques jours et une nuit de cataclysme, cet homme avait réussi à accomplir ce en quoi elle ne croyait plus. Le cœur battant, elle songea qu'elle devait l'en remercier.

Par une aventure sans lendemain ? Oui !

7.

Maintenant que Madeline avait goûté au fruit délicieux de la sexualité, elle était insatiable. Son corps se montra exigeant, toute la nuit, et Marcus ne la déçut pas.

De plus, elle s'était bien amusée. Comme il avait beaucoup d'humour, il l'avait fait rire, rougir, et lui avait fait découvrir des choses dont elle ne se serait pas crue capable.

Jamais elle n'avait connu le plaisir aussi facilement. A peine Marcus la touchait-il qu'elle s'embrasait tout entière, et cela chaque fois. Elle ignorait comment il s'y prenait, mais cela lui était égal pourvu qu'il continue.

Comment avait-elle pu se laisser berner pendant dix longues années ? Elle était un être sexué et avait beaucoup à rattraper. Avec un sourire, elle se laissa sombrer dans le sommeil.

Marcus se réveilla quelques heures plus tard, la tête de Madeline sur le torse. Leur nuit enfiévrée lui revint dans tous ses glorieux détails, et il sourit.

Il espéra ne pas en avoir fini avec elle. Les règles de ses aventures étaient très claires : elles devaient être sans lendemain. Mais elles n'étaient écrites nulle part, et tant que Maddy et lui seraient sur la même longueur d'ondes, pourquoi ne pas continuer ?

Prenant en main l'une de ses boucles, il la tira doucement,

et le soleil qui passait à travers les stores la transforma en un réseau de fils dorés.

Incapable de s'en empêcher, il caressa sa longue chevelure sur toute sa longueur, et s'arrêta lorsque Maddy murmura quelque chose.

Il ne voulait pas la réveiller. Si elle était moitié aussi fatiguée que lui, il lui faudrait une semaine de sommeil pour se remettre.

Le souvenir de leurs étreintes passionnées le fit sourire de nouveau et il sentit dans sa poitrine un étrange pincement.

Sans vouloir approfondir cette sensation singulière, il pensa qu'il était temps d'aller travailler.

Assis au bord du lit, il la regarda, couchée sur le dos, les jambes emmêlées dans les draps, la poitrine et le ventre découverts.

Submergé de désir, il se leva immédiatement pour se rendre dans la salle de bains et ouvrit le robinet d'eau froide. Les aiguilles glaciales du jet lui coupèrent le souffle et le ramenèrent à la raison.

Au bruit de l'eau, Madeline entrouvrit les yeux. Le lit était vide, mais elle sentit le parfum de l'after-shave de Marcus et sourit en revoyant tous les détails de la nuit.

Entrant à son tour dans la salle de bains, elle le vit les paupières closes, la tête levée vers la pomme de douche.

— Bonjour, dit-elle en le rejoignant. Il y a de la place pour deux ?

— Bien sûr.

La température inattendue de l'eau sur sa tête la fit sursauter et elle sentit ses seins se durcir sous l'effet du froid.

Voyant que Marcus l'observait, elle lui adressa un sourire complice.

— On gèle, ici, dit-elle.

— Je sais, j'en avais besoin.

Elle avait le cœur qui battait à grands coups, et sentait son excitation croître.

— Tu ne m'as pas réveillée.

— Non, pourtant, j'en avais bien envie.

— Eh bien, je vais devoir te punir pour ça, dit-elle d'un ton taquin.

— Oh ? Et qu'as-tu à l'esprit ?

Le sourire aux lèvres, elle le poussa contre le mur et colla son corps contre le sien. Sa bouche se referma sur celle de Marcus.

La punition allait être à la hauteur de la faute.

— Mon Dieu…, murmura Marcus avant de s'abandonner au plaisir qui montait en lui.

Madeline arriva à son cabinet juste à temps pour le premier rendez-vous. Marcus l'avait raccompagnée chez elle pour qu'elle puisse se changer, et elle l'avait quitté à regret.

Assise dans son fauteuil, elle se demanda depuis combien de temps elle ne s'était pas sentie aussi vivante. Aujourd'hui, elle avait l'impression de monter de nouveau dans le train de la vie.

C'était Marcus qu'elle devait remercier pour cela, et elle le ferait à la première occasion.

Au grand plaisir de Madeline, Mme Wust était sa dernière patiente avant le déjeuner. Elle avait du mal à se concentrer, et plus d'un patient lui avait fait remarquer qu'elle semblait fatiguée.

— Le décalage horaire, sans doute ? suggéra la patiente.

— Certainement, répondit Madeline en rougissant. Alors, avez-vous fait ces ultrasons ?

La patiente lui tendit les films sur lesquels Madeline découvrit immédiatement une vésicule biliaire pleine de calculs.

— C'est bien ce que je pensais, Gail. Il va falloir vous opérer. Je vais vous diriger vers un chirurgien, dit-elle en ouvrant son tiroir pour prendre son papier à en-tête.

— Oh, non… Il n'y a pas d'autre moyen ? Je veux dire, un moyen naturel… Une amie m'a raconté que la belle-sœur de son frère avait utilisé une ancienne recette d'huile et de jus de citron pour la guérir.

Le stylo en l'air, Madeline la regarda.

C'était la patiente type des affections cholécystiques : la quarantaine, en excédent de poids. Peu de temps auparavant, Madeline n'aurait jamais prescrit de remède naturel, mais depuis, beaucoup de choses avaient changé.

— Je vais vous envoyer chez le Dr Hunt, un généraliste naturopathe, juste à côté. Je suis sûre qu'il pourra vous aider.

Elle allait remettre le courrier à Gail lorsqu'un plan se forma dans son esprit.

— Je crois que je vais le donner directement au médecin pour discuter de votre cas avec lui. Je lui demanderai de vous téléphoner pour convenir d'un rendez-vous. Ça vous va ?

Après le départ de Gail, Madeline se leva en toute hâte.

— Je vais déjeuner…, lança-t-elle à Veronica.

— O.K., répondit celle-ci, surprise.

Depuis quand prenait-elle autre chose qu'un sandwich et une tasse de thé dans son bureau ?

A l'extérieur, Madeline inspira profondément. Au souvenir des baisers de la nuit précédente, elle comprit qu'elle ne pourrait vivre une minute de plus sans les lèvres de Marcus sur les siennes.

A la porte, elle eut un mouvement de panique. Et s'il s'agissait d'une aventure sans lendemain ? Cette idée la fit chanceler.

— Entrez !

La voix sensuelle de Marcus fut l'argument définitif, et elle avança vers lui, tel un papillon vers la lumière.

— Bonjour, dit-il en levant les yeux vers elle avec un sourire sensuel.

Pendant un instant, ils se regardèrent en silence, submergés par les images de la nuit passée.

Marcus fut le premier à se ressaisir.

— Qu'est-ce qui me vaut cet honneur ?

Il la vit fermer la porte à clé derrière elle, passer de l'autre côté du bureau pour venir s'asseoir sur ses genoux.

— J'ai pensé aux règles dont tu m'as parlé, dit-elle. Sont-elles fixes ou s'agit-il vraiment de relations sans lendemain ?

Riant doucement, il glissa la main le long des jambes de Madeline, puis de ses cuisses.

— Les exceptions existent, répondit-il.

Les yeux verts de Madeline brillaient de passion. Comme elle appuyait la tête contre son torse, il ôta les épingles de son chignon et ses cheveux roulèrent en cascade.

Une voix s'éleva soudain.

— Excusez-moi, docteur… Etes-vous là ?

Madeline faillit tomber en se levant d'un bond.

— Qui est-ce ? chuchota-t-elle.

— Mon rendez-vous de 12 h 30, répondit-il, amusé par les taches rouges de ses joues et sa rapidité à réajuster ses vêtements.

— Tu as un rendez-vous ? Pourquoi ne m'as-tu rien dit ?

Heureusement qu'elle avait fermé la porte à clé derrière elle !

— Et j'aurais manqué ta visite ? Pour rien au monde ! répondit-il avant d'ajouter à voix haute, à l'intention de son patient : J'arrive, Ted.

En toute hâte, elle ramassa son sac à main dont elle sortit l'enveloppe destinée à Marcus.

— Donc, vous suivrez ce cas, n'est-ce pas ? lança-t-elle d'une voix très professionnelle.

— Entendu, docteur Harrington, répondit-il avec un clin d'œil. A ce soir ? murmura-t-il.

— A ce soir.

Puis elle partit rapidement, poursuivie par son rire sensuel.

Quatre heures plus tard, Gail Wust entrait dans le cabinet de Marcus.

— Merci de me recevoir aussi rapidement, docteur Hunt.

— Appelez-moi Marcus, je vous en prie.

— Le Dr Harrington vous a parlé de moi ? C'est un très bon médecin, et une jeune femme très sympathique.

— C'est vrai, répondit-il sans se compromettre. Alors, vous avez des calculs ?

Après que Gail lui eut parlé de ses symptômes, Marcus étudia soigneusement ses radios et prit connaissance du rapport.

— J'ai entendu dire qu'on pouvait dissoudre naturellement les calculs. Qu'en pensez-vous ?

— Oui, j'ai déjà pratiqué cette méthode avec beaucoup de succès. Mais je vous avertis que ce n'est ni facile ni agréable, et qu'il faudra attendre quelques semaines avant de commencer. Une laparotomie serait plus rapide.

— Je ne veux pas de ça. Pourquoi est-ce que ce sera long ?

— Parce qu'il faut déjà désintoxiquer votre organisme et préparer la vésicule biliaire à éjecter les calculs. Il va falloir éliminer les graisses, réduire les apports de protéines et augmenter votre consommation de fruits et de légumes. Et il est très important de boire deux ou trois litres d'eau par jour pour éliminer les toxines.

Ils élaborèrent ensemble le régime à suivre et les stratégies à adopter.

— Je devrai faire ça toute ma vie ?

— Non, seulement deux semaines, mais ce serait probablement une bonne idée de modifier vos habitudes alimentaires pour éviter que d'autres calculs ne se reforment.

Il rédigea une ordonnance qu'il tendit à sa patiente.

— Achetez des granules de lécithine à la boutique de diététique, pour les ajouter à vos repas. Cela aidera à émulsionner le cholestérol et à réduire la taille des calculs. C'est d'autant plus important que de trop gros cailloux pourraient endommager le canal de la vésicule biliaire.

— D'accord. Et donc, dans deux semaines… ?

— Vous commencerez l'opération. Je recommande généralement de faire ça avant de se coucher. Vous prendrez une dose de sels d'Epsom quelques heures avant pour éliminer rapidement. Vous mélangerez ensuite trois quarts de tasse d'huile de carthame avec une demi-tasse de jus de citron frais…

— Délicieux !

— En effet, ce n'est pas très agréable au palais, mais c'est efficace. Dès que vous aurez pris ce mélange, vous vous coucherez sur le côté droit, genoux pliés. C'est la position anatomiquement correcte pour que le breuvage pénètre dans la vésicule biliaire. Le canal va alors se dilater pour expulser l'huile, et les calculs partiront avec.

— Ça fait mal ?

— Vous pourrez ressentir un inconfort au niveau de l'abdomen et des nausées, mais ce ne sera pas insupportable. Et si ça l'est, téléphonez-moi. Qu'en pensez-vous ?

— Ça me semble mieux qu'une opération.

— Bien, dit-il en se levant. Je vais vous donner un nouveau rendez-vous pour la semaine prochaine.

Une fois Gail partie, Marcus esquissa un pas de danse. Une nouvelle patiente satisfaite !

Le parfum de Maddy flottait encore dans son bureau. L'ancien Marcus lui conseilla de se méfier de cette incroyable alchimie qui les attirait l'un vers l'autre, mais le nouveau Marcus préférait oublier toute prudence.

Maddy Harrington lui faisait perdre tout bon sens. Quand elle était là, il oubliait toute sa phobie de l'engagement. Elle le rendait aveugle à tout.

C'était une femme dangereuse, mais il n'avait pas assez d'énergie pour rester sur ses gardes.

8.

Les six semaines suivantes furent les plus incroyables de la vie de Madeline. Elle et Marcus étaient inséparables : chaque soir, ils partaient ensemble de leur travail pour se précipiter chez elle, et ils se jetaient l'un sur l'autre comme des amoureux qui ne se seraient pas vus depuis des siècles.

Il était parfait, et la vie était merveilleuse. Elle le trouvait drôle, sensuel, gentil, patient. C'était un bon cuisinier, un excellent masseur et un vrai gentleman qui ouvrait les portes et s'effaçait devant elle. Au lit, il était imaginatif, généreux, et n'était jamais rassasié d'elle.

Elle non plus n'avait jamais assez de lui, et détestait chaque minute passée en dehors de sa présence. Jamais elle ne se serait crue capable d'une telle passion. Jamais auparavant elle n'avait vécu au jour le jour ; c'était une libération et elle évitait fermement de penser à leur avenir.

En fait, ils avaient rejeté toutes les règles d'une aventure sans lendemain. Qu'ils le reconnaissent ou non, c'était bien une liaison. Cela avait d'ailleurs surpris tout le monde, à commencer par Veronica.

Marcus fit entrer son premier patient de la journée. Sa clientèle prenait doucement forme : ses journées étaient aux trois quarts pleines — quant à ses nuits, elles étaient tout aussi remplies.

Jenny Smith entra, son fils de six ans dans les bras.

— Ouh là là…, dit-elle en montrant le bocal plein de calculs sur le bureau.

— Oui, trente beaux spécimens.

Il se souvint de l'excitation de Gail Wust quand elle était venue le voir pour lui donner les pierres en souvenir. Un nouvel examen aux ultrasons avait révélé qu'il n'en restait pas un. C'était encore une patiente satisfaite.

— Que puis-je pour vous ? reprit-il.

— C'est Trent, dit-elle en montrant son fils. Il est très faible depuis quelques jours. Nous venons juste de déménager, et le naturopathe que nous consultions précédemment lui donnait un cocktail de vitamines. Je crois qu'il en manque, actuellement.

— Il est très pâle, dit Marcus.

— Il l'a toujours été.

Marcus fit le tour de son bureau pour venir s'accroupir devant Jenny et son fils.

— Bonjour, petit bonhomme !

Timidement, Trent cacha son visage dans le cou de sa mère. De près, il paraissait encore plus blême et anémique.

— Je vais l'examiner.

Difficile de croire que lui et Connor avaient le même âge. En se penchant sur l'enfant allongé docilement, Marcus remarqua les muqueuses de sa bouche, les ganglions gonflés de son cou, de multiples petites ecchymoses sur son ventre.

— Il a ça depuis longtemps ? demanda Marcus.

— J'en ai remarqué quelques-unes en l'habillant ce matin, mais il n'en avait pas autant. Il en a aussi aux bras et aux jambes, parce qu'il tombe tout le temps.

Marcus trouva d'autres grosseurs aux aisselles et à l'aine. Tous les symptômes étaient là, et il ferma brièvement les yeux en espérant qu'il faisait erreur.

— Je veux que vous fassiez faire tout de suite à Trent des analyses de sang, dit-il en revenant s'asseoir à son bureau. Il y a un laboratoire tout près d'ici. Je les appelle pour qu'ils vous reçoivent maintenant et donnent les résultats de toute urgence.

— Qu'est-ce qui ne va pas ? demanda Jenny.

Pour ne pas trop alarmer la mère, il choisit soigneusement ses mots.

— Il est anémié, et je veux savoir pourquoi.

— Les vitamines ne sont pas suffisantes ?

Le cœur serré, Marcus songea que si Trent avait ce qu'il redoutait, il lui faudrait beaucoup plus que des vitamines.

— Attendons les résultats, et nous en reparlerons.

Les yeux pleins d'angoisse, Jenny insista.

— Vous me cachez quelque chose.

— L'anémie peut avoir différentes raisons.

En voyant la façon dont elle serrait contre elle son fils endormi dans ses bras, il comprit qu'il valait mieux être honnête avec elle.

— Je crains qu'il n'ait une leucémie, mais je ne peux pas en être sûr avant d'avoir les résultats.

— La leucémie ? Mais il va mourir !

— S'il l'a, nous le ferons entrer d'urgence à l'hôpital pour commencer immédiatement les soins. On a de très bonnes chances de guérison, aujourd'hui, Jenny.

— On lui fera de la chimiothérapie ?

— Ça fait partie du traitement.

— Et les médecines naturelles ? J'ai entendu des histoires terribles sur la chimio…

— Les effets secondaires peuvent être affreux, mais ce sont les seuls soins que je puisse vous recommander.

Il savait que certains praticiens en médecine alternative utilisaient d'autres méthodes complémentaires, mais avec le cancer, il ne voulait prendre aucun risque.

— Une chose à la fois, reprit-il. D'abord les examens sanguins puis, dans deux heures, je veux que vous alliez voir le Dr Harrington, juste à côté, chez qui je fais envoyer les résultats.

— Mais c'est vous, que je veux ! s'écria Jenny.

— Bien que spécialiste en médecines naturelles, je pense que le cas de Trent nécessite les services d'un généraliste traditionnel. J'y serai avec vous, je vous le promets.

— D'accord... J'irai. D'accord.

Gentiment, Marcus la raccompagna à la porte. Elle semblait figée, comme si rien d'autre ne pouvait atteindre son cerveau que le mot « leucémie ».

De retour dans son bureau, il téléphona à Maddy.

— Que me vaut ce plaisir ? demanda-t-elle, un sourire dans la voix.

— Le travail, malheureusement. Pourrais-tu réserver un peu de temps d'ici à deux heures pour un petit garçon de six ans qui est peut-être leucémique ?

Le cœur de Maddy se serra.

— Ça va ? demanda t elle, consciente de la difficulté que cela représentait, pour un praticien, de communiquer de telles nouvelles aux parents.

— Oui. Peux-tu t'arranger ?

Elle regarda son planning de rendez-vous. De toute façon, elle ferait le nécessaire.

— Ça ira. Tu viendras aussi ?

— Oui.

— Alors, à tout à l'heure.

Deux heures plus tard, Marcus arrivait au cabinet, saluait Veronica au passage et entrait directement chez Maddy pour lui tomber dans les bras.

— Les résultats ? demanda-t-il en s'arrachant à regret à son étreinte.

— Des globules blancs en nombre astronomique, et un seuil critique pour les rouges et les plaquettes.

— LAL. Leucémie aiguë lymphoïde.

Alors qu'il renseignait Maddy sur le cas de Trent, l'Interphone grésilla.

— Jenny et Trent Smith sont arrivés, dit Veronica.

— Faites-les entrer.

Une fois les présentations faites, Madeline confirma le diagnostic de Marcus.

Le silence régna quelques instants, puis Jenny releva la tête, les yeux mouillés de larmes.

— Qu'est-ce que c'est, exactement ?

— C'est un cancer de la moelle épinière. Quelque chose va de travers, qui provoque une prolifération de globules blancs immatures. Ils envahissent la moelle épinière et l'empêchent de fabriquer des cellules normales, tels les globules rouges ou les plaquettes, dit Madeline.

— Et que va-t-il se passer, maintenant ? demanda Jenny en berçant Trent blotti contre elle.

— Vous allez rentrer chez vous préparer une valise et emmener Trent directement à l'hôpital pour enfants. Je vais les informer tout de suite de votre arrivée. Vous serez reçus par un oncologue et le traitement commencera immédiatement.

— Chimiothérapie ? demanda Jenny.

Madeline hocha la tête. Pauvre petit Trent… Il allait vivre l'enfer pendant plusieurs mois pour essayer d'échapper à cette malédiction.

— Tout cela arrive trop vite, dit Jenny en pleurant.

— Vous en avez parlé à son père ? demanda Marcus.

— Nous sommes séparés depuis sa naissance et il ne s'est jamais soucié de lui depuis.

— Avez-vous quelqu'un à Brisbane, pour vous aider ?

— Ma mère. Elle est partie voir ma grand-mère dans l'arrière-pays. J'ai essayé de l'appeler, mais le réseau est pratiquement inexistant, là-bas.

— Laissez-moi son numéro, j'essaierai pour vous, dit Marcus. Vous, emmenez Trent à l'hôpital.

La gorge serrée, Madeline regarda Jenny qui serrait son fils contre elle. Comme toutes les mères du monde dans une telle situation, elle essayait de tenir le coup pour le bien de son enfant.

Après son départ, Marcus et elle restèrent un bon moment perdus dans leurs pensées. Enfin, elle s'approcha de lui et l'étreignit avant de lui poser un baiser sur le front.

— Veux-tu qu'on aille dîner quelque part ? proposa-t-il.

Elle sourit. En six semaines, c'était la première fois qu'ils ne rentreraient pas directement.

— Bonne idée, dit-elle. A South Bank ?

— Entendu, dit-il avec un sourire triste. A tout à l'heure.

La situation de Jenny et Trent l'avait apparemment déprimé autant qu'elle, et elle le regarda s'éloigner d'une démarche lente.

— As-tu pu joindre la mère de Jenny ? demanda Maddy alors qu'ils marchaient main dans la main en direction de South Bank.

— Oui, elle arrivera à Brisbane demain.

Ils continuèrent en silence et, sans s'être consultés, se retrouvèrent au pub où tout avait commencé, quelques semaines plus tôt. Assis à la même table, ils mangèrent en essayant de ne pas penser au petit garçon de six ans.

Lorsqu'ils arrivèrent chez Marcus, ce ne fut pas comme la première fois. Ils s'unirent avec lenteur, en un rituel cent fois plus intime que ce qu'ils avaient connu jusqu'alors. Madeline eut l'impression d'avoir mis son âme à nu et d'avoir pénétré celle de Marcus.

Sa jouissance fut plus extrême que jamais. Après quoi elle resta étendue tout contre lui tandis qu'il inondait son visage, son cou, ses épaules, de baisers légers comme des plumes.

Lorsque Madeline se réveilla, quelques heures plus tard, le bras de Marcus l'entourait toujours. Elle le repoussa doucement pour se lever.

Un peu nerveuse, elle enfila une chemise et se rendit dans la cuisine. Après s'être préparé un café, elle prit sa tasse pour s'asseoir sur la terrasse. La nuit était belle. La lune, presque pleine, baignait la rivière de sa clarté laiteuse.

Une brise légère jouait dans ses cheveux et elle ferma les

yeux pour sentir le vent sur sa peau et entendre le murmure de l'eau. Ses pensées vagabondèrent vers Marcus, et elle repensa à la façon dont il lui avait fait l'amour.

En six semaines, son corps était devenu extraordinairement vivant, et elle n'en revenait toujours pas. Marcus connaissait chaque centimètre carré de sa peau et savait où la caresser et où l'embrasser. Elle aussi connaissait les points sensibles qui le faisaient gémir.

Tout en avalant une gorgée de café, elle sentit une onde de désir la traverser. Peut-être allait-elle être obligée d'aller le réveiller.

Elle laissa ses pensées prendre un autre cours et, inéluctablement, elles se dirigèrent vers Trent Smith. Sa maman devait probablement être éveillée, allongée dans le noir, à s'inquiéter et à pleurer.

Cela semblait tellement injuste qu'un petit garçon innocent soit menacé par la mort…

Actuellement, le pourcentage de guérisons avait bien augmenté, mais on ne pouvait jamais être sûr de la façon dont les choses tourneraient.

« On ne sait jamais ce qui vous attend », songea-t-elle. Trent Smith devait être un joyeux petit garçon, avant de tomber malade. Et maintenant, il était à l'hôpital, sur le point de commencer des séances de chimiothérapie. Cela pouvait se produire pour n'importe qui.

D'ailleurs, c'est ce qui s'était passé pour ses parents. Comme pour Abby. Heureuse, amoureuse et en bonne santé, elle était morte du jour au lendemain.

On ne savait jamais ce qui pouvait arriver.

Apparemment, Marcus avait eu le cœur fendu en découvrant que Trent n'avait pas de père. Il avait beaucoup de tendresse pour ce genre d'enfants, comme pour Connor, et c'était à cause de cela qu'elle l'aimait.

Oui, elle l'aimait ! Voilà quelque chose qu'elle n'avait pas prévu et dont elle venait tout juste de se rendre compte.

La vérité était là, implacable : elle l'aimait.

Ce n'était pas faute d'avoir été avertie... Ne lui avait-il pas dit clairement que, pour lui, il n'était question que de sexe ?

Qu'allait-elle devenir ? Jamais ils ne parlaient d'avenir, se contentant de vivre l'instant présent. Peut-être ses sentiments avaient-ils changé aussi ?

Mais dans le cas contraire, que se passerait-il ? Si elle lui avouait les siens et qu'il lui tourne le dos ? Etait-ce le bon moment pour lui en faire part ?

Peut-être fallait-il commencer à parler de l'avenir ? Peut-être reconnaîtrait-il qu'il y avait entre eux plus qu'une simple aventure ?

Quelques minutes plus tard, Madeline l'entendit dans la cuisine et son cœur fit un bond. Et si elle frappait le fer quand il était chaud ?

— Tu es là, murmura-t-il en arrivant sur la terrasse.

Après avoir posé sa tasse de café sur la table, il se pencha sur elle et passa les mains par le col de sa chemise de nuit. Il lui caressa les seins et, du pouce, en agaça les pointes. Paupières closes, Madeline s'adonna aux sensations qui l'envahissaient.

Puis, lentement, il se détacha d'elle pour aller s'asseoir à son côté.

Les yeux fixés sur la rivière, ils restèrent silencieux un moment. Soudain, elle se tourna vers lui, le cœur battant la chamade.

— Ce n'est plus une aventure sans lendemain, n'est-ce pas ?

Il se leva pour aller s'appuyer contre la rambarde, devant elle, et lui prit les pieds pour les masser.

— Non, répondit-il enfin.

Elle sourit : c'était un premier pas.

— Pourquoi me demandes-tu ça ?

— J'ai pensé à Trent et à Abby, à la fragilité de l'existence.

Marcus hocha la tête. Il était difficile de ne pas remettre en question sa propre vie, quand on était confronté à la mort.

— Je crois que j'ai le béguin pour toi..., avoua-t-elle.

Les mots étaient sortis sans qu'elle le veuille. Toutefois, elle se félicita de ne pas avoir employé un terme plus précis.

— Tu ne dis rien ? reprit-elle.

— Tu sais que tu étais censée te servir de moi, puis me laisser tomber. Ce n'est pas malin de s'amouracher d'un homme qui est là juste pour le sexe.

Comme il ne l'avait pas rejetée spontanément, elle reprit courage et lui adressa un sourire auquel il répondit.

— Réfléchis, Maddy. Tu es restée dix ans avec la même personne. Tu devrais sortir avec d'autres hommes et faire ton choix ensuite.

Le massage sensuel qu'il effectuait sur ses pieds l'empêchait de se concentrer totalement.

— Tu veux que je te quitte pour sortir avec d'autres hommes ?

Il arrêta brusquement de la masser. L'idée qu'un autre que lui puisse la toucher le mit en colère. Elle était sienne.

— Non… Non, je ne sais pas.

— Bien, dit-elle.

Elle se leva pour se réfugier dans ses bras et, d'un long baiser, l'empêcha de reprendre la parole.

— Rentrons, et fais-moi l'amour, dit-elle.

Sans un mot, il la prit dans ses bras et se dirigeait vers sa chambre quand on frappa à la porte.

En soupirant, il se dirigea vers l'entrée, sans toutefois déposer Maddy.

— Ouvre, lui dit-il, j'ai les mains pleines.

En riant, elle obtempéra et découvrit sur le seuil une jolie jeune femme blonde avec une valise.

Incrédule, Marcus remit Maddy sur ses pieds, tout en gardant un bras autour de sa taille.

— Qui êtes-vous ? demanda-t-elle.

— Je suis la femme de Marcus.

— L'ex-femme, corrigea celui-ci, retrouvant soudain sa voix.

C'était donc Tabitha ? Charmante, séduisante au possible.

— Que veux-tu, Tab ? demanda-t-il.

— Je suis enceinte, dit-elle en posant la main sur son ventre. Et il est de toi.

9.

Etouffant un juron, Marcus laissa un nouveau message sur le répondeur du portable. Allongé sur le divan, les yeux au plafond, il maudit Tabitha.

Un bébé ? *Son* bébé ? Une terrible impression de déjà-vu ajoutait à sa panique.

La scène ne cessait de se rejouer dans son esprit : Tabitha lâchant sa bombe, lui soudain muet, Maddy les yeux fixés sur lui dans l'attente d'une explication. D'un démenti, plutôt. Et voyant qu'il restait tétanisé, elle avait rassemblé ses affaires et quitté les lieux. A cet instant, il avait compris l'affreuse vérité.

Il aimait Madeline Harrington. Lui n'avait pas « le béguin » pour elle. Il était complètement, totalement amoureux. Pourquoi avait-il fallu que Tabitha arrive chez lui et que Maddy s'en aille pour qu'il comprenne enfin ?

En sept semaines, il était tombé éperdument amoureux.

Bien sûr, un million d'années plus tôt, il avait aimé Tabitha. Mais ce qu'il éprouvait pour Maddy ne ressemblait en rien aux sentiments qu'il avait éprouvés autrefois. A l'époque, il n'était qu'un enfant jouant à l'adulte. A présent, il était un adulte, avec des sentiments profonds. Comment pourrait-il passer sa vie sans Madeline ? Il était incapable de le concevoir.

L'histoire avec Tab et le bébé était terriblement compliquée, mais il existait bien une façon d'être père et de garder Maddy en même temps.

Il lui avait fallu attendre d'avoir trente-cinq ans pour tomber amoureux… Il n'allait pas tout gâcher maintenant !

Il décida de lui envoyer un texto et tapa les mots « Je t'aime », mais les effaça aussitôt. Pourquoi le croirait-elle ? Au lieu de quoi, il écrivit « Appelle-moi » et envoya le message.

Si seulement il avait pu mettre Tabitha dans un avion et ne plus jamais la revoir… Si seulement il avait pu remonter le temps pour gommer son acte irréfléchi…

La veille de son départ pour le Queensland, il était allé lui dire au revoir. Ils avaient discuté, et elle lui avait raconté qu'elle avait rompu avec Tony quelques semaines auparavant.

Cela l'avait étonné, car il pensait qu'ils étaient vraiment faits l'un pour l'autre. Ils avaient bu de la bière et ri comme au bon vieux temps.

Et puis elle l'avait embrassé, l'avait regardé de ses grands yeux, et lui avait dit qu'elle ne pouvait pas croire que tout était fini entre eux. Finalement, ils avaient passé la nuit ensemble. Toutefois, ils avaient reconnu le lendemain avoir fait quelque chose de stupide.

A présent, comment pouvait-il être sûr que c'était son enfant ?

Après le départ de Maddy, Tabitha avait voulu lui parler, mais il était trop en colère pour cela. Un moment de faiblesse et de folie avait blessé la femme qu'il aimait.

— Il est tard, Tab. Nous en discuterons demain. Prends mon lit.

Il était maintenant allongé sur le divan. Son ex-femme était dans son lit, et la femme qu'il aimait refusait de répondre à ses appels.

Impuissant et furieux, il jeta un coup d'œil sur son portable. 2 heures ! Il fallait vraiment qu'il dorme un peu. Demain serait une dure journée. Il s'obligea à appliquer quelques techniques de méditation et oublia que, pour la première fois depuis six semaines, il se réveillerait sans Maddy.

Il y avait quatre appels en absence et trois textos sur le portable de Maddy quand elle le consulta, le lendemain. Bien décidée à ne pas les écouter, elle ne put toutefois s'empêcher de le faire, juste pour entendre sa voix.

— Maddy, je t'en prie, je suis désolé… Je veux te parler. Je t'en supplie.

Sa voix était vide et elle savait ce qu'il éprouvait. En elle, ce n'était que froid et désolation. Heureusement, il n'avait pas dit qu'il pouvait tout expliquer, ou que c'était une erreur. Au contraire, son ton lui avait fait comprendre que la situation était grave.

Voilà qu'elle était amoureuse de quelqu'un qui allait avoir un enfant avec une autre femme ; quelqu'un qui allait devenir père ; quelqu'un qui, apparemment, éprouvait toujours des sentiments pour son ex-épouse.

Elle faillit appeler Veronica pour lui dire qu'elle était malade et ne viendrait pas. Mais des patients comptaient sur elle. Ce n'était pas leur faute, si elle était incapable de bien choisir l'homme de sa vie. Et cela lui permettrait de penser à autre chose qu'au gâchis de son existence.

Tabitha dormait encore lorsque Marcus partit travailler. Il avait promis à Jenny Smith de passer à l'hôpital avant de se rendre à son cabinet.

Là, il se montra enjoué et optimiste, parce que c'était ce dont elle et son fils avaient besoin. Voir Trent si petit et sans défense entre les draps blancs ne fit que renforcer sa conviction : jamais il ne tournerait le dos à son propre enfant.

En sortant de l'établissement, il essaya de nouveau de joindre Maddy, mais sans succès. C'était peut-être mieux ainsi, car il devait déjà s'expliquer avec Tabitha. Son esprit lui conseillait de se conduire honorablement et d'accepter ses responsabilités envers Tab et le bébé. Mais son cœur lui disait qu'il aimait Maddy et que toute relation avec son ex-femme serait vouée à l'échec, comme précédemment.

La sonnerie de son portable le fit sursauter, mais ce fut le numéro de Tab qui s'inscrivit sur l'écran.

— Tu es parti sans me réveiller, dit-elle.

— J'avais des choses à faire.

— Il faut que nous parlions. Tu t'arrêtes, à l'heure du déjeuner ? Je pourrais te rejoindre.

Marcus soupira.

— A 13 heures, dit-il, avant de raccrocher.

Un coup d'œil sur sa montre lui apprit qu'il disposait encore d'un quart d'heure avant le premier patient. Maddy devait être arrivée. Il fallait qu'il la voie, au moins pour lui présenter ses excuses.

Décidé à exploiter l'admiration que lui portait Veronica, il s'arrêta à son bureau pour lui décocher son plus charmant sourire.

— J'ai besoin de voir Maddy cinq minutes. Pouvez-vous faire patienter son prochain patient ?

A cet instant, la porte de celle-ci s'ouvrit et un patient sortit, une ordonnance à la main.

— Allez-y tout de suite, murmura Veronica. Dois-je vous annoncer ?

« Surtout pas ! » hurla-t-il en son for intérieur.

— Non, merci, répondit-il poliment.

Lorsqu'il entra, Maddy leva les yeux du dossier ouvert devant elle.

— Pas maintenant, Marcus, je suis occupée, dit-elle d'un ton professionnel, alors qu'elle avait le cœur brisé.

— Ecoute, dit-il. Tabitha…

— Tais-toi, coupa-t-elle. Je ne veux rien entendre du sordide petit arrangement que vous avez entre vous.

— Ce n'est pas ça, protesta-t-il.

— Tu n'as donc pas dormi avec elle ?

Que pouvait-il opposer à cela ? Rien. Même si ce n'était arrivé qu'une fois en dix ans de séparation, c'était vrai.

— Si, la veille de mon départ pour le Queensland.

Cette confirmation lui donna un choc. Au fond d'elle-même, elle avait tant espéré que c'était une erreur ! Des larmes brûlantes lui montèrent aux yeux.

— Mon Dieu, Marcus, tu es médecin… Tu aurais pu au moins utiliser un préservatif.

— On l'a fait.

Retenant ses pleurs à grand-peine, elle le regarda.

— Va-t'en, Marcus. J'ai un patient.

— Je t'aime, Maddy.

Incrédule, elle resta la bouche entrouverte, physiquement meurtrie, comme si elle avait reçu un coup de bâton dans le dos.

— Quoi ?

— C'est vrai, reprit-il calmement.

Elle ne pouvait que le croire. C'était inscrit sur son visage. Et c'était maintenant qu'il le lui disait ?

— Ah bon ? Et quand as-tu eu cette révélation ? Parce qu'il y a moins de vingt-quatre heures, ce n'était pas le cas. Je t'ai donné l'occasion idéale de me le dire hier soir, mais tu ne l'as pas fait. Et soudain, ton ex-femme arrive, et tu trouves les mots pour le faire.

— Je m'en suis rendu compte hier, quand tu es partie.

— Je n'ai pas remarqué que tu courais après moi dans le couloir pour me le dire.

— Maddy, je t'en prie…

D'après le ton désespéré de sa voix, il était aussi malheureux qu'elle de la tournure des événements. Et malgré sa colère et sa déception, elle l'aimait toujours.

Après une profonde inspiration, elle décida de l'aider. Elle le connaissait suffisamment pour savoir qu'il ne pouvait tourner le dos à son enfant. Il fallait voir comme il était attentionné avec Connor ou Trent : et il ferait un père excellent. Elle devait le laisser partir.

— Marcus, va avec Tabitha et ton bébé. Je te donne ma bénédiction.

Sourcils froncés, il la regarda.

— Je ne veux pas de ta bénédiction, je veux ton amour.

— Tu ne peux pas l'avoir, je le reprends. Et de toute façon, je n'ai jamais dit que je t'aimais… Juste que j'en pinçais pour toi. Heureusement, Tabitha est arrivée au bon moment.

— C'est stupide !

— Je crois que des choses plus importantes t'attendent.

— Mais…

— Va-t'en, Marcus.

« Tu ne vois pas que tu me brises le cœur et que je vais m'effondrer d'un instant à l'autre ? »

— Va-t'en, reprit-elle. J'ai un patient.

Heureusement, la matinée fut suffisamment chargée pour lui occuper l'esprit. Il y avait tellement de choses qu'il aurait voulu dire à Maddy, mais il fallait déjà parler avec Tab.

À 13 heures, celle-ci arriva.

— Viens, assieds-toi.

Une fois installée, elle regarda Marcus quelques instants.

— Je suis désolée d'avoir fait irruption chez toi de cette façon, et d'avoir fait fuir ton… euh… ton invitée. Qui est-ce ?

— Madeline Harrington. C'est un médecin généraliste, qui travaille dans le cabinet à côté du mien.

— Tu n'as pas perdu de temps, dit-elle en guise de plaisanterie.

— Je l'aime, Tabitha.

— Tu m'aimais aussi.

— Oh, Tab, ça fait si longtemps…

— Mais une deuxième chance s'offre à nous. J'en suis à dix semaines.

Rapidement, Marcus fit le calcul dans sa tête : cela correspondait. La question qu'il voulait poser était indélicate et il hésita avant de se lancer.

— Comment es-tu sûre que ce soit le mien ?

— Ma parole ne te suffit pas ?

— Tabitha, je t'en prie…

— Tu es le seul avec qui j'ai eu une relation à ce moment-là.

— Tu es allée voir un médecin ?

— J'ai rendez-vous chez un obstétricien dans un mois à Melbourne. J'espérais que tu viendrais avec moi.

Tous ses espoirs et ses rêves avec Maddy et sa nouvelle clientèle s'écroulèrent d'un coup.

— Je ne peux pas m'installer ici, reprit-elle. Il fait trop chaud et c'est trop loin de ma famille et de mes amis.

Donc, s'il voulait une relation suivie avec son bébé, il faudrait qu'il reparte là-bas.

— Je viens juste de m'installer ici.

— Je sais, mais je ne peux pas quitter Melbourne. Ne me demande pas ça, je t'en prie.

— Je ne t'aime pas.

Il n'avait pas eu l'intention d'être méchant, mais tout allait tellement mal…

— Ça pourrait marcher, cette fois. Cet enfant a besoin de ses deux parents, Marcus.

— Oui, merci. Je crois que je le sais mieux que personne.

— J'ai déjà réservé ton vol, dit-elle.

— Tu as… quoi ?

— Je savais que tu reviendrais avec moi.

— Ecoute-moi bien, Tabitha, quand je déménagerai, et si je déménage, ce sera de mon propre chef. J'ai des choses à régler ici. Je ne peux pas partir.

— Tu veux te réconcilier avec ta petite amie ?

— Oh, je crois que tu as détruit toutes mes chances.

— J'avais raison, c'est comme avant. Déjà, tu ne voulais pas du bébé à ce moment-là.

— J'avais vingt-deux ans, soupira-t-il.

— Ne t'inquiète pas, dit-elle en se levant. Tu auras peut-être la chance que je fasse une nouvelle fausse couche.

Les regards qu'ils échangèrent étaient meurtriers et Tabitha sortit en claquant la porte.

*
* *

Deux heures plus tard, alors que Marcus était avec un patient, son portable sonna. Déçu, il vit s'afficher le numéro de Tabitha et faillit ne pas répondre.

— Allô ?

Elle pleurait tellement qu'il ne comprit d'abord pas un mot et il lui demanda de répéter calmement.

— Je dis que ton vœu s'est réalisé. Je saigne. J'espère que tu es content.

Les sanglots de Tabitha augmentèrent, et il fallut plusieurs secondes à Marcus pour comprendre ce qu'elle lui avait dit.

Non ! Ça n'allait pas recommencer… La fois précédente, Tab était restée terriblement meurtrie.

— Qu'est-ce que je vais faire, Marcus ?

— Ce n'est probablement rien, dit-il pour la rassurer.

— Ça a commencé comme ça, la dernière fois, gémit-elle.

— Viens immédiatement. Tu vas passer une échographie au cabinet voisin.

Marcus passa plusieurs coups de téléphone : trois pour annuler ses autres rendez-vous de l'après-midi et un autre à Maddy qui, heureusement, décrocha sans vérifier l'identité du correspondant.

— Je sais que je te demande beaucoup, dit-il, mais Tabitha perd du sang et elle est hystérique. Est-ce que je peux l'amener pour une échographie ?

Abasourdie, Madeline faillit lui raccrocher au nez.

Mais malgré tout, elle eut de la peine pour Tabitha. Elle avait vu trop de patientes souffrir de dépression, après une telle perte.

— Bien sûr, dit-elle poliment. A-t-elle des crampes ?

— Non.

— Ce n'est probablement rien, dit-elle.

— Je sais, c'est ce que je lui ai dit, mais elle a déjà vécu ça une fois. Elle en est à dix semaines et elle est bouleversée.

— Amène-la tout de suite.

Une fois que ses mains eurent cessé de trembler et que ses idées se furent calmées, Madeline espéra que tout irait bien pour Tabitha. Elle pensa aussi que voir le bébé de Marcus sur l'écran l'aiderait à accepter la réalité des choses.

En faisant entrer dans la salle d'examen l'homme qu'elle aimait et la femme qu'il avait fécondée, Madeline garda un vernis professionnel.

Toutefois, alors qu'elle mettait la machine en fonctionnement, elle ne put s'empêcher de remarquer que Tabitha tendait la main vers Marcus et que celui-ci la prenait machinalement.

Cette familiarité entre eux la mit à la torture.

— Vous avez saigné ? demanda-t-elle.

— Ça a commencé il y a une heure.

— Que faisiez-vous, à ce moment-là ? dit-elle en palpant l'abdomen de la jeune femme.

Sous ses doigts, le renflement de l'utérus lui parut anormal et elle fronça les sourcils. A dix semaines seulement, il n'aurait pas dû encore présenter cet aspect.

— Marcus et moi, nous nous étions disputés. Je pleurais.

Devant la culpabilité du visage de celui-ci, Madeline sentit son cœur déborder d'amour. Bizarrement, bien que ce fût elle la plus blessée du trio, elle eut envie de le prendre dans ses bras pour le réconforter.

— Et vous prenez bien soin de vous ? Vous mangez bien ? Vous dormez bien ?

— Cela faisait longtemps que je ne m'étais pas aussi bien reposée. J'ai toujours bien dormi, dans le lit de Marcus.

Bouche bée devant la cruauté de sa femme, celui-ci regarda Maddy accuser le coup.

— J'ai passé la nuit sur le divan, dit-il.

En passant du gel sur le ventre de Tabitha, Madeline prit un vilain plaisir à la voir réagir au contact du froid. Normalement, elle avertissait toujours la patiente, mais la pique de celle-ci l'avait profondément blessée.

L'image d'un fœtus bien vivant apparut sur l'écran. Le cœur battait régulièrement et tout semblait parfait. Si Tabitha avait été sur le point de faire une fausse couche, Madeline aurait trouvé des anomalies.

Toutefois, elle vit ses soupçons se confirmer. Ce ne pouvait pas être une grossesse de dix semaines, mais plutôt de quatorze ; en tout cas, elle en était au deuxième trimestre. Marcus s'en était-il aperçu ?

— Le bébé est en bonne forme, dit-elle.

Elle jeta un coup d'œil au visage de Marcus et le regretta aussitôt en voyant son air émerveillé.

Des larmes lui brûlèrent les paupières. Et si son bébé avait été en elle ?

Et s'ils avaient regardé ensemble leur bébé ?

Elle regretta de ne pas être enceinte : cela lui aurait permis d'emporter avec elle un peu de Marcus, et de ne plus jamais être seule.

Marcus était complètement pris par les images. Celles de la première grossesse de Tabitha lui revinrent à la mémoire. A l'époque, cela l'avait rempli de terreur.

Il y avait vu non pas le miracle d'une vie nouvelle, mais la fin de son existence sans souci. Alors que là, il se sentait un lien avec ce bébé, à la fois fragile et fort, et il éprouvait le besoin intense de le protéger de tout mal.

Jamais il n'avait éprouvé de tels sentiments à l'égard d'un bébé.

En regardant Maddy, il comprit toutefois que c'est dans son ventre à elle qu'aurait dû être cet enfant.

En cet instant, il sut que s'il pouvait se sortir de ce pétrin et convaincre Maddy de revenir vers lui, il faudrait absolument qu'ils aient un bébé.

Tout à coup, il se rendit compte que quelque chose n'allait pas. L'image l'avait tellement captivé qu'il n'avait pas remarqué l'évidence même.

Il regarda Madeline et vit qu'elle avait fait la même constatation.

— Quelle est la gestation ? demanda-t-il.

D'une main tremblante, Madeline appuya sur le bouton de l'appareil et la durée apparut sur l'écran.

— Quinze semaines et un jour.

— Il n'est pas de moi ! s'exclama Marcus, submergé par un torrent d'émotions.

— Quoi ? Ce n'est pas possible ! protesta Tabitha en se relevant sur les coudes.

— J'ai bien peur que si, dit Madeline.

Eclatant en sanglots, Tabitha se laissa retomber en arrière.

10.

Tandis que Madeline débranchait l'appareil et le nettoyait, Marcus tenta de réconforter Tabitha.

— Arrête de pleurer, Tab. Assieds-toi, essuie tes yeux et raconte-moi, dit-il en lui essuyant gentiment le ventre.

Madeline lui tendit une boîte de mouchoirs en papier. Apparemment, il fallait qu'ils parlent, tous les deux, et ils n'avaient pas besoin d'elle ici.

— J'ai un patient qui m'attend, dit-elle en ouvrant la porte.

— Attends, Maddy.

Mais elle secoua la tête et s'esquiva, les yeux embués de larmes. Marcus eut envie de lui courir après mais, qu'il le veuille ou non, son ex-femme était prioritaire.

— Parle, dit-il à Tabitha après lui avoir donné un verre d'eau.

— C'est Tony, expliqua-t-elle avec des sanglots dans la voix. C'est pour ça qu'il est parti. Je lui ai dit que j'étais enceinte et il a pris peur.

— Mais pourquoi ?

C'était une réaction qu'il aurait pu comprendre de la part d'un jeune de vingt ans. Mais un homme d'affaires de plus de trente ans ?

— Je crois qu'il a paniqué parce que nous n'avions pas prévu cela. Et puis, la nuit où tu es venu à la maison, j'ai pensé que je pourrais rendre Tony jaloux et lui faire comprendre qu'il ne pouvait pas vivre sans moi ou le bébé.

Marcus la fixait, abasourdi.

— J'étais désespérée, reprit-elle. Je sais ce que tu

ressens pour les bébés sans père… Tu m'as déjà épousée une fois pour ça.

— Et tu comptais faire durer longtemps cette histoire ? Tu m'aurais vraiment laissé t'épouser de nouveau ?

— L'aurais-tu fait ? demanda-t-elle.

— Je ne sais pas, Tab. Peut-être.

— Je ne t'aurais pas laissé le faire.

— Tu m'aurais juste manipulé un peu plus longtemps ?

— Ça paraît tellement sordide… J'aime Tony, Marcus, je n'avais pas toute ma tête. Je suis désolée, je n'avais pas le droit de t'impliquer dans cette histoire.

— Tu mériterais une bonne fessée, Tab. As-tu une idée de ce que tu as fait ?

— Tu parles de Maddy ? J'ai tout gâché entre vous ?

— J'espère bien que non, mais tu as causé des dégâts énormes.

— Je regrette. Je suis impardonnable.

— Tu sais que tu aurais pu me demander de parler à Tony. Je ne t'ai jamais repoussée, que je sache.

— Je ne sais pas ce qui m'a pris. C'est peut-être hormonal. Ça m'avait semblé être un bon plan, mais je n'avais pas pensé à Maddy, ni à tes sentiments pour elle.

— Tab, ça suffit. Repars à Melbourne et ne te mêle plus de mes affaires.

— Va vite retrouver Maddy. Dis-lui que ton ex-femme est une manipulatrice, une déséquilibrée. Dis-lui que je regrette, dis-lui ce que tu voudras, mais récupère-la.

Marcus frappa doucement à la porte du bureau de Madeline et l'ouvrit. Prévenu par Veronica, il savait qu'elle était seule.

Les yeux rougis par les pleurs, elle le regarda d'un air distant qui le désespéra, et il songea qu'il était en train de la perdre.

— Je ne sais pas quoi dire, Maddy.

— Alors, nous sommes deux dans ce cas, répondit-elle.

— Bon sang, ce bébé n'est pas de moi !

— Non, mais tu l'aurais voulu. Tu avais envie de ce bébé, je l'ai vu sur ton visage.

Sur le point de nier, il se ravisa.

Voir l'enfant sur l'écran avait fait naître en lui l'instinct paternel et, pendant quelques secondes, il l'avait désiré. Mais à condition que ce soit celui de Maddy et le sien !

— Tu as raison. J'ai eu une révélation : j'ai compris qu'après toutes ces années, je voulais maintenant être père. Et cela à cause de toi. Le fait de t'aimer me fait désirer des choses que je n'avais jamais souhaitées auparavant. J'avais envie que ce soit notre bébé, le tien et le mien.

Une grosse boule dans la gorge, Madeline se rendit compte qu'il était sincère. Son cœur se dilata comme les pétales d'une fleur sous une pluie rafraîchissante.

Mais en même temps, son cerveau lui conseillait de se méfier, de ne plus exposer ses sentiments. Avec lui, elle avait pris un risque et leur passion avait été fantastique. Mais la fin avait été terrible, et plus jamais elle ne pourrait lui faire confiance.

Comment pourrait-elle s'engager avec un homme encore tellement attaché à son ex-femme ?

Comment pourrait-elle être sûre qu'il ne succomberait pas de nouveau ?

— Et que se passera-t-il, quand Tabitha arrivera chez nous un jour et que tu la rejoindras au lit ?

— Quoi ? dit-il, paraissant stupéfait qu'elle puisse penser cela de lui.

— Apparemment, tu as du mal à comprendre que tu es divorcé.

— Ecoute, ce qui s'est passé entre Tabitha et moi était stupide, mais je ne vais pas te présenter mes excuses pour ça. Ce qui me désole, c'est que tu aies eu à en subir les conséquences, mais nous étions tous deux célibataires et libres de nos actes. Et depuis dix ans que nous sommes divorcés, c'est arrivé une seule fois.

— Comment puis-je savoir que ça n'arrivera plus ?

— Parce que je ne trompe jamais personne, Maddy.

— Mais elle est très séduisante.

— Certes, mais je ne l'aime pas. Je n'ai pas envie d'elle. Je veux être seulement avec toi.

En regardant dans la profondeur de ses yeux bleus, elle eut envie de le croire.

Toutefois, la scène de la veille ne cessait de se rejouer dans sa tête, et elle ne voulait pas risquer de se retrouver un jour dans la même position.

Elle se redressa sur sa chaise, comme pour mettre une distance entre elle et lui.

— Je ne sais pas, Marcus. Il s'est passé trop de choses… Je ne peux pas penser correctement.

Amèrement déçu, de toute évidence, qu'elle puisse mettre sa parole en doute, il se leva.

— Tu n'as pas à penser, tu devrais le savoir, viscérale-ment. Nous avons été inséparables pendant six semaines : fais confiance à ton instinct.

C'était bien d'un homme, de simplifier ainsi les choses. Il n'allait tout de même pas lui dicter sa conduite !

— La seule chose que je sache viscéralement, pour le moment, c'est que l'homme qui est censé m'aimer est toujours attiré sexuellement par son ex-femme.

— Ça s'est passé comme ça, spontanément, dit-il pour essayer de la convaincre qu'il n'éprouvait rien pour Tabitha. Je t'aime, Maddy, et je sais que tu m'aimes aussi. Ça marche, entre nous, ne me rejette pas.

— Je ne peux pas. Tu me demandes trop. Tous ceux que j'ai aimés m'ont quittée ou m'ont laissée tomber. Mes parents, Abby, Simon… Et maintenant, toi.

— Maddy, non, dit-il en tendant la main vers elle.

— Va-t'en, dit-elle dans un sanglot. Va-t'en.

Paraissant prêt à objecter, il se ravisa.

Elle le regarda partir, trop troublée pour le rappeler, pour suivre son instinct, comme il disait. Une migraine lancinante commença à lui marteler les tempes et, cette fois, Marcus ne serait pas là pour la masser.

Sa journée était presque finie, lorsque Veronica l'appela par l'Interphone.

— Une certaine Tabitha demande à te voir.

Tenaillée par la migraine, elle hésita.

— Fais-la entrer, dit-elle finalement.

Malgré l'assurance de Marcus, Madeline ressentit une pointe de jalousie devant la jeune femme.

— Asseyez-vous, lui dit-elle.

— Je vous dois des excuses. Ce qui s'est passé la nuit dernière est impardonnable.

Ne sachant quoi répondre, Madeline fixa son attention sur ses mains. La scène s'était rejouée si souvent dans sa tête qu'elle en avait le vertige.

— Je ne m'attendais pas à voir Marcus avec une femme. Vous voyez, j'avais prévu mon plan et vous m'avez mis des bâtons dans les roues…

— Ah ? dit Madeline, la curiosité en éveil.

Après avoir écouté le récit de Tabitha, elle éprouva même de la pitié pour Marcus.

— Qu'allez-vous faire, maintenant ? lui demanda-t-elle.

— Marcus a téléphoné à Tony et je lui dois beaucoup. Etant donné la façon dont je me suis conduite, il n'était pas obligé de m'aider. Il aurait aussi bien pu m'étrangler, et c'est d'ailleurs ce qu'il ferait s'il savait que je suis là. Mais je vais bientôt repartir chez moi.

Soudain inquiète, elle marqua une pause.

— Le bébé va bien, n'est-ce pas ?

— Oui, le fœtus est en bonne santé, reposez-vous seulement pendant quelques jours. Et si le saignement recommence ou si vous avez des douleurs, allez voir votre médecin.

Tabitha hocha la tête.

— J'ai hâte de partir retrouver Tony pour résoudre nos problèmes.

— C'est bien, dit Madeline, qui trouvait irréel de bavarder avec elle, après tout ce qui s'était passé.

— Marcus est amoureux de vous.

— Apparemment, oui.

— Vous ne comprenez pas. Marcus n'a jamais été amoureux de personne, pas même de moi.

— Il a pourtant été votre mari.

Tabitha la regarda avec gravité.

— Marcus m'a dit que cela vous posait problème. Laissez-moi vous assurer que ce n'était pas de l'amour. Ça faisait partie de mon plan pour faire revenir Tony. Ne le punissez pas pour quelque chose qui s'est passé avant qu'il ne vous rencontre.

— Sauf que cela a eu d'énormes conséquences pour Marcus et moi, répondit-elle, irritée.

— Je regrette d'avoir inventé toute cette histoire. J'espère que vous vous en sortirez, tous les deux. Je vous aime bien, vous êtes bonne avec lui.

— Vous ne me connaissez même pas !

— Je sais que vous m'avez fait passer une échographie, alors que vous auriez dû m'arracher les yeux. Je sais que Marcus a le cœur brisé. Je sais aussi qu'il veut un bébé avec vous, ce qu'il n'a jamais voulu avec moi.

La tête broyée par l'étau de sa migraine et la valse de ses pensées, Madeline ne répondit rien.

— Je m'en vais, reprit Tabitha en se levant. Je vous en prie, donnez une autre chance à Marcus. Et peut-être qu'un jour, nous deviendrons amies.

Machinalement, Madeline serra la main qu'elle lui tendait.

Amies ? Cette idée la fit frémir.

Une semaine passa. Madeline ressassait toujours la même chose : il l'aimait, elle l'aimait, Tabitha avait quitté la scène.

Alors où était le problème ?

Il lui envoya des fleurs, il téléphona, il écrivit des textos, sans succès. Pourtant, c'était très difficile de se retrouver seule, parce qu'elle l'avait aimé intensément. De plus, savoir qu'il aurait voulu un bébé avec elle était une véritable torture.

Très inquiets, ses confrères la soutinrent gentiment. Veronica fut la plus attentive : elle lui apportait café et gâteaux, et insistait pour qu'elle se nourrisse. On aurait dit une mère poule.

Mais la vie était devenue sinistre et elle regrettait le jour où elle avait rencontré Marcus.

Huit jours plus tard, alors qu'à 2 heures du matin elle se trouvait à l'hôpital où elle venait de faire admettre un patient en phase terminale, elle s'entendit appeler.

— Madeline ?

— Simon ! Quel plaisir de te voir !

Cela faisait deux mois qu'ils ne s'étaient pas rencontrés. Il tendit les bras vers elle et ils s'étreignirent.

Ils discutèrent un petit moment, se racontant leurs vies.

Madeline avait toujours pensé que leur première rencontre serait bizarre, mais il n'en était rien. On aurait dit les retrouvailles de deux vieux amis. Comment avait-elle pu être amoureuse de lui ?

— Où en sont tes amours ? demanda-t-elle.

— J'ai rencontré quelqu'un, dit-il en rougissant. Elle s'appelle Maria. Elle est fantastique. On va se marier.

— C'est magnifique, Simon. Je suis contente pour toi. Et tu penses que ça va marcher ?

— Je ne sais pas, Madeline, il n'y a pas de garanties. Après notre longue liaison, je ne veux pas passer dix autres années de ma vie à être prudent. Et si c'est un échec, j'aurai au moins été heureux un moment. Mais c'est elle, Madeline, je le sais au fond de moi. Il faut savoir suivre son instinct.

Suivre son instinct.

Une fois en voiture, les mots continuèrent de résonner dans sa tête. Les mêmes mots que Marcus avait utilisés. Et que lui dictait son instinct, à elle ?

Que c'était lui, le seul, l'unique.

Marcus Hunt était l'homme de sa vie !

Douze minutes plus tard, elle était légèrement hors d'haleine en frappant à la porte de Marcus. Paniquée, prise de nausée, elle espéra qu'il n'avait pas déjà trouvé quelqu'un pour la remplacer.

Après avoir frappé une nouvelle fois, elle était sur le point de repartir, quand la porte s'ouvrit. Tous ses doutes s'évanouirent lorsqu'elle le vit hagard, pas rasé et adorable. C'était bien lui, l'homme de sa vie.

Elle se jeta dans ses bras en pleurant.

— Je suis désolée. J'ai été tellement stupide !

— Maddy... Merci, mon Dieu. Maddy !

Submergé de soulagement et d'amour, il l'étreignit contre lui.

— J'étais folle de jalousie, dit-elle. Je n'aurais jamais dû douter de toi. Je t'ai puni pour quelque chose qui s'était passé avant notre rencontre. Pardonne-moi, je t'en prie. Je ne veux plus passer un moment sans toi.

— Maddy, Maddy..., répondit-il en la berçant contre lui. Je t'aime. Ces deux dernières semaines, j'ai vécu l'enfer. Je suis désolé de t'avoir blessée. Tu sais que tu es la seule femme que j'aime ?

Ils échangèrent un très long baiser passionné, puis Marcus la prit dans ses bras pour la porter dans sa chambre.

— Epouse-moi, dit-il.

— A une condition, répondit-elle en riant, ivre de bonheur.

— Laquelle ?

— N'attendons pas dix ans pour le faire.

— Dix ans ? Je ne veux même pas attendre dix minutes, répondit-il avant de prendre sa bouche avec fièvre.

Ne manquez pas, dès le 1er avril

RENCONTRE À SILVER PASS, de Tina Beckett • N° 1214

Mira a vécu toute sa vie à Silver Pass, la station de sports d'hiver tenue par son père, dans laquelle elle est médecin depuis maintenant quelques années. Elle a tout pour être comblée – ou presque, car il lui manque le plus important à ses yeux : la présence à ses côtés d'un homme bon et sincère. Mais comment pourrait-elle à nouveau faire confiance à qui que ce soit, alors que son fiancé – le troisième en sept ans – vient de la tromper avec une autre ? Blessée, Mira se résigne à faire une croix sur les relations amoureuses. Pourtant, sa rencontre avec le Dr Jack Perry, un médecin californien aussi beau que maladroit sur des skis, va mettre rapidement à mal sa résolution…

UN TROUBLANT REGARD, d'Amalie Berlin

Enfin de retour à Silver Pass ! Après avoir cumulé les voyages humanitaires aux quatre coins du monde, Ellory est contente de rentrer auprès des siens, et de retrouver son poste de masseuse kinésithérapeute à l'hôtel de la station. Quand, suite à un avis de tempête, on lui demande de prendre en charge l'arrivée des secouristes à l'hôtel, elle accepte immédiatement, prête à tout pour leur venir en aide. Mais pourquoi le responsable de la mission, le Dr Anson Graves, la traite-t-il avec tant de froideur ? Serait-ce parce qu'elle n'est pas médecin, comme lui ? Malgré son agacement, Ellory s'efforce de n'en rien laisser paraître, le temps de leur brève collaboration – et, par la même occasion, d'ignorer le trouble insensé que provoque en elle le regard vert d'Anson…

LA FAMILLE DE SON CŒUR, de Lucy Clark • N° 1215

Jamais Cora n'aurait pensé, en acceptant cette mission humanitaire sur l'île de Tarpanii six mois plus tôt, devenir mère du jour au lendemain… Mais comment pourrait-elle abandonner sans un regard Nee-Ty, le petit orphelin qui lui a été confié, à elle et à son nouveau et séduisant collègue, le Dr Anton Wild, après le terrible cyclone qui a ravagé le village de l'enfant ? Et si, très vite, Cora se fait à son nouveau rôle de maman, elle rencontre bientôt un problème de taille : comment convaincre Anton, auquel Nee-Ty s'est déjà énormément attaché, qu'il serait un père idéal pour ce petit garçon en manque d'amour – et, surtout, en manque d'une famille ?

SOUS LE CHARME DU DR SULLIVAN, de Lucy Ryder

Prétendre être la petite amie du Dr Luke Sullivan, l'homme qui l'a aidée à sauver de la noyade un adolescent, quelques jours plus tôt ? Si cela peut empêcher son nouveau patron à l'hôpital de Spruce Ridge, la petite ville dans laquelle elle vient de s'installer, de lui faire des avances, Lilah n'est pas contre. Sa décision n'a, bien évidemment, rien à voir avec le charme irrésistible de Luke – un charme sous lequel elle est tombée, bien malgré elle, le jour même de leur rencontre…

UN BÉBÉ POUR CALLIE, de Louisa Heaton • N° 1216

Lorsque son meilleur ami, le Dr Lucas Sullivan, lui a fait une demande particulièrement délicate – être la mère porteuse de l'enfant que sa femme et lui souhaitent avoir –, Callie a accepté sans hésitation, heureuse de les aider. Qui aurait cru que le mariage de Lucas allait voler en éclats quelques mois plus tard – le jour même où Callie, elle, découvre qu'elle est enceinte ? Quand elle lui annonce qu'elle porte son enfant, il décide de la soutenir jusqu'au bout. Mais, si Callie est terrifiée à l'idée de devenir maman, elle l'est encore plus par les sentiments troublants que Lucas éveille en elle, un soir, avec un baiser brûlant…

PASSION AUX URGENCES, d'Amy Andrews

Alors même qu'il échappe de peu à un accident de voiture, Gareth Stapleton, infirmier de formation, se précipite pour porter secours aux victimes. Aussi n'a-t-il pas le temps de se demander pourquoi une ravissante conductrice en tenue de soirée, dénommée Billie, tient à l'assister. Quelle n'est donc pas la surprise de Gareth quand, quelques jours plus tard, il découvre qu'elle fait partie des nouveaux internes de l'hôpital où il travaille ! Et, à en juger par les regards troublés qu'elle lui lance, Billie n'a pas oublié leur rencontre…

UNE NOUVELLE VIE À GLENMORE, de Sarah Morgan • N° 1217

Lorsqu'elle voit arriver Ethan Walker au cabinet médical dans lequel elle travaille sur l'île écossaise de Glenmore, Kyla MacNeil sent aussitôt sa curiosité s'éveiller. Car non seulement cet homme au charme ténébreux la trouble, mais encore il l'intrigue. Pourquoi se montre-t-il si silencieux, parfois presque hostile ? A-t-il un secret à cacher ? Sinon, pourquoi serait-il venu s'installer sur cette petite île isolée ?

L'AMOUR RÉVÉLÉ, de Sarah Morgan

Depuis toujours, Evanna Duncan est amoureuse de Logan MacNeil, alors que lui ne lui accorde qu'une attention distraite, ne voyant en elle que l'infirmière avec qui il travaille au Glenmore Hospital, ou, depuis que sa femme est décédée, une baby-sitter occasionnelle pour sa fille. Mais, aujourd'hui, Evanna en a assez, et elle est décidée à l'oublier, à vivre sa vie… Bref, à sortir avec d'autres hommes, ce qui, bizarrement, semble beaucoup contrarier Logan.

A paraître le 1ᵉʳ mars

Best-Sellers n°633 • suspense
Les démons du passé - Heather Graham

Le musée Tarleton-Dandridge. Une somptueuse demeure du dix-huitième siècle chargée d'histoire… et de secrets. Qui, deux jours plus tôt, s'est caché dans ce sinueux manoir niché au cœur de Philadelphie pour y assassiner Julian Mitchell, l'un des guides, en lui transperçant la gorge d'une baïonnette ? C'est la question qui obsède l'agent Tyler Montague, envoyé sur place par le FBI pour enquêter sur l'affaire. Une question à laquelle il doit trouver une réponse, et vite, car le meurtrier va frapper de nouveau, il en est persuadé. Voilà pourquoi il doit à tout prix s'assurer la collaboration de la séduisante Allison Leigh, la responsable du musée – la seule à en connaître tous les mystères. Seulement voilà, en état de choc depuis qu'elle a découvert le cadavre de son collègue et ami, Allison se montre plus que réticente à l'idée de lui parler. Tout en refusant de reconnaître que, comme lui, elle possède le don étrange et unique de dialoguer avec les morts…

Best-Sellers n°634 • suspense
La vengeance en plein cœur - Laura Caldwell

Alors qu'elle s'apprête à faire un break dans son activité de détective privé pour redevenir avocate à temps plein, Izzy McNeil se laisse convaincre par un ami d'aider la célèbre galeriste Madeline Saga, victime de harcèlement : pendant quelques semaines, elle se fera passer pour son assistante. Pour la protéger, mais aussi pour découvrir qui lui en veut assez pour lui avoir dérobé de précieux tableaux et les avoir remplacés par des copies. Afin de l'aider à percer le mystère opaque qui entoure Madeline, Izzy ne peut compter que sur l'inspecteur Vaughn. Une collaboration qui lui aurait paru stupéfiante quelque temps plus tôt, tant leurs relations sont tendues, mais qui aujourd'hui la rassure… et la trouble.
Au cœur de Chicago, la belle Izzy va devoir percer les secrets de ce monde de l'art tout en faux-semblants, et pour cela flirter avec le danger…

Best-Sellers n°635 • suspense
Le souffle de la peur - Lori Foster

Punir le meurtrier de son meilleur ami, c'est l'obsession de Logan Riske. Et pour cela, il est prêt à employer tous les moyens, y compris changer d'identité et s'installer dans l'appartement voisin de celui de Pepper Yates, la sœur de l'unique témoin du meurtre. Son but : approcher la jeune femme, lui inspirer confiance, et même la séduire s'il le faut, pour la convaincre de l'aider.
Mais face à Pepper, au charme étrange de la jeune femme, son audace sensuelle mais aussi à la peur intense qu'il devine en elle, Logan se sent bientôt déchiré entre sa mission et ses sentiments. Des sentiments qui ne font que s'amplifier quand il apprend que Pepper est elle aussi à présent directement menacée.

Best-Sellers n°636 • historique
Sur ordre royal - Margaret Moore
Pays de Galles, 1205.

Promise par le roi à un ténébreux seigneur gallois ! A cette pensée, lady Roslynn de Were se révolte, et redoute de rencontrer celui que l'on décrit comme un barbare sans foi ni loi. Mais après la trahison dont s'est rendu coupable son époux disparu, elle ne songe pas un instant à s'opposer aux ordres du roi. Et si cette alliance ne peut lui apporter l'amour auquel elle aspire, elle lui permettra au moins de s'éloigner de la cour, où Roslynn subit les pires humiliations depuis la mort de son mari. Aussi, en dépit de ses réticences, accepte-t-elle de se rendre au manoir de Llanpowell pour s'offrir au sombre Madoc. Mais alors qu'elle pensait que le guerrier accepterait sans hésiter sa main, et sa fortune, elle a la surprise de découvrir que ce mariage lui déplaît au moins autant qu'à elle : Madoc refuse catégoriquement de prendre pour épouse une femme choisie par un autre… et une Normande qui plus est ! Désespérée à l'idée de retourner auprès du roi, Roslynn décide de tout faire pour séduire l'ombrageux guerrier…

Best-Sellers n°637 • historique
Promise à un baron - Kasey Michaels
Londres, 1816.

« Je vous ai trouvé une épouse. » Devant le regard insistant du régent, Justin Wilde sait qu'il ne peut refuser. Pourtant, après un mariage désastreux avec une femme coquette et volage, il s'était juré de ne plus retomber dans le piège du mariage. Mais s'il veut enterrer pour de bon la fâcheuse affaire de duel qui l'a contraint à l'exil pendant des années, Justin sait qu'il doit accepter les conditions du régent. D'ailleurs, cette lady Magdaléna qu'on lui donne pour fiancée n'a rien de la mondaine capricieuse qu'il pouvait redouter : avec son visage d'ange et son teint d'albâtre, cette pupille du roi d'Autriche surpasse en beauté toutes les femmes qu'il a pu côtoyer… Mais bientôt, il comprend que ce mariage est un redoutable piège fomenté par le régent : sa promise n'est autre que la nièce de l'homme qu'il a tué en duel, huit ans plus tôt ! Un terrible secret qu'il devra lui cacher à tout prix...

Best-Sellers n°638 • thriller
Instincts criminels - Andrea Kane
Pour sauver son enfant, elle est prête à tout. Même à défier la mort…

Les Forensic Instincts : des profilers new-yorkais hors normes, capables de résoudre les énigmes les plus obscures et les plus périlleuses. Des enquêteurs à la personnalité complexe et atypique, parfois tourmentés par leur passé, mais qui puisent justement dans leur singularité — et leurs cauchemars les plus noirs —, les ressources et l'intuition nécessaires à la résolution des affaires qui leur sont confiées.Aujourd'hui, ils sont le dernier espoir d'Amanda Gleason, une jeune femme persuadée que l'homme qu'elle aimait et qu'elle croyait mort depuis huit mois est en réalité bien vivant : Paul Everett. Le père de son bébé. Et le seul à pouvoir sauver ce dernier, gravement malade.

A leur côté, Amanda va se lancer dans une course contre la montre, folle et terrible, et se retrouver confrontée à la violence et à la corruption du crime organisé, ainsi qu'aux sombres secrets du FBI…

OFFRE DE BIENVENUE

Vous avez aimé cette collection ? Vous aimerez sûrement
la collection Azur ! Recevez gratuitement :

◆ **2 romans Azur gratuits** ◆
et 2 cadeaux surprise !

Une fois votre colis de bienvenue reçu, si vous souhaitez continuer à recevoir nos
romans Azur, cela se fera automatiquement. Vous recevrez alors chaque mois 6
romans inédits de cette collection au tarif unitaire de 4,25€ (Frais de port France :
1,75€ - Frais de port Belgique : 3,75€).

➡ **ET AUSSI DES AVANTAGES EXCLUSIFS :**

➡ **LES BONNES RAISONS
DE S'ABONNER :**

Des cadeaux tout au long de l'année.

◆

<u>Aucun engagement de durée
ni de minimum d'achat.</u>

Des réductions sur vos romans par
le biais de nombreuses promotions.

◆

◆

Des romans exclusivement réédités
notamment des sagas à succès.

Aucune adhésion à un club.

◆

◆

L'abonnement systématique et gratuit
à notre magazine d'actu ROMANCE.

Vos romans en avant-première.

◆

◆

Des points fidélité échangeables
contre des livres ou des cadeaux.

La livraison à domicile.

➡ **REJOIGNEZ-NOUS VITE EN COMPLÉTANT ET EN NOUS RENVOYANT LE BULLETIN !**

✂ - - - - - - - - - -

N° d'abonnée (si vous en avez un) ⸽⸽⸽⸽⸽⸽⸽⸽⸽⸽   ZZ5F02
ZZ5FB2

Mme ☐ Mlle ☐ Nom : ....   Prénom : ....

Adresse : ....

CP : ⸽⸽⸽⸽⸽⸽   Ville : ....

Pays : ....   Téléphone : ⸽⸽⸽⸽⸽⸽⸽⸽⸽⸽

E-mail : ....

Date de naissance : ⸽⸽⸽ ⸽⸽⸽ ⸽⸽⸽⸽

☐ Oui, je souhaite être tenue informée par e-mail de l'actualité d'Harlequin.

☐ Oui, je souhaite bénéficier par e-mail des offres promotionnelles des partenaires d'Harlequin.

Renvoyez cette page à : Service Lectrices Harlequin – BP 20008 – 59718 Lille Cedex 9 - France

OFFRE DÉCOUVERTE !
2 ROMANS GRATUITS et 2 CADEAUX surprise !

Vous souhaitez découvrir nos collections ? Recevez **2 romans gratuits et 2 cadeaux surprise !**

Une fois votre colis de bienvenue reçu, si vous souhaitez continuer à recevoir nos romans, cela se fera automatiquement. Vous recevrez alors chaque mois vos romans inédits en avant première.

Vous n'avez aucune obligation d'achat et cette offre est sans engagement de durée !

☞ **COCHEZ** la collection choisie et renvoyez cette page au
Service Lectrices Harlequin – BP 20008 – 59718 Lille Cedex 9 – France

Collections	Références	Prix colis France* / Belgique*
❏ AZUR	ZZ5F56/ZZ5FB2	6 romans par mois 27,25€ / 29,25€
❏ BLANCHE	BZ5F53/BZ5FB2	3 volumes doubles par mois 22,84€ / 24,84€
❏ LES HISTORIQUES	HZ5F52/HZ5FB2	2 romans par mois 16,25€ / 18,25€
❏ BEST SELLERS	EZ5F54/EZ5FB2	4 romans tous les deux mois 31,59€ / 33,59€
❏ BEST SUSPENSE	XZ5F53/XZ5FB2	3 romans tous les deux mois 24,45€ / 26,45€
❏ MAXI**	CZ5F54/CZ5FB2	4 volumes triples tous les deux mois 30,49€ / 32,49€
❏ PASSIONS	RZ5F53/RZ5FB2	3 volumes doubles par mois 24,04€ / 26,04€
❏ NOCTURNE	TZ5F52/TZ5FB2	2 romans tous les deux mois 16,25€ / 18,25€
❏ BLACK ROSE	IZ5F53/IZ5FB2	3 volumes doubles par mois 24,15€ / 26,15€

*Frais d'envoi inclus

**L'abonnement Maxi est composé de 2 volumes Edition spéciale et de 2 voulmes thématiques

N° d'abonnée Harlequin (si vous en avez un) |_|_|_|_|_|_|_|_|_|_|

Mme ❏ Mlle ❏   Nom : _____

Prénom : _____   Adresse : _____

_____

Code Postal : |_|_|_|_|_| Ville : _____

Pays : _____   Tél. : |_|_|_|_|_|_|_|_|_|_|

E-mail : _____

Date de naissance : _____

❏ Oui, je souhaite recevoir par e-mail les offres promotionnelles des éditions Harlequin.
❏ Oui, je souhaite recevoir par e-mail les offres promotionnelles des partenaires des éditions Harlequin.

Date limite : 31 décembre 2015. Vous recevrez votre colis environ 20 jours après réception de ce bon. Offre soumise à acceptation et réservée aux personnes majeures, résidant en France métropolitaine et Belgique, dans la limite des stocks disponibles. Prix susceptibles de modification en cours d'année.Conformément à la loi Informatique et libertés du 6 janvier 1978, vous disposez d'un droit d'accès et de rectification aux données personnelles vous concernant. Par notre intermédiaire, vous pouvez être amenée à recevoir des propositions d'autres entreprises. Si vous ne le souhaitez pas, il vous suffit de nous écrire en nous indiquant vos nom, prénom et adresse à : Service Lectrices Harlequin BP 20008 59718 LILLE Cedex 9. Service Lectrices disponible du lundi au vendredi de 8h à 17h : 01 45 82 47 47 ou 33 1 45 82 47 47 pour la Belgique.

Harlequin® est une marque déposée du groupe Harlequin. Harlequin SA – 83/85, Bd Vincent Auriol – 75646 Paris cedex 13. SA au capital de 1 120 000€ – R.C. Paris. Siret 31867159100069/APE5811Z